POSSÈDE-MOI

J. KENNER

POSSÈDE-MOI

Traduit de l'anglais (États-Unis)
par Pascal Loubet

Chapitre premier

— Ça y est ? je demande. Ça fait au moins cinq minutes que le soleil est couché.

À quelques mètres, Blaine se penche et pointe son nez de derrière la toile. Je ne bouge pas, mais du coin de l'œil j'aperçois ses épaules, son crâne chauve et sa barbiche d'un roux flamboyant.

— Mentalement, je te vois toujours baignée de lumière. Maintenant, ne bouge plus et tais-toi.

— Pas de problème.

Ma réponse, qui enfreint ses règles avec insolence, me vaut un grognement irrité. Bien que je sois nue dans l'embrasure d'une porte, notre échange semble tout à fait normal. J'ai l'habitude, à présent. L'habitude que la brise fraîche de l'océan fasse pointer mes tétons. Que le couchant éveille en moi quelque chose de si profond et passionné que je meurs d'envie de fermer les yeux et de m'abandonner à cette violente tapisserie de lumière et de couleur.

Cela ne me fait plus rien que Blaine me toise, et je ne tressaille plus quand il se penche si près qu'il frôle mes seins ou mes hanches, quand il ajuste ma posture à l'angle qui lui convient. Même ses « Parfait. Nikki, tu es parfaite » ne me nouent plus l'estomac, et j'ai cessé d'imaginer mes poings se serrer de fureur et mes ongles enfoncés dans mes paumes. Je ne suis pas parfaite, il s'en faut de beaucoup. Mais cela ne me rend plus dingue d'entendre ces simples mots.

Dans mes rêves les plus fous, jamais je n'ai imaginé que je pourrais me sentir aussi à l'aise en m'exhibant à ce point. Certes, j'ai passé la majeure partie de ma vie à parader sur un podium, mais à l'époque des concours de beauté j'étais toujours habillée, et même lors des passages en maillot mon intimité était pudiquement couverte. Je ne peux pas imaginer combien ma mère serait mortifiée si elle me voyait en ce moment, menton levé, reins cambrés, un cordon de soie rouge retenant mes poignets dans mon dos, et coulant entre mes jambes pour s'enrouler délicatement autour d'une cuisse.

Cela fait des jours que je n'ai pas vu la toile de Blaine, mais je connais son style et je vois d'ici ce qu'il a fait de moi avec ses pinceaux et ses couleurs. Une déesse captive.

Cela ne fait aucun doute, ma mère en ferait une maladie. Moi, en revanche, ça me plaît. Mince, peut-être est-ce pour cette raison que ça me plaît ? J'ai jeté les oripeaux de Nikki la princesse pour devenir Nikki la rebelle, et cela me fait un bien fou.

J'entends des pas dans l'escalier et je me force à garder la pose, même si je meurs d'envie de me retourner pour le regarder. *Damien.*

Damien Stark est l'unique sujet sur lequel je me refuse la moindre concession.

– L'offre tient toujours. (Les paroles de Damien remontent dans l'escalier de marbre jusqu'au troisième étage. Il n'a pas haussé la voix, et pourtant elle est animée d'une telle force et d'une telle assurance qu'elle emplit la pièce.) Dites-leur de bien regarder leurs comptes. Il n'y aura aucun bénéfice, et avant la fin de l'année il n'y aura même plus d'entreprise. Ils sont en chute libre, et quand ils s'écraseront en flammes, tous leurs employés seront au chômage jusqu'au dernier, l'entreprise sera morte et les brevets bloqués pendant des années, le temps que les créanciers se disputent leur dépouille. S'ils acceptent l'offre, je leur apporterai un sang neuf. Vous le savez. Je le sais. Et ils le savent.

Les pas s'arrêtent, je me rends compte qu'il est maintenant en haut de l'escalier. La pièce ouverte sert de réception, et celui qui monte ces marches est gratifié du panorama sur l'océan Pacifique qui occupe tout l'autre bout de la pièce.

Mais là, ce que voit Damien, c'est moi.

— Débrouillez-vous pour que cela se fasse, Charles, dit-il d'une voix tendue. Je dois vous laisser.

Je connais si bien cet homme, maintenant. Son corps. Son allure. Sa voix. Et je n'ai pas besoin de le voir pour sentir que la tension dans sa voix n'a rien à voir avec la conclusion d'une affaire. J'en suis la cause. Et c'est aussi enivrant que du champagne bu à jeun. *Un empire entier exige son attention, et pourtant, en cet instant, je suis tout son univers.* Je suis flattée. Étourdie. Et, j'avoue, tout excitée.

Je souris, ce qui me vaut d'être rabrouée par Blaine.

— Bon sang, Nik. Cessez de sourire.

— On ne voit même pas mon visage sur le tableau.

— Moi, je le vois, dit Blaine, alors cessez.

Il me taquine.

— Oui, monsieur, dis-je.

J'éclate presque de rire en entendant Damien toussoter, manifestement pour dissimuler un gloussement.

Le « monsieur » est notre secret, le jeu que nous jouons. Un jeu qui va officiellement se terminer ce soir, maintenant que Blaine met la dernière touche au tableau que Damien a commandé. C'est une perspective bien mélancolique.

Certes, je serai heureuse de ne plus avoir à rester figée. Même le plaisir de narguer ma mère ne vaut pas les crampes que j'ai aux jambes à la fin de chaque séance. Mais le reste me manquera, surtout la sensation du regard de Damien posé sur moi. Ces lentes inspections torrides qui rendent l'intérieur de mes cuisses tout moite et me forcent à me concentrer si fort, pour rester immobile, que ces séances deviennent délicieusement douloureuses.

Et notre jeu me manquera, oui. Mais avec Damien, je désire plus qu'un jeu, et malgré moi j'ai hâte d'être au lendemain, lorsqu'il n'y aura plus que Damien et Nikki, et rien d'autre. Quant aux secrets que nous partageons… Eh bien, avec le temps, ils s'envoleront aussi.

Difficile de croire aujourd'hui que j'aie été choquée au départ par la proposition de Damien : un million de dollars en échange de mon corps. Pour que mon image soit exposée en permanence sur une toile plus grande que nature ; et pour que le reste de ma personne soit entièrement à sa disposition.

Ce choc a été remplacé par un pragmatisme flagrant, mêlé d'ardeur et d'indignation. Je désirais Damien autant qu'il me désirait, mais en même temps je voulais le punir. Parce que j'étais convaincue qu'il ne voyait en moi que la reine de beauté, et que, dès qu'il aurait eu un aperçu de la femme blessée cachée sous cette façade raffinée, il battrait en retraite, aussi offensé d'avoir perdu pareille mise que d'avoir vu ses attentes déçues.

Je n'ai jamais été aussi heureuse de m'être trompée.

Notre accord n'était prévu que pour une semaine, mais il en avait duré deux, tandis que Blaine s'affairait sur sa toile en se tapotant le menton du manche de son pinceau, sourcils froncés, tout en marmonnant qu'il lui fallait encore un peu plus de temps. Pour que tout soit − encore ce mot − « parfait ».

Damien avait accepté. Après tout, il avait engagé Blaine en raison de sa réputation de peintre grandissante, et parce qu'il avait indéniablement du talent quand il s'agissait de traiter un nu fortement érotisé. Si Blaine avait besoin de plus de temps, Damien serait heureux de lui en accorder.

Je ne m'en plaignais pas, pour des raisons moins pragmatiques. Je voulais simplement que ces journées et ces nuits avec Damien durent encore. Telle mon image sur la toile, je renaissais à la vie.

Je m'étais installée à Los Angeles quelques semaines auparavant seulement, bien décidée à conquérir le monde des affaires à l'âge bien avancé de vingt-quatre ans. J'étais loin d'imaginer qu'un homme comme Damien Stark puisse me désirer, et encore plus vouloir mon portrait. Mais je ne peux nier le feu qui avait jailli entre nous dès l'instant où je l'avais croisé à l'une des expositions de Blaine. Il m'avait fait une cour assidue, et je m'étais efforcée d'y résister, parce que je le savais : il voulait quelque chose que je n'étais pas prête à céder.

Je n'étais pas vierge, mais je n'avais pas non plus une très grande expérience. Celles et ceux qui, comme moi, ont souffert ne se précipitent pas dans le sexe. Un garçon auquel j'avais fait confiance m'avait blessée, et mes émotions étaient encore à vif, autant que les cicatrices que je portais dans ma chair.

Damien, cependant, ne voit pas ces cicatrices. Ou plus exactement, il les voit pour ce qu'elles sont : une partie de moi. Des blessures de guerre infligées par ce que j'ai vaincu et que je continue de combattre. Moi qui pensais que mes cicatrices étaient le reflet d'une faiblesse… lui les voit comme un signe de force. Et c'est sa faculté de me voir clairement et entièrement qui m'a attirée aussi inexorablement vers cet homme.

— Tu souris encore, dit Blaine. Je peux deviner du premier coup à quoi tu penses. Ou à qui. Faut-il que j'expulse notre petit Médicis ?

— Vous allez devoir supporter son sourire, dit Damien avant même que j'aie le temps de répondre. (Une fois de plus, je me force à ne pas me retourner pour le regarder.) Car rien ne me fera quitter cette pièce sans Nikki.

La douceur veloutée de sa voix m'enchante et je sais qu'il est sincère. Nous avons passé tout l'après-midi à faire du lèche-vitrine sur Rodeo Drive, pour fêter le nouveau boulot que je dois commencer demain. Nous nous sommes promenés avec indolence dans les rues magnifiques, main dans la main, en sirotant des mokas glacés bourrés de calories et en faisant comme si rien d'autre au monde n'existait. Même les paparazzi, ces vautours armés d'appareils photo qui s'intéressent désagréablement à tout ce que Damien et moi faisons, nous ont laissés en paix.

Sylvia, l'assistante de Damien, a essayé de lui passer plusieurs appels, mais il a refusé tout net.

– C'est notre moment à nous, a-t-il répondu à la question que je ne posais pas.

– Dois-je alerter les journaux financiers ? l'ai-je taquiné. Cela n'affole-t-il pas les marchés, quand Damien Stark prend une journée de congé ?

– Je suis prêt à risquer l'effondrement du Dow Jones pour quelques heures avec toi. (Il porte ma main à ses lèvres et me baise le bout des doigts.) Bien entendu, plus nous faisons de shopping, plus nous soutenons l'économie, dit-il d'une voix sourde et sensuelle pleine de séduisantes promesses. Nous pourrions aussi retourner à l'appartement. J'ai en tête plusieurs idées intéressantes pour passer l'après-midi, et qui n'ont aucun impact fiscal.

– Tentant, ai-je répondu. Mais je ne crois pas que je prendrais le risque d'une crise économique pour avoir un orgasme.

– Crois-moi, ma chérie, tu n'en aurais pas qu'un.

J'ai ri, et finalement nous avons réussi à éviter la catastrophe mondiale, et lui à me donner un orgasme. Trois, à vrai dire. Damien n'est que générosité. (Et les chaussures qu'il m'a achetées sont vraiment sublimes.)

Quant au téléphone, il a tenu parole. Malgré l'insistance du vibreur, il l'a ignoré jusqu'à ce que nous arrivions à la maison de Malibu et que j'aie tenu à ce qu'il ait pitié de celui ou celle qui tenait tant à le joindre. Je me suis hâtée d'entrer pour retrouver Blaine, et Damien a un peu traîné pour rassurer son avocat : non, le monde ne s'était pas effondré malgré son absence temporaire.

Je suis tellement perdue dans mes pensées que je ne me rends pas compte que Blaine s'est approché de moi. Il tapote ma lèvre du bout de son pinceau, et je sursaute.

– Bon sang, Nikki, tu étais dans la lune !

– Tu as fini ?

Cela ne m'ennuie pas de poser, et Blaine est devenu un ami, mais là j'ai juste envie de le voir filer. En cet instant, tout ce que je veux, c'est Damien.

— Presque. (Il lève les mains en forme de cadre et me regarde à travers.) Juste là, dit-il en désignant l'endroit du bout de son pinceau. La lumière sur ton épaule, la lueur sur ta peau, le mélange des couleurs… (Il laisse sa phrase en suspens tout en retournant à sa toile.) Bon sang ! dit-il finalement. Je suis un putain de génie. C'est vraiment toi. Si je m'y laissais prendre, je m'attendrais à te voir surgir du châssis.

— Alors ça y est, tu as fini ? Je peux venir voir ?

Je me tourne sans réfléchir, me rendant compte trop tard qu'il aurait préféré que je ne bouge pas. Mais tout à coup ça m'est égal. Tout a disparu. Blaine, le tableau, le monde qui m'entoure. Car ce n'est pas la toile que je vois, c'est Damien.

Il est exactement là où je l'imaginais, en haut de l'escalier, nonchalamment appuyé à la rambarde en fer forgé, encore plus appétissant que dans mon imagination. J'ai peut-être passé tout l'après-midi avec lui, mais peu importe. Un simple regard est comme une gorgée d'ambroisie qui n'étanchera jamais ma soif.

Je le dévore des yeux en m'attardant sur chacun de ses traits parfaits. Sa mâchoire bien dessinée est soulignée par l'ombre de sa barbe. Les épais et doux cheveux noirs ébouriffés par le vent, si familiers à mes doigts. Et ses yeux. Ces yeux incroyables aux iris bicolores se concentrent avec une telle intensité que je les sens sur ma peau.

Il porte un jean et un T-shirt blanc. Mais même dans une tenue aussi décontractée, il n'y a rien d'ordinaire chez Damien Stark. C'est le pouvoir incarné, l'énergie déchaînée. Ma seule terreur est de savoir que l'on ne peut ni capturer ni posséder la foudre, et je ne veux pas perdre cet homme.

Nos yeux se croisent et je frissonne sous le choc. Le sportif, la célébrité, l'homme d'affaires et le milliardaire disparaissent pour ne laisser que l'homme, et une expression qui me fait bouillonner le sang de désir. Une expression si brute et primale que, si je n'étais pas déjà nue, le moindre vêtement aurait été réduit en cendres sous le feu de son regard.

J'ai la chair de poule et je dois me forcer pour rester immobile.

– Damien, je murmure, incapable de résister à la sensation de son prénom sur mes lèvres.

Les deux syllabes sont comme suspendues dans l'air entre nous. Devant son chevalet, Blaine se racle la gorge. Damien se penche juste assez pour le regarder, et je crois bien lire de la surprise sur son visage, comme s'il avait oublié que nous n'étions pas seuls. Il va rejoindre Blaine et contemple à son côté l'immense tableau. De là où je suis, je vois le cadre de bois sur lequel la toile est tendue et, sur le côté, les deux hommes contemplant l'image que je ne peux voir.

Mon cœur bat la chamade et je ne quitte pas des yeux le visage de Damien. Il semble fasciné, comme s'il admirait un objet de culte. Cette bénédiction muette me fait chanceler. J'ai envie de tendre le bras pour me retenir d'une main au lit près duquel je pose, mais mes poignets sont toujours attachés dans mon dos.

Mon immobilité me rappelle à ma place, et je réprime un autre sourire : je ne suis pas libre. J'appartiens à Damien.

Dans l'idée originale du tableau qu'ils ont eue tous deux, Blaine et lui, je devais me tenir simplement à cet endroit, devant les tentures de mousseline flottant autour de moi, en détournant le visage. L'image était sensuelle mais distante, comme si l'artiste ou le spectateur tentaient vainement d'atteindre cette femme. L'œuvre était éblouissante, mais il lui manquait quelque chose. Damien suggéra de faire contraster les tentures voletantes qui me frôlaient à peine avec une cordelette rouge sang, celle qui retient en cet instant mes mains dans mon dos.

J'ai accepté. Je voulais l'homme. Je voulais être liée à lui. Lui appartenir. Être considérée comme sa propriété.

Mon image ne serait plus hors d'atteinte. Au contraire, la femme du portrait serait un trophée. Une déesse éphémère domptée par un homme qui en était digne.

Damien.

Je le scrute pour tenter de deviner ce qu'il pense du portrait, mais je ne lis rien sur son visage. Il arbore son expression d'homme d'affaires, ce masque indéchiffrable qu'il porte pour ne pas divulguer ses secrets.

— Alors ? je demande, à bout. Qu'est-ce que tu en penses ?

L'espace d'un instant, Damien reste silencieux. Blaine se dandine à côté de lui, mal à l'aise. Les quelques secondes qui passent ont le poids de toute l'éternité. Je sens presque la frustration de Blaine, et je comprends qu'il ne puisse s'empêcher de lancer :

— Allez, quoi, c'est parfait, non ?

Damien laisse échapper un long soupir et se tourne respectueusement vers Blaine.

— C'est plus que parfait, dit-il en me regardant. C'est elle.

Le sourire satisfait de Blaine est un véritable rayon de soleil.

– C'est vrai que je n'ai jamais eu peur de me vanter de ce que je fais, mais là, c'est… vrai. Sensuel. Et surtout sincère.

Damien ne me quitte pas du regard. Mon cœur bat si bruyamment que je m'étonne d'entendre ce qui se passe. Je suis certaine que mon émoi est visible, et j'ai peur que Blaine ne se rende compte que je retiens désespérément le désir qui bouillonne en moi. Je dois me retenir pour ne pas le supplier de quitter la pièce et crier à Damien de venir m'embrasser. Me toucher.

Un bip aigu perce le silence, Damien sort le téléphone de sa poche et réprime un juron en lisant le message. Une ombre passe sur son visage, tandis qu'il range l'appareil sans répondre. Je me mords les lèvres, prise d'inquiétude.

Blaine, qui étudie la toile, tête penchée, n'a rien remarqué.

– Nik, ne bouge pas. Je veux juste rectifier la lumière là, et…

La sonnerie perçante du téléphone de Damien le coupe. Je m'attends à ce qu'il ignore l'appel aussi, mais il répond, après s'être éclipsé d'un pas si vif et décidé que je l'entends à peine dire sèchement : « Quoi ? ».

Je me force à rester immobile pour Blaine et réprime une vague de crainte. Ce n'est pas un coup de fil professionnel, Damien Stark ne se laisse pas ébranler dans les affaires. Au contraire, la traque et la conquête le nourrissent. Non, c'est autre chose, et je ne peux m'empêcher de penser aux menaces dont il a été l'objet et aux secrets qu'il continue de garder. Damien m'a vue nue, dans tous les sens du terme. Et pourtant, moi, j'ai l'impression de n'avoir fait que l'apercevoir – et encore, dans la pénombre.

Du calme, Nikki. Se mettre à l'écart pour répondre au téléphone, ce n'est pas la même chose que dissimuler un secret. Et chaque coup de fil ne fait pas partie d'un immense complot destiné à cacher son passé ou quelque chose du genre.

Je sais tout ça. J'y crois, même. Mais la raison n'apaise pas le petit pincement au cœur, ni la crainte qui me noue le ventre. Et devoir rester nue et immobile ne m'aide pas à raisonner clairement. Au contraire, cela me précipite sur la pente vertigineuse de l'angoisse, que je dévale malgré moi à tombeau ouvert.

En fait, je suis sur des charbons ardents depuis que mon ancien patron a menacé Damien. L'entreprise de Carl avait présenté un projet à Stark Applied Technology, et Carl m'en a voulu lorsque Damien l'a décliné. Il m'a aussi virée, mais il ne s'est pas arrêté là ; et la dernière fois que je l'ai croisé, il m'a juré qu'il bousillerait Damien. Jusqu'à maintenant, il n'y a rien eu. Mais Carl est déterminé et plein de ressources, et il s'estime dans son droit. Pour lui, Damien a tué dans l'œuf l'un de ses plus importants contrats. Les pertes projetées doivent se compter en millions, et Carl n'est pas le genre d'homme à oublier aussi facilement un affront ou un manque à gagner.

Le fait qu'il ne se soit rien passé depuis plus d'une semaine me tracasse. Que peut signifier ce silence ? J'y ai réfléchi encore et encore, et la seule conclusion que j'ai pu en tirer est qu'il s'est passé quelque chose, et que Damien a préféré ne rien m'en dire.

Je me trompe peut-être, je l'espère. Mais l'inquiétude et la peur me tenaillent et me chuchotent cruellement que si Damien a mis tous mes secrets au jour, les siens sont toujours dans l'ombre.

— Bon sang, Nikki ! Mais voilà que tu grimaces, maintenant, s'amuse Blaine. Parfois, j'adorerais être dans ta tête et savoir à quoi tu penses.

— À des choses sérieuses, je réponds avec un sourire forcé. Mais pas négatives.

— Tant mieux.

Il a un regard interrogateur, peut-être même un peu inquiet. Je me demande ce qu'Evelyn, la maîtresse de Blaine, qui connaît Damien depuis l'enfance, lui a dit du passé de cet homme. Pour le coup, je me demande si Blaine en sait plus long que moi sur celui qui m'a possédée.

Damien ne s'est absenté que quelques minutes, et quand il revient je meurs d'envie de me précipiter sur lui.

— Qu'est-ce qu'il y a ?

— Rien que je ne puisse oublier en te regardant.

J'éclate de rire, espérant qu'il ne remarquera pas que ses paroles sonnent faux. Il porte de nouveau le masque qu'il arbore en public. Mais je ne suis pas le public, et je ne suis pas dupe. Je le fixe, et lorsqu'il croise enfin mon regard, brusquement, ses lèvres pincées s'incurvent en un sourire sincère qui m'illumine.

Il vient vers moi et mon cœur bat de plus belle au rythme de ses pas. Il s'arrête à quelques centimètres, j'ai soudain beaucoup de mal à respirer. Après tout ce que nous avons fait ensemble — après chaque douleur qu'il a apaisée et chaque secret qu'il a entrevu —, comment se fait-il que chaque instant avec Damien soit toujours comme le premier ?

— Sais-tu tout ce que tu représentes pour moi ?

– Je… (Je prends une profonde inspiration et me reprends.) Oui. Autant que ce que tu représentes pour moi.

Je suis prise au piège du feu de ses yeux et de sa présence. Il ne me touche pas, mais c'est tout comme. En cet instant, il n'y a rien en moi qui n'exprime ce que je ressens pour Damien et son effet sur moi. Je voudrais l'apaiser, lui caresser la joue et passer mes mains dans ses cheveux. J'ai envie d'attirer sa tête contre ma poitrine en murmurant doucement, et de faire l'amour lentement et délicatement avec lui, jusqu'à ce que les ombres de la nuit disparaissent et que la lumière de l'aube nous baigne de ses couleurs.

Blaine toussote poliment depuis son chevalet. Damien sourit, narquois. Nous nous sommes seulement regardés, mais c'est comme si Blaine avait été témoin de quelque chose de profondément intime.

– Bon, d'accord. Je vais filer. Le cocktail est à 19 heures samedi, c'est bien ça ? Je viendrai dans l'après-midi vérifier si elle a besoin d'une retouche de dernière minute, puis je m'occuperai de l'accrochage et de la disposition des autres toiles sur les chevalets.

– Parfait, répond Damien en me fixant toujours.

– J'avoue que ça va me manquer, tout ça, ajoute Blaine en rassemblant ses affaires.

Pendant un instant, il me semble voir une ombre mélancolique dans le regard de Damien.

– Oui, dit-il. À moi aussi.

Je ne sais pas très bien quand Blaine s'en va, je me rends seulement compte qu'il est parti. Mais Damien est encore là, il ne me touche toujours pas et je vais devenir folle si je ne sens pas ses mains sur moi.

– C'est vraiment terminé ? Je n'ai toujours rien vu.

– Viens voir.

Il me tend la main. Je me tourne pour lui présenter mon dos, pensant qu'il va me détacher. Mais il n'en fait rien, il pose une main sur mon épaule et me guide vers le chevalet. Je dois marcher avec précaution à cause de la cordelette rouge enroulée autour de ma jambe gauche. Il ne se donne pas non plus la peine de me passer le peignoir qui attend au pied du lit.

– Enfin, mademoiselle Fairchild, vous ne pensez tout de même pas que je vais gâcher une si belle occasion ?

J'essaie de prendre un ton fâché, mais je suis sûre qu'il a perçu le rire dans ma voix. Mais il ne répond pas, car nous sommes arrivés devant le tableau. J'étouffe un cri : c'est moi, oui. La courbe de mes fesses, celle de mes seins. Mais c'est plus que moi. Aguicheuse et soumise, puissante et vulnérable à la fois. C'est aussi une image anonyme, comme l'a promis Damien. Dans le portrait, mon visage est détourné et seules quelques mèches s'échappent de mes boucles dorées relevées sur ma tête pour caresser mon cou et mes épaules. Désormais, ces boucles n'existent plus, puisque j'ai récemment coupé mes longs cheveux pour un carré frôlant mes épaules.

Je fronce les sourcils en me remémorant le poids des ciseaux dans ma main, lorsque j'ai coupé mes cheveux ce jour-là… alors qu'en réalité je voulais me les enfoncer dans la chair. J'étais perdue à cette époque, certaine que la seule manière de retenir le passé était de me cramponner à la douleur comme à une bouée.

Ce souvenir me glace et je frissonne.

Machinalement, je baisse le regard vers les jambes de la fille du tableau. Mais ses (mes) cuisses sont jointes et vues sous un angle tel que les pires cicatrices ne sont pas visibles. En revanche, on voit celle de la hanche gauche. Mais Blaine a réussi à donner à cette blessure une autre beauté. Les bords sont flous, et la cordelette rouge passe sur la chair abîmée comme si elle avait causé les marques parce qu'elle était trop serrée.

Quand on y pense, c'est peut-être vrai. Je me détourne, troublée par cette évidence : la fille du tableau est belle, malgré les cicatrices.

— Nikki ?

Du coin de l'œil, je vois que c'est moi et non le tableau que Damien regarde, une expression soucieuse sur le visage.

— Il a du talent, dis-je avec un sourire forcé. C'est un magnifique portrait.

— C'est vrai, acquiesce-t-il. Il est en tout point comme je le voulais.

Il y a une chaleur familière dans sa voix, et je comprends autant les mots qu'il a prononcés que je perçois ceux qu'il a gardés pour lui. Je souris, spontanément cette fois. Damien me gratifie d'un regard joueur.

— Quoi ? je demande, à la fois amusée et circonspecte.

Il hausse les épaules et se retourne vers la peinture.

— Ce sera un miracle si j'arrive à travailler dans cette pièce, dit-il en désignant du menton le mur de pierre au-dessus de la cheminée où doit être accroché le tableau. Et il n'est pas question que je reçoive des gens ici.

— Ah bon ?

Il a prévu un cocktail dans cette pièce, dans deux jours.

— Je me rends compte que c'est une erreur de donner une soirée quand on arbore une érection permanente.

— Eh bien dans ce cas, peut-être aurais-tu dû prévoir de le mettre dans la chambre ?

— Je n'en ai pas besoin dans ma chambre, puisque j'y ai le modèle.

— En effet. Dûment acheté et payé. Au moins jusqu'à minuit, heure à laquelle je me transformerai en citrouille.

Son regard s'assombrit. Il ne plaisante plus.

— Minuit… répète-t-il.

Est-ce de la dureté que je perçois dans sa voix ? Après tout, je ne vais pas vraiment me transformer en citrouille, quand notre petit jeu sera terminé. Et je ne vais pas partir non plus, je n'en ai pas la moindre envie. La seule chose qui changera, c'est qu'il n'y aura plus de règles, plus de « monsieur », plus d'ordres, plus de mot de code. Je porterai culottes, soutiens-gorge et jean quand cela me chantera. Et, oui, il y aura un million de dollars à la clé. Mais par-dessus tout, il y aura encore Damien.

— Suis-moi, dit-il.

De nouveau je regarde ma jambe, puis j'agite mes mains liées.

— Détache-moi.

Il reste un instant à me regarder, et je constate que nous continuons à jouer. Mon cœur bat la chamade et mes tétons se durcissent. Mes mains liées dans mon dos tirent mes épaules en arrière, relevant mes seins. Je les sens fermes et débordants de désir, et je me mords la lèvre en attendant sans un mot la main de Damien.

Un jeu, oui. Mais qui me plaît. Dans ce jeu, il n'y a pas de perdants.

Lentement, son regard glisse sur moi. Ma respiration se fait haletante et des gouttelettes de sueur perlent sur ma nuque. Je sens une moiteur entre mes cuisses, un désir vibrant, et c'est au prix d'un immense effort que je parviens à ne pas le supplier de me prendre. Le lit que Damien a acheté comme décor pour le portrait n'est qu'à quelques pas. *Là-dessus*, ai-je envie de hurler. *Emmène-moi là-dessus.*

Mais je n'en fais rien. Parce que je connais cet homme. Et surtout, je sais qu'avec Damien cela vaut la peine d'attendre. Enfin, il se baisse et défait la cordelette autour de ma jambe, mais quand il atteint mes poignets, il s'arrête et les laisse attachés dans mon dos.

— Damien, dis-je en essayant de prendre un ton sévère, mais incapable de dissimuler mon amusement et mon excitation. Je croyais que tu allais me libérer.

— Achetée et payée, n'oublie pas. Je ne suis pas arrivé là où je suis sans apprendre comment exploiter une transaction commerciale jusqu'à la dernière seconde.

— Oh !

— Viens, dit-il en faisant glisser la cordelette entre mes cuisses et en tirant dessus comme sur une laisse. Une laisse érotique et excitante. La douceur de la soie agace mon sexe brûlant, et mes jambes flageolent tant que je ne suis même pas sûrc d'arriver là où il m'entraîne.

Il tire la corde d'une main douce et enjôleuse, et lorsque j'atteins la salle de bains grande comme un spa, je suis épuisée de désir. Dévorée par un feu intérieur, je regarde avec envie les huit jets de douche stratégiquement disposés. La pensée de Damien derrière moi, ses mains sur mes seins, ses lèvres frôlant ma nuque est presque insoutenable, et je geins.

– Plus tard, glousse Damien à côté de moi. Pour le moment, j'ai autre chose en tête.

Étourdie, j'envisage toutes les possibilités. Nous avons déjà dépassé le lit. Il a écarté mon désir de prendre une douche et ne prête aucune attention à la profonde baignoire-Jacuzzi. J'ignore ce qu'il a en tête, mais je m'en moque. Ce soir, ce qui compte, ce n'est pas la destination, mais le voyage. Et d'après la manière dont Damien a posé la main sur mon épaule et tire sur la cordelette, ce voyage s'annonce très agréable.

Le dressing dans lequel il me conduit fait au moins la taille du salon de l'appartement que je partage avec Jamie dans Studio City. Ce n'est pas la première fois que j'y entre, mais je m'y perds à chaque fois.

Il me faudrait des années pour porter tous les vêtements que Damien m'a achetés. Et bien que le côté gauche du dressing soit près de déborder, je suis pratiquement certaine qu'au moins une douzaine de nouvelles tenues ont été ajoutées depuis ma dernière visite.

– Je ne me rappelle pas avoir jamais vu celle-ci, dis-je en désignant du menton une robe argentée qui étincelle dans la faible lumière, et paraît assez petite et moulante pour ne plus rien laisser à l'imagination.

– Vraiment ? répond-il avec un sourire aussi nonchalant que le regard qu'il laisse glisser sur moi. Je peux t'assurer que ce ne sera plus un problème quand tu l'auras mise. Personne ne pourra plus jamais l'oublier.

– Toi moins qu'un autre ?

Je le taquine.

Son regard s'assombrit et il se rapproche, laissant retomber la cordelette. Ma déception de ne plus la sentir ne dure pas. Damien est à quelques centimètres de moi, et l'air entre nous vibre intensément. Le moindre poil de mon corps se hérisse comme si j'étais prise dans l'air chargé d'électricité d'un orage. Je laisse échapper un cri quand son pouce caresse doucement la ligne de ma mâchoire. J'ai envie de savourer Damien. De me laisser consumer par le feu de sa présence.

— Il n'y a rien chez toi que je pourrais jamais oublier, dit-il. Tu es gravée dans ma mémoire. Tes cheveux luisant dans la lueur des bougies. Ta peau moite et douce, quand tu sors de la douche. La manière dont tu ondules sous moi quand nous faisons l'amour. Et la façon dont tu me regardes, comme si tu ne voyais rien en moi qui te donne envie de fuir.

— C'est le cas, dis-je à mi-voix.

Ses yeux sont posés sur moi. Il se rapproche et la pointe de mes seins frôle sa chemise en coton. J'étouffe un cri à ce contact presque électrique. Je suis parcourue de fourmillements, et tandis qu'il laisse descendre le bout de ses doigts le long de mon bras nu je n'ai qu'une pensée : je veux me coller contre lui. Je veux le sentir en moi. Avec douceur ou brutalité, peu importe. J'ai juste envie de lui, là, maintenant.

— Comment ?

Je parviens à peine à articuler, malgré ma gorge nouée.

— Comment quoi ?

— Comment peux-tu me faire l'amour d'un simple frôlement ?

— Je suis un homme plein de ressources. Je croyais que tu le savais. Peut-être devrais-je t'en faire une démonstration plus parlante ?

— Parlante ? je répète, la bouche sèche.

— Je vais te faire jouir, ma chère Nikki. Sans te toucher de mes mains, sans te caresser de mon corps. Mais je te regarderai. Je verrai tes lèvres s'entrouvrir, ta peau rougir. Je te verrai tenter de te maîtriser. Et je te dirai un secret, Nikki. Moi aussi, je vais essayer de maîtriser les choses.

Je me rends compte que j'ai reculé tandis qu'il parlait. Je suis désormais appuyée contre la commode qui sépare sa moitié de l'immense dressing de la mienne. C'est salutaire, car sans ce robuste soutien je ne crois pas que mes jambes tremblantes auraient pu me porter.

— Qu'est-ce que tu vas faire ?

J'ai appris bien des choses durant le temps que j'ai passé avec lui, et je sais désormais qu'avec Damien j'ai toute liberté de me déchaîner. Alors, pourquoi voudrais-je me retenir ? Pourquoi s'attend-il à ce que je me maîtrise ?

Il ne répond pas à ma question. Je me mords la lèvre et le scrute, essayant de deviner ses intentions. Il recule, et même si je sais qu'il s'agit seulement de mon imagination, l'air semble se glacer à mesure qu'il s'éloigne. La cordelette qui était retombée se redresse. Damien s'arrête à une trentaine de centimètres de moi, mais il continue de tirer dessus jusqu'à ce qu'elle remonte entre mes cuisses. Il tire lentement, mais je la sens de nouveau. Je suis si excitée que je gémis, et mon corps tremble. Je sens presque l'orgasme.

Mon regard plonge dans le sien, il sourit victorieusement.

— Ne vous inquiétez pas, mademoiselle Fairchild, dit-il. Je vous promets que ça ne s'arrêtera pas là.

Il s'avance en gardant la cordelette tendue en contact avec mon corps. Chaque mouvement fait bouger légèrement la soie et je ferme les yeux pour ne pas me mordre les lèvres ni me déhancher. J'ignore à quel jeu il joue, mais je le sais désormais : j'ai envie que ça dure.

Ses doigts frôlent mon cou et j'ouvre les yeux. Je redresse la tête vers lui, mais il évite mon regard. Il se concentre sur sa tâche : enrouler la cordelette autour de mon cou.

Je déglutis, en proie à un ouragan d'émotions. De l'excitation, oui, mais mêlée de crainte. De quoi, je ne sais pas trop. Je n'ai pas peur de Damien, jamais je ne pourrai. Mais mon Dieu, pourquoi m'attache-t-il au bout d'une laisse ? Et compte-t-il serrer encore ?

– Damien, dis-je, surprise que mes paroles semblent normales. Qu'est-ce que tu fais ?

– Ce que je veux, dit-il.

Et même si cela ne répond pas à ma question, je suis envahie par une vague de soulagement suivie d'une délicieuse anticipation.

Cela a commencé ainsi pour nous, avec ces quatre mots. Et, le ciel me vienne en aide, je n'ai pas envie que cela s'arrête.

Chapitre 2

Damien noue l'extrémité de la cordelette pour former un nœud coulant au bout d'une longue laisse qui glisse entre mes seins et sur mon sexe puis remonte dans mon dos jusqu'à mes mains attachées. Je me tortille un peu. Je suis sur les dents, excitée et, je l'avoue, un peu mal à l'aise.

Il me contemple longuement.

– Je suis tenté de commander un autre tableau, mademoiselle Fairchild. Je crois que j'aimerais vous avoir comme cela tout le temps.

– Est-ce une négociation, monsieur Stark ? (Je souris narquoisement.) Je ne suis pas bon marché, mais avec quelqu'un d'un goût aussi raffiné que vous, je suis sûre de trouver un terrain d'entente.

Il éclate de rire et je dois me retenir pour ne pas en faire autant.

– Il y a très peu de choses qui me plairaient autant que de négocier avec vous. Malheureusement, nous n'avons pas le temps.

– Ah bon ?

– Nous avons des gens à voir.

– Oh !

Soudain, je comprends pourquoi je vais devoir lutter pour me maîtriser. Je baisse les yeux vers mon corps nu et entravé.

— Je ne crois pas être habillée pour recevoir.

— Heureusement que la morale traditionnelle de notre société ne m'autorise pas à te sortir ainsi. Je suis un homme très égoïste, je n'ai aucune envie de te partager.

— Crois-moi, dis-je, la bouche sèche, je n'ai aucune envie d'être partagée non plus.

Je repense au portrait, où je suis attachée comme je le suis à présent. Un portrait plus grand que nature, qui sera accroché dans une pièce destinée aux réceptions. À cet égard, sans doute Damien m'a-t-il déjà partagée et ai-je donné mon assentiment. Mais je suis anonyme, sur ce tableau. C'était un des termes clés de notre accord.

— Je suis exceptionnellement heureux de l'entendre, mademoiselle Fairchild. Surtout que, comme vous me l'avez rappelé, vous êtes ma propriété exclusive jusqu'à minuit. Entièrement à moi et censée faire tout ce que je désire. N'est-ce pas ?

— Oui.

— Être touchée, excitée et tentée. (Mon corps se raidit à ses paroles, mais je parviens à hocher la tête.) Punie et adorée.

— Damien… dis-je d'une voix rauque.

Il me fait taire d'un doigt doucement posé sur mes lèvres. Puis il tourne lentement autour de moi.

— Vêtue, nourrie. À moi, Nikki, dit-il alors que son souffle caresse ma nuque aussi intimement qu'une main posée sur mon sexe. À moi, pour que je te protège et te chérisse. (Il est désormais de nouveau devant moi.)

Pour que tu m'obéisses. Dis-moi, Nikki, dis-moi ce que je veux entendre.

— Je suis à toi… je chuchote.

Je meurs d'envie qu'il me touche, mon corps est tellement en alerte que je me sens comme enivrée par cette drogue suave qu'est Damien.

— C'est bien, dit-il d'une voix sourde, passant de nouveau derrière moi.

Je tourne la tête pour tenter de le voir, mais j'ignore ce qu'il fait jusqu'à ce que je sente qu'il desserre les nœuds de mes poignets.

— Je suis surprise, dis-je. Après ce que tu as dit, je ne pensais pas que tu me libérerais.

— Qui dit que je te libère ? répond-il d'une voix sensuelle qui me caresse en m'enveloppe. Je m'occupe de toi, Nikki. Entièrement, totalement.

Je ferme les yeux d'impatience. Derrière moi, il finit de défaire les nœuds. Je soupire et me frotte les poignets, un peu engourdis d'être restés dans la même position aussi longtemps. J'essaie de deviner ce que Damien a prévu, mais c'est inutile. Je n'en ai pas la moindre idée et je le regarde avec impuissance gagner, de l'autre côté de la pièce, la partie du dressing où est présenté un assortiment de petits hauts qui suffirait à l'ouverture d'une boutique. Il choisit un pull noir sans manches à col bénitier, puis revient.

— Je vais t'habiller, à présent, dit-il. Lève les bras.

J'obéis. Le pull est doux et caressant, et il me va parfaitement. Je porte la main à ma gorge, ravie de cette liberté de mouvement, et heureuse de constater que le col recouvre la cordelette. Je glisse deux doigts entre la soie et ma peau, contente de ne pas être serrée. Je tire le bout qui plonge entre mes seins sous l'étoffe.

— Non, dit Damien depuis le fond du dressing, où il est allé choisir une jupe en cuir ultracourte.

— Non ?

— Tu la gardes. Maintenant, viens ici.

J'obéis et enfile la jupe qu'il me tend. Là aussi, la cordelette passe sous le vêtement.

— Damien…

J'essaie de ne pas avoir une voix rauque, mais je parviens à peine à dissimuler l'excitation que provoquent en moi ces deux syllabes.

— Chut ! réplique-t-il.

Il passe derrière moi, sans doute pour remonter la fermeture Éclair de la jupe. Il passe la main entre mes cuisses pour saisir la cordelette pendante et la tirer à lui. De nouveau, je sens le contact excitant de la soie sur ma chair hypersensible. Il la fait ressortir à la taille, puis me zippe fermement. Je me cambre et me dévisse le cou pour apercevoir un peu de rouge qui dépasse.

— Je ne crois pas que cela ajoute grand-chose à la tenue, dis-je.

— Je ne partage pas cet avis, rétorque-t-il avant de souligner ses paroles en tirant fermement et lentement sur la cordelette. (Je pousse un cri de plaisir et de surprise, tant la caresse simultanée sur mon sexe et mon cul est délicieusement intolérable.) Il te faut aussi des chaussures, dit-il aimablement. (Il me prend la main et m'embrasse la paume, et ce geste suavement romantique, associé à la cordelette du plaisir caché, suffit à provoquer mon rire.) Je ne pensais pas que les chaussures constituaient un sujet aussi divertissant, dit-il, attendant une explication. (Comme je reste silencieuse, il se dirige vers la section chaussures du dressing et choisit une paire de sandales à lanières de cuir noir, perchées sur d'insolents talons de huit centimètres.) Celles-ci feront l'affaire, dit-il. Et j'ai beau t'adorer avec des bas, je crois que nous nous en passerons ce soir.

Je ne peux qu'acquiescer, puis je m'assieds sur la petite banquette de cuir blanc où il me conduit. Dans cette position, la cordelette se tend… je suis certaine que Damien a tout expressément arrangé.

Il s'accroupit devant moi et soulève mon pied. Mes genoux sont écartés, et tandis qu'il glisse la sandale et ajuste la minuscule boucle autour de ma cheville, son regard croise brièvement le mien avant de s'insinuer dans l'ombre entre mes cuisses ouvertes. Je suis nue sous la jupe, excepté la cordelette de soie rouge qui me sert de sous-vêtement. Nue et moite, et si excitée que j'ai envie d'avancer les hanches pour le supplier en silence de me toucher. De me prendre.

Mais avec Damien, je n'ai pas besoin de supplier. À peine a-t-il ajusté l'autre sandale qu'il repose mes pieds sur le sol. À cause des talons, mes genoux sont plus hauts que la banquette, et du coup ma jupe est un peu relevée, ce qui offre à l'homme agenouillé devant moi un spectacle plus intime.

Délicatement, il pose sa paume sur mon genou nu. Puis il se penche et frôle de ses lèvres la chair sensible de l'intérieur de ma cuisse droite. Je frissonne à son contact, la pression de la cordelette rendant la sensation plus érotique encore.

– Tu es comme une drogue pour moi. (La voix de Damien est sourde, et son haleine sur ma peau si intime que je suis obligée de fermer les yeux et de me cramponner à la banquette.) Je n'avais pas l'intention de te toucher tout de suite. Mais je n'ai pas la force de me refuser ce petit avant-goût de toi.

– Oui.

C'est le seul mot que je parviens à prononcer, mais pour l'heure le seul qui paraît compter.

Ses mains remontent le long de mes jambes tandis qu'il dépose ses baisers délicats à l'intérieur de mes cuisses.

– Debout, dit-il en retroussant ma jupe.

Je me lève de la banquette et il soulève la jupe sur mes fesses, si bien que lorsque je me rassieds, elles sont nues sur le cuir tiède. Ses mains sont toujours sur mes hanches et il caresse de son pouce ma plus grosse cicatrice. Celle où je m'étais entaillée si profondément que j'avais bien cru finir aux urgences… Je m'étais rafistolée avec du chatterton et de la colle forte ! Je m'en étais sortie, mais la cicatrice est désormais un rappel hideux de mes blessures intérieures.

Entre mes jambes, les lèvres de Damien frôlent une autre cicatrice.

– Tu es si belle, murmure-t-il. Si belle et si forte, et à moi…

Je tremble et ravale mes larmes, consciente de sa sincérité. J'espère vraiment qu'il a raison, mais j'ai toujours peur que cette force, si j'en abuse, rompe comme un élastique qu'on a trop tendu.

Il comprend ce qui m'a amenée à m'emparer de la lame et à en appliquer l'acier glacé sur ma chair. Il comprend pourquoi j'avais besoin de souffrir. Je n'ai aucun secret vis-à-vis de cet homme, désormais je n'ai plus rien à cacher.

Je n'ai plus de secrets, mais Damien, si. Néanmoins, pour l'instant, je m'en moque. Je le désire tel qu'il est, avec ses zones d'ombre, et j'écarte mes cuisses en une invite explicite…

Damien ne me déçoit pas. Je sens son souffle sur mon sexe et ma respiration s'accélère, mes seins se soulèvent et retombent, leur pointe durcie frôlant la laine du pull.

De sa langue, il caresse et agace délicatement la chair tendre entre ma jambe et mon sexe. Je ferme les yeux en essayant de ne pas me tortiller. Mais je ne peux m'en empêcher, et à chaque infime mouvement, cette merveilleuse et satanée cordelette glisse sur mon sexe ruisselant. Je suis si trempée et excitée que ce simple frottement suffit à me foudroyer. Je crispe mes orteils dans mes sandales, si bien que seules les pointes touchent le sol et que mes genoux se relèvent encore plus. J'en veux encore, encore plus, et Dieu merci ! sa langue passe délicatement sur mon clitoris. Il ne m'en faut pas plus. Je vole en éclats et me renverse en arrière, si cramponnée à la banquette que je crains d'en déchirer le cuir.

Sa bouche me comble de plaisir et sa langue s'insinue tout au fond de moi. Il me tient sous son emprise. L'orgasme qui s'empare de moi semble interminable et je serre les cuisses, prenant Damien au piège.

Je sens les poils de sa barbe contre ma cuisse et je pousse un cri après avoir si longtemps retenu mon souffle. Je me penche en avant, me ressaisissant, et je glisse mes doigts dans ses cheveux. Je ne veux pas qu'il arrête, et pourtant, en cet instant, j'ai besoin qu'il me prenne dans ses bras. Besoin de l'étreindre et de l'embrasser, et je le relève sans ménagement. De ma bouche, je m'empare de la sienne et l'embrasse avec fureur, en sentant sur ses lèvres ma saveur la plus intime.

– Emmène-moi au lit, je le supplie un instant plus tard. Je t'en prie, emmène-moi au lit.

Je n'ai eu droit qu'à un avant-goût de Damien et, comme une réfugiée affamée, je suis loin d'être rassasiée.

– Pas tout de suite, dit Damien, avec un regard lourd de promesses. Avant, je vais te sortir.

*
* *

Je me penche sur le siège en cuir, tandis que d'un coup de volant de l'élégante et vive Bugatti Veyron, Damien vire sur la Pacific Coast Highway. Il ne m'en a jamais rien dit, mais je crois que, de toutes ses voitures, c'est sa préférée. C'est en tout cas celle que nous utilisons le plus, et j'ai même réussi – enfin – à en mémoriser la marque et le modèle. À présent, je dis « la Bugatti », et non plus « ta voiture au nom italien imprononçable ».

Il sourit, manifestement enchanté de nous conduire à toute allure loin de Malibu, vers Dieu sait quelle destination. Où que nous allions, je suis certaine que ce sera fabuleux, et je me laisse aller au bonheur de le regarder. Damien Stark, mon milliardaire sexy et joueur… Je souris de plus belle. *À moi.* C'est ce qu'il a dit de moi. Que j'étais à lui.

Mais la réciproque est-elle vraie ? Est-il à moi ? En l'occurrence, un homme comme Damien Stark, accroché au pouvoir et plus encore à ses secrets, peut-il appartenir à quelqu'un ?

Il détourne un instant son attention de la route et hausse des sourcils interrogateurs, ce qui ride son front parfait.

— Je donnerais cher pour savoir à quoi tu penses...

Je me force à sourire et à chasser mes soucis.

— Je n'ai pas examiné vos bilans, monsieur Stark, mais je crois que vous en avez les moyens.

— Je suis flatté.

— De voir à combien je vous évalue ?

— Que tu penses à moi, répond-il en plongeant son regard dans le mien. En même temps, il n'y a pas de quoi être étonné, je suppose. Pas un moment ne se passe sans que je pense à toi. (Ses paroles sont aussi enivrantes que du whisky.) Si chaque fois je devais payer ne serait-ce qu'un cent, ma fortune se serait évaporée depuis belle lurette.

— Oh, dis-je avec un petit sourire ridiculement timide, j'adore trop tes voitures.

Comme Damien Stark sait si bien le faire, il a balayé toutes mes inquiétudes. Avec un petit rire espiègle, je m'enfonce dans le confort de mon siège en cuir.

— Je me doute qu'elles rendent ma fréquentation nettement plus supportable.

— Oh, tout à fait. Voitures, vêtements, jet privé.....

— Paparazzi ? demande-t-il avec un coup d'œil oblique, pas assez fugace pour que je ne puisse percevoir une lueur d'inquiétude.

— Ils me donnent envie de dégainer mon Leica et de les photographier eux-mêmes, je grimace. On verrait combien ça leur plairait. D'un autre côté, j'adore cet appareil. Ce serait dommage de le salir en prenant des photos de ces gens, dis-je en crachant mes mots.

— Sans compter, ajoute Damien, qu'aucun tabloïd ne voudrait les acheter. C'est toi qu'ils veulent. Et tu as perdu une partie de ta vie privée à cause de moi.

Je me tourne vers lui. Est-ce cela, le sujet de ce coup de téléphone qui le tracasse ? Ses avocats le prévenant qu'une nouvelle photo de nous allait paraître dans une demi-douzaine de magazines dès la semaine prochaine ? J'essaie de me remémorer quelle image de la semaine précédente pourrait être assez gênante pour lui causer un tel souci.

Déjà, les tabloïds ont fait leurs choux gras d'une poignée de clichés de moi en maillot de bain, grâce aux différents concours de beauté auxquels j'ai participé. Me voir exposée sur les couvertures de journaux à la caisse du supermarché ne m'a pas amusée, mais je me suis répété que ces concours étaient publics et qu'au moins deux d'entre eux avaient été retransmis à la télévision.

Je ne vois rien d'autre de dérangeant qui puisse être imprimé à mon propos, ou sur nous deux. En tout cas, Damien et moi n'avons rien fait en public que je serais gênée que ma mère voie. Quant à la vie privée, eh bien, si les paparazzi ont des photos intimes de nous, ils seraient bien téméraires d'affronter la colère de Damien en les publiant.

Mais il y a le balcon de la maison de Malibu.

Chaque jour, je suis restée postée et ligotée dans cette embrasure, et même si Damien possède des hectares et des hectares et que la plage lointaine est privée, un photographe ingénieux pourrait sûrement...

Une vague de peur me submerge, si palpable que j'ai brusquement la nausée.

— Ils n'ont rien de nouveau, si ? je demande, m'efforçant de prendre un ton détaché. (Je peux supporter d'être sous le feu des projecteurs en étant la petite amie de Damien. Mais des photos de moi nue étalées dans les journaux et sur Internet ? *Oh, mon Dieu…*) Ils ne sont pas montés d'un cran ? Personne n'est allé braquer son zoom sur le balcon, tout de même ?

– Dieu merci, non.

Il répond si vite et avec un tel étonnement que je suis sûre d'être complètement à côté. Je me détends.

– Tant mieux, dis-je. J'ai cru…

Je ne termine pas ma phrase, car, je m'en rends compte, j'ai enfoncé mes ongles dans la chair de mes cuisses. Je me force à me détendre et à respirer profondément. Je n'ai pas besoin de souffrir pour affronter cela. Il n'y a rien à affronter à part la peur. Et puis, je peux me raccrocher à Damien.

– Oui, Nikki ?

– Comme tu venais de parler des paparazzi, j'ai cru que c'était à cause de ça qu'on t'avait appelé, dis-je d'une voix normale.

– Appelé ?

– Tout à l'heure. À la maison. Tu as eu l'air si contrarié.

Il ouvre de grands yeux. Apparemment, sa surprise est sincère.

– Ah bon ?

– Je doute que Blaine l'ait remarqué, mais je te connais.

– Oui. Apparemment. Mais le coup de fil n'avait rien à voir avec ces charognards.

Le halo pourpre de fureur autour de Damien est presque apparent, mais je ne sais pas s'il est fâché contre la personne qui l'a appelé ou contre moi. Je me racle la gorge et continue de parler comme si de rien n'était.

— Et puis tu n'as rien fait pour les attirer, les paparazzi. C'est plutôt une infestation. Je les déteste, mais j'apprends à vivre avec eux. (Il me jette un coup d'œil inquiet. Ç'aurait été trop beau qu'il ne remarque pas mon bref instant de panique un peu plus tôt. Rien n'échappe à Damien, comme je l'ai appris.) C'est vrai. Ils sont comme les fourmis de feu au Texas. Elles grouillent partout, mais l'astuce consiste à ne pas se retrouver parmi elles. Et quand on se fait piquer, la douleur ne dure pas. (Je l'affirme avec une telle fermeté que je me convaincs moi-même.) Et puis, dis-je avec un sourire malicieux, ton hôtel de Santa Barbara et ton penthouse compensent tout ça.

Mon stratagème pour changer de sujet a échoué, ce n'est pas normal qu'il reste silencieux si longtemps.

— N'oublie pas la maison d'Hawaii, dit-il finalement.

Je pousse un petit soupir ravi.

— Tu as une maison à Hawaii ?

— Et l'appartement de Paris.

— Oh, tu essaies juste de me faire saliver.

— T'ai-je dit que Stark International a plusieurs divisions dans l'industrie alimentaire ainsi qu'une part importante dans une entreprise qui fabrique des chocolats suisses haut de gamme ?

Je croise les bras. Si nous jouons à énumérer les possessions de Stark, cela va durer des heures.

— Tu te rends compte que le fait de ne m'avoir jamais offert de ces chocolats suisses est une raison suffisante pour que je fasse la tête pendant au moins quinze jours ?

— Quinze ? (Sa main plane au-dessus du bouton du volant qui commande le haut-parleur.) Et vous vous refuseriez au sexe pendant tout ce temps, mademoiselle Fairchild ?

J'émets un ricanement bien peu féminin.

– Sûrement pas. L'idée est que ce soit toi le puni, pas moi.

– Je vois. (Sa main s'éloigne du bouton.) Pas besoin d'ennuyer Sylvia à une heure aussi tardive, alors. Je lui ferai commander tes chocolats demain matin.

– Pour le moment, les chocolats sont en tête dans ma liste de tes atouts, dis-je en riant. Mais je suis aussi impressionnée par ton goût fabuleux en matière de restaurants. C'est un appel du pied, au fait.

– J'applaudis à ta subtilité.

– Je fais de mon mieux.

– Et la récompense, c'est que nous sommes presque arrivés.

– C'est vrai ?

Je n'ai pas fait attention au paysage, mais à présent je regarde par la vitre. Nous avons roulé pendant presque une demi-heure vers le sud en longeant les vagues du Pacifique frisées d'une écume blanchie par la lune. Nous dépassons le panneau Santa Monica et, après quelques croisements et arrêts aux feux, nous arrivons sur Ocean Avenue entre Santa Monica et Arizona.

Damien stoppe devant un élégant bâtiment blanc qui n'a aucun angle mais seulement des courbes. Il y a plusieurs étages, et tout est presque éteint ; mais quand je colle le nez à la vitre et lève les yeux, je vois que le dernier étage est éclairé.

Le poste du voiturier se trouve à quelques mètres et un type guère plus jeune que Damien se précipite à ma portière. Immédiatement, Damien appuie sur le verrouillage centralisé. Je lui lance un regard interrogateur, mais il se contente de descendre et de faire le tour de la Bugatti pour rejoindre le voiturier. Je suis frappée par la différence entre les deux hommes. Le voiturier doit avoir vingt-six ans, soit deux de plus que moi et seulement quatre de moins que Damien. Et pourtant, Damien est si sûr de lui qu'il paraît sans âge. Comme un héros mythique, les épreuves traversées l'ont renforcé et lui ont donné cette assurance sexy, si séduisante qu'elle éclipse presque sa beauté physique.

À trente ans, Damien a déjà conquis le monde. Le voiturier, qui reste interdit, n'ayant pas de portière à ouvrir, est sans doute de ceux qui ont du mal à payer leur loyer. Je n'ai pas de peine pour lui, il est comme beaucoup de jeunes de Los Angeles — acteurs, scénaristes et mannequins venus dans la cité des Anges dans l'espoir que la ville les révélera, et qui rament, malheureusement. Damien, lui, fait exception. Damien n'a pas besoin de cette ville, il n'a besoin que de lui-même.

Je sens à nouveau un désagréable pincement au cœur. Car si ce raisonnement est juste, que faut-il en déduire, me concernant ? Je sais que Damien me désire – je le vois à chacun de ses regards. Mais j'en suis arrivée à avoir besoin de lui autant que de l'air que je respire ; et parfois, même si je sais que ce désir est réciproque, je crains d'être la seule un jour à l'éprouver.

Ces pensées mélancoliques s'envolent dès que Damien ouvre la portière, à la vue de son sourire et de son expression, si férocement protectrice que je ne peux m'empêcher de soupirer. Il me tend la main pour m'aider à descendre, se plaçant de telle manière que le voiturier ne puisse entrevoir mon intimité, même si mes tentatives pour la protéger ne sont pas facilitées par cette voiture au ras du sol.

Je réussis la manœuvre, Dieu merci, et Damien me lâche la main pour me prendre par la taille. C'est l'été, mais si près de l'océan l'air est frais, et je me blottis contre lui pour savourer sa chaleur. Damien jette les clés au voiturier, qui doit déjà pleurer de joie à la perspective de se glisser derrière le volant de cette voiture exceptionnelle.

– Laisse-moi deviner, dis-je en attendant que le pauvre garçon lui donne un ticket. L'immeuble est à toi ?

Je jette un coup d'œil au bâtiment. Seule l'entrée est éclairée, et dans l'ombre je distingue des groupes de gens. Des couples qui bavardent. Des hommes dans des tenues allant du maillot de bain au costume. C'est normal, sans doute. Après tout, la plage est de l'autre côté de la rue.

– Cet immeuble ? Non, mais je pourrais bien faire une offre s'il était à vendre. C'est un complexe de bureaux pour le moment, mais avec cet emplacement il pourrait être transformé en un hôtel qui aurait beaucoup de succès. Je garderais le restaurant sur le toit-terrasse, et pas seulement parce que je suis un ami du propriétaire.

Le voiturier donne son ticket à Damien, et je découvre alors le nom du restaurant sur sa guérite.

– Le Caquelon ? je demande tandis que nous nous apprêtons à entrer. Je n'en ai jamais entendu parler.

– C'est excellent. La vue est splendide, et la cuisine encore plus. Et les tables sont très, très intimes, ajoute-t-il en me toisant d'un air carnassier.

– Oh !

C'est tout Damien, ça. Le petit détail sensuel qui me fait oublier mon calme pour n'être plus que pâmoison et désir. « Je vais te faire jouir », a-t-il dit, et j'espère bien qu'il a l'intention de tenir sa promesse. Je me racle la gorge en essayant de réprimer mon excitation. Je suis sûre qu'il doit sentir contre lui mon cœur battre la chamade.

– Et que signifie le nom ?

Avant qu'il ait le temps de répondre, les groupes se séparent et tout le monde se rassemble. Des flashs crépitent et les charognards braillent leurs questions. C'est arrivé si vite que je n'ai même pas eu le temps de réfléchir. Machinalement, je prends une expression neutre assortie d'un imperceptible sourire. Cela fait des années que j'ai l'habitude de me cacher derrière différents masques. Nikki en société, Nikki gentille fille, Nikki sur le podium.

À cet instant, j'ai choisi Nikki l'inébranlable.

La main de Damien se resserre autour de ma taille, et, même s'il ne dit rien, je sens la tension en lui.

– Continue simplement d'avancer, chuchote-t-il. Il suffit d'arriver à l'intérieur.

Là, comme me l'a expliqué son avocat Charles, nous sommes en sécurité. S'ils nous suivaient, ce serait de la violation de propriété.

– Nikki !

Une voix s'élève dans le tumulte, si familière que j'ai envie de gifler son propriétaire. Mais je ne réagis pas. Je continue de regarder droit devant moi et de n'offrir que ce léger sourire officiel.

– Les photos du concours de maillots de bain de Miss Texas publiées la semaine dernière sont partout sur Internet. C'est vraiment vous qui les avez fuitées pour donner un coup de pouce à votre carrière de mannequin débutante ?

J'imagine ma main se crisper pour lui flanquer un coup de poing, et mes ongles s'enfoncent dans ma paume.

— Et concernant la télévision, pouvez-vous confirmer que vous figurerez dans une nouvelle émission de télé-réalité l'an prochain ?

Non, pas un coup de poing. C'est un rasoir que je tiens dans la main, et sa lame me mord la chair, une douleur glacée à laquelle je peux me raccrocher.

Non.

Je me force à chasser cette image de lames et de douleur de mon esprit. J'enrage que ces parasites soient le catalyseur de ma faiblesse. Ils ne méritent pas que je perde du temps avec eux, et encore moins que je souffre.

— Nikki, quel effet cela vous fait-il d'avoir décroché l'un des célibataires les plus convoités du monde ?

J'inspire profondément et la main de Damien me serre contre lui. *Damien.* Je n'ai pas besoin de cette douleur, non. Il n'y a rien. Rien. Je garde mon équilibre… et c'est grâce à Damien.

— Monsieur Stark ! Il paraît que vous avez refusé d'assister à l'inauguration des courts de tennis vendredi prochain ? Qu'avez-vous à déclarer à ce sujet ?

Durant un instant, il me semble que Damien trébuche, mais nous continuons d'avancer. Devant nous les portes s'ouvrent, et un homme qui doit mesurer plus de deux mètres se précipite dehors, accompagné de deux types qui viennent nous encadrer. À eux trois, ils forment une sorte de rempart triangulaire et nous fendons la foule comme une pointe de flèche pour nous retrouver à l'abri.

À peine les portes se referment-elles derrière nous que je me sens moins oppressée. Damien me lâche la taille, mais entrelace ses doigts avec les miens. Il baisse les yeux vers moi et je lis clairement la question dans son regard.

– Ça va, dis-je alors que nous gagnons l'ascenseur. Je t'assure.

Le grand type, Damien et moi entrons dans l'ascenseur, mais les deux autres restent dehors, sans doute pour veiller à ce qu'aucun des charognards n'essaie d'entrer dans le restaurant en se faisant passer pour un client. Alors que les portes se referment, je lève les yeux vers Damien. Son regard flamboie d'une fureur sauvage, mais j'y lis aussi une telle inquiétude pour moi que les larmes me montent aux yeux.

Lentement, il porte ma main à ses lèvres et dépose un baiser au creux de ma paume.

– Je suis vraiment navré, mon cher, dit le géant avec une sorte d'accent allemand. Un serveur a vu le registre des réservations. Apparemment, il ne voulait pas se contenter d'empocher ses pourboires ce soir.

– Je vois, répond Damien. (Le ton est calme, mais tendu, et la pression de sa main sur la mienne se fait plus forte. Je ne suis sans doute pas la seule à voir qu'il s'efforce de maîtriser le caractère irascible qui l'a rendu si célèbre à l'époque où il jouait au tennis, et qui a d'ailleurs été à l'origine de la blessure qui lui a laissé des yeux de couleur différente.) J'aimerais dire un mot à ce jeune homme.

– Je l'ai licencié, dit le grand type. Il a été raccompagné

en même temps que je venais m'occuper de vous et de mademoiselle.

– Très bien, dit Damien.

J'approuve sans un mot. Car d'après la fureur que je lis sur le visage de Damien, si le serveur avait encore été là, il aurait vraiment eu de quoi se faire du souci.

Chapitre 3

Damien ne dit rien de plus jusqu'au restaurant, et dans l'ascenseur l'atmosphère est lourde. Je suis sûre que l'homme qui nous escorte, à la fois propriétaire des lieux et ami de Damien, doit se sentir mortifié que l'un de ses employés ait tuyauté la presse. Que Damien ne nous ait pas officiellement présentés prouve combien l'incident l'a contrarié. Damien a toujours des manières exquises.

Quant à moi, je ne peux m'empêcher de regretter que nous soyons sortis. La présence des paparazzi était déplaisante, mais cette atmosphère pesante est pire.

Je serre la main de Damien :

– Ils se fatigueront bien assez tôt. Un couple de stars de cinéma va divorcer, ou bien une star de la téléréalité se fera prendre en flagrant délit de vol à l'étalage. Nous sommes barbants, en comparaison.

Pendant un instant, je me dis que mon stratagème n'a pas fonctionné. Puis il dépose un baiser sur mes doigts.

– Pardonne-moi, dit-il. C'est moi qui devrais te réconforter.

– Je suis avec toi, dis-je, je ne peux pas rêver mieux.

Il prend ma main, puis lève les yeux vers l'homme.

– Alaine, dit-il, j'ai oublié tout savoir-vivre. Je voudrais vous présenter ma petite amie, Nikki Fairchild. Nikki, voici mon ami Alaine Beauchene, l'un des meilleurs chefs de la ville, propriétaire du Caquelon.

– C'est un très grand plaisir de faire votre connaissance, dit celui-ci. Damien m'a dit tant de bien de vous !

– Oh !

Je ne sais pas pourquoi, mais ses paroles me surprennent. Je peux sans peine me représenter Damien parlant avec Jamie, mais je ne sais pas pourquoi, l'idée de Damien bavardant avec ses amis à mon propos ne m'est jamais venue. Je ne peux nier que c'est agréable – un fil de plus dans la tapisserie tissée par Nikki et Damien.

– Merci de nous avoir sauvés, dis-je. Comment vous êtes-vous connus, tous les deux ?

– Le père d'Alaine pratique la médecine du sport. Nous avons fait connaissance durant les tournois.

– Deux jeunes hommes sillonnant l'Europe, dit Alaine avec nostalgie. C'était le bon temps, mon vieux.

J'observe Damien avec attention. Je ne sais peut-être pas grand-chose, je sais cependant que les années où il a joué au tennis n'ont pas débordé de souvenirs douillets et agréables. Mais son sourire semble sincère.

– C'étaient nos plus belles années, dit-il.

Je suis bizarrement soulagée que ses années dans le milieu du tennis n'aient pas été qu'un enfer. Qu'un ou deux rayons de soleil aient percé ces sombres nuages.

– Nous deux et Sofia, dit Alaine en riant. (Il me jette un regard.) Deux ans de moins que nous, mais ce petit diablotin était bien décidé à s'incruster. Tu as eu des nouvelles ? Comment va-t-elle ?

– Bien, répond Damien.

Alaine a dû percevoir le ton sec de sa réponse, car une moue imperceptible passe fugitivement sur ses lèvres.

– Quoi qu'il en soit, reprend-il, essayant de paraître enjoué alors que l'ascenseur s'immobilise, laissons là le passé. Tu es venu pour dîner, pas pour ressasser des souvenirs.

Les portes s'ouvrent, Alaine s'efface pour me laisser passer. Je me retrouve au milieu d'une salle de réception spectaculaire, pas vraiment élégante, mais loin de l'ordinaire. Elle a du caractère, un toit de verre ouvert sur le ciel nocturne sillonné de faisceaux de couleur. À l'accueil trône un aquarium, aux poissons aussi colorés que les cheveux de l'hôtesse.

La paroi entièrement vitrée, à gauche, révèle une partie de Santa Monica et du Westside ainsi que la plage, presque jusqu'au bout de la jetée. Sur le mur opposé, des panneaux lumineux répondent aux couleurs du toit. Je ne saurais dire si c'est un décor moderne ou futuriste, mais cela me plaît. C'est dynamique, différent, si vif et multicolore que je ne vois pas comment notre soirée resterait dans la grisaille.

– Je dois retourner en cuisine, dit Alaine. Mais Monica va vous conduire à votre alcôve. Mademoiselle Fairchild, j'ai été ravi de vous rencontrer. J'espère que vous apprécierez ce dîner et que je vous verrai tous les deux vendredi prochain à l'inauguration.

D'après son intonation, je comprends qu'il nous pose une question, mais je ne peux pas répondre, car je n'ai pas la moindre idée de ce dont il parle.

– Je ne pourrai pas y être, répond Damien. Mais je t'appellerai la semaine prochaine. Pour prendre un verre. Cela fait trop longtemps.

Ces paroles, parfaitement courtoises et amicales, sont prononcées derrière un masque. Alaine le voit-il ? Connaît-il vraiment Damien ? Ou bien ne connaît-il que les menus fragments que Damien a choisi de révéler au fil des années ?

Je pencherais pour la seconde réponse. Je doute que quiconque aie jamais pu découvrir tout ce qui se cache derrière son masque, et l'idée de ne pas avoir eu moi-même ce privilège m'attriste. J'ai tellement envie de braquer un peu de lumière dans ces tréfonds obscurs, et j'ose même croire que Damien souhaite que je le fasse. Mais il a mis si longtemps à élever des murailles pour protéger sa vie privée… je crois bien qu'il a oublié d'y ménager une porte. Il me reste à espérer que nous pourrons creuser ensemble une brèche dans ces murs.

Nous avons suivi l'hôtesse dans la salle, zigzaguant entre les tables jusqu'à une paroi lumineuse verte. Poussant une poignée que je n'avais pas remarquée, elle fait glisser le panneau, un peu comme la cloison japonaise d'une alcôve où se trouvent une table et deux banquettes derrière lesquelles une vaste baie laisse apparaître la jetée illuminée de Santa Monica.

Je suis Damien jusqu'à la vitre, attirée autant par l'homme que par les couleurs.

— Nous avons mis votre vin à décanter, dit Monica en indiquant la table, et je vais vous faire apporter de l'eau plate et de l'eau gazeuse. Ce sera comme d'habitude, monsieur Stark ?

— Juste l'entrée et le dessert, répond-il. Pour deux.

— Votre serveur vous apportera le premier plat dans quelques minutes, dit-elle en s'inclinant. En attendant, je vous laisse apprécier le vin et le panorama.

Elle nous laisse, referme la cloison et Damien se place à côté de moi, bouillonnant de colère. Soudain, il assène une grande gifle du plat de la main sur la vitre.

– Damien !

Je m'attends à ce que l'hôtesse surgisse, alertée par le bruit. Mais personne ne vient. Apparemment, l'endroit est bien mieux insonorisé que je ne l'aurais pensé.

– Sais-tu combien je vaux ? demande Damien.

– Je… Non, pas exactement, je réponds en clignant des paupières devant cette question surgie de nulle part.

Cela me vaut un petit sourire.

– Exactement. Je t'avoue que je l'ignore aussi. C'est plus que le PIB de nombreux pays, et sûrement bien suffisant pour que je sois largement à l'aise jusqu'à mon dernier jour. (Il se retourne vers moi.) Mais cela ne suffit pas pour empêcher ces salauds de se jeter sur toi.

– Damien, dis-je, touchée. Tout va bien, je n'ai rien.

– À cause de moi, tu es sur Internet en maillot de bain.

– Je suis sur Internet en maillot de bain parce que ma mère me forçait à participer à des concours de beauté depuis mes quatre ans. Et parce que je n'ai pas eu le courage de lui tenir tête, même plus âgée. Je suis sur Internet à cause de tous les cons qu'il y a dans le monde. Pas à cause de toi.

– Je n'aime pas que l'on te nuise à cause de moi, je n'aime pas ça du tout, répète-t-il. Mais je ne suis pas sûr d'avoir la force d'y changer quoi que ce soit.

– La force ? (Il ne répond pas. Je vois une ombre passer sur son visage avant qu'il ne se retourne vers la baie vitrée. Damien Stark, l'homme le plus fort que je connaisse, est en proie au tourment, et brusquement j'ai peur.) Damien ?

Sa paume posée sur la vitre se referme en un poing serré et ses muscles se crispent.

– Dans le temps, je possédais une petite entreprise de vins et fromages gastronomiques, dit-il. Ou plutôt, c'était la propriété de Stark International.

Je suis étourdie par ce brusque changement de sujet. Je ne sais pas pourquoi il m'en parle, mais il doit y avoir une raison. Je me glisse derrière lui et me colle contre son dos, mes bras autour de sa taille et mes lèvres sur sa nuque.

– Raconte-moi, dis-je.

– C'était une vieille entreprise familiale de bonne réputation. J'adorais leurs produits, et je me suis dit que cela pourrait être un partenariat rentable. Et ç'a été le cas, pendant un an.

– Qu'est-ce qui s'est passé ?

– Quand la presse a appris que Stark International était derrière cette petite entreprise, elle s'est déchaînée. Nous ne faisions pas de production industrielle et n'avions rien changé à l'entreprise. Nous avions simplement apporté assez de capitaux pour laisser l'affaire grandir à sa guise. Mais on nous a accusés d'être de grands capitalistes déguisés en entreprise familiale pour tromper les consommateurs. Tous ces commentaires négatifs ont stoppé net sa croissance. Et du jour au lendemain, une affaire qui était rentable s'est retrouvée dans le rouge.

– Qu'est-ce que tu as fait ?

Je retiens mon souffle, car je sais où il veut en venir, et cela ne me plaît pas.

— Je me suis retiré. Publiquement et ostensiblement. Malgré cela, il a fallu du temps pour que l'entreprise se redresse. Être associé à Stark International a failli anéantir un commerce dont j'adorais le vin et les fromages.

— Je ne suis ni un vin ni un fromage, dis-je doucement. Et je ne suis pas en chute libre. Jamais cela ne pourrait m'arriver avec toi à mon côté. Tu me soutiens, Damien. Nous le savons tous deux.

Il reste silencieux un moment. Puis, avec une brusquerie qui me coupe le souffle, il tire sur la cordelette autour de mon cou, me plaquant le dos contre la vitre glacée. Il recule pour me contempler, et soudain m'embrasse.

— Je le ferai, dit-il. Si c'est nécessaire pour te protéger, je te quitterai. Même si cela doit me tuer.

— Tu ne partiras pas, je proteste, haletante. Tu ne le feras pas, parce que cela me tuerait aussi.

— Oh, Nikki ! (Il baisse la tête et referme ses lèvres sur les miennes. Je me cambre, éperdue. Je suis comme un interrupteur : il suffit qu'il me touche pour qu'un courant électrique me parcoure et m'illumine.) Est-ce que tu imagines ce que j'ai envie de te faire, là tout de suite ?

— Dis-le-moi.

— Je veux te dépouiller de tous tes vêtements, caresser ton corps du bout des doigts, juste assez pour que tu t'éveilles à mon contact. Je veux voir les lumières de la jetée scintiller derrière toi et voir mon reflet dans tes yeux pendant que tu jouis… Mais je ne peux pas. Je crois t'avoir dit que je n'allais pas te toucher.

Je dois me retenir pour ne pas gémir.

— Vous jouez avec moi, monsieur Stark.

— Oui, répond-il. En effet.

— J'imagine que c'est juste, monsieur, dis-je. Je suis à vous, après tout. Du moins pour la soirée. Mais demain, je serai une femme riche et le jeu que nous jouerons aura de toutes nouvelles règles.

Un instant, il reste de marbre. Puis il hoche lentement la tête.

— Vous avez raison d'en parler, mademoiselle Fairchild. Je dois m'assurer que j'en aurai pour mon argent.

— Pour votre argent ?

— Avez-vous lu l'article de *Forbes* que je vous ai envoyé ? demande-t-il. Le journaliste a parfaitement su décrire ma philosophie en affaires.

— Je l'ai lu, oui.

À vrai dire, je l'ai même lu plusieurs fois, savourant chaque anecdote que j'apprenais sur Damien homme d'affaires.

— Oui, monsieur, corrige-t-il.

— Oui, monsieur… J'ai lu l'article.

— Alors vous savez que j'attribue une grande partie de ma réussite à ma capacité à tirer autant de valeur que possible de chaque transaction financière.

Je m'humecte les lèvres.

— Et je suis une transaction financière ?

— En effet.

— Je vois. Et comment envisagez-vous d'en tirer de la valeur ?

— Je vous l'ai déjà dit. Si vous avez décidé de ne pas faire attention…

— Vous avez dit que vous alliez me faire jouir.

Sa bouche s'incurve en un petit sourire paresseux et les coins de ses yeux se plissent.

– C'est bien ce que j'ai dit. Brave fille. Vous aurez une bonne note, finalement.

Puis, avec une lueur machiavélique dans le regard, Damien s'empare de la cordelette au bas de mon dos et commence à tirer lentement dessus.

Oh ! mon Dieu !

C'est comme s'il créait de l'électricité par frottement. Je ferme les yeux, et ma respiration se fait de plus en plus haletante.

– Damien… je murmure.

– Cela vous plaît ?

– Oui, oh, mon Dieu, oui !

– Tant mieux.

Il lâche la corde. Le frottement cesse et j'ouvre brusquement les yeux. Il me regarde avec un petit sourire satisfait.

– Frustrée, mademoiselle Fairchild ?

– Non.

Je mens si mal que même moi j'entends mon intonation agacée.

Il rit et m'embrasse sur le nez.

– Patience, ma chérie. Pour l'instant, j'ai un petit cadeau pour toi. (Il appuie sur un bouton de la table et une lumière au-dessus de la paroi vire du rouge au vert. Je l'interroge du regard.) La cloison se verrouille pour laisser aux clients toute leur intimité. Quand les plats arrivent, le serveur appuie sur un bouton à l'extérieur et le bouton vire au rouge.

– Et le vert déverrouille.

C'est un système intéressant et je me rends compte que nous aurions joui d'une intimité absolue si Damien avait fait tout ce qu'il vient de dire. S'il m'avait entièrement déshabillée et baisée contre la vitre. J'imagine la sensation du verre glacé sur mon dos. Des mains de Damien sur mes seins. De sa bouche sur mon cou. Et de son sexe s'enfonçant de plus en plus à chaque coup, jusqu'à ce que j'explose dans une débauche de couleurs rivalisant avec les lumières de la jetée à l'horizon.

– Nikki…

Je relève brusquement la tête et me rends compte que le serveur dépose un poêlon à fondue sur la table. Damien me fait signe de m'asseoir. Bien que le serveur semble ne pas y prêter attention, je suis certaine que Damien sait où mes pensées se sont égarées.

« Coquine », articule-t-il silencieusement.

Je lui fais mon plus innocent sourire en papillonnant des paupières pour faire bonne mesure.

Au centre de la table se trouve une décoration qui n'en est pas une. Il s'agit d'une résistance chauffante, et dessus le serveur dépose un lourd poêlon en pierre – un caquelon – rempli de chocolat fondant. Un autre apporte une corbeille de fraises juteuses à y tremper, des carrés de gâteau… Je souris à Damien comme une gamine au paradis.

– Une fondue au chocolat ?

– Je l'avais envisagée au fromage, dit-il quand les serveurs se sont éclipsés et ont refermé la cloison. Mais celle au chocolat m'évitera d'être puni en l'absence de sexe. (Je dois avoir l'air perplexe, car il poursuit.) Alaine importe le chocolat de la filiale suisse dont je t'ai parlé tout à l'heure.

– C'est vrai ? dis-je en jetant un coup d'œil au poêlon. Je sais que tu es délicieux. Je suppose que ton chocolat l'est aussi.

Comme pour en donner la preuve, je m'apprête à prendre une fraise, mais il me retient d'une tape sur la main.

— Non, non, dit-il.

— Euh… du chocolat.

— Ferme les yeux, dit-il en riant. (Je plisse les paupières, mais sans les baisser complètement.) On désobéit, mademoiselle Fairchild ? Vous vivez vraiment dangereusement.

Je ricane, mais j'exécute sa demande sans sourciller. Un instant plus tard, je sens quelque chose de doux me frôler la joue, puis couvrir mes yeux. Une serviette ou un mouchoir ? Je ne sais, mais Damien s'en sert de bandeau.

— Que…

Il me fait taire d'un doigt sur mes lèvres.

— Je vous ai fait une promesse, mademoiselle Fairchild. Vous vous souvenez ?

J'acquiesce, la pointe de mes seins et mon sexe frémissant à la pensée de ses paroles.

— Vous allez me faire jouir.

— Oui, aussi, dit-il d'un ton rieur. J'ai aussi dit que j'allais vous nourrir. C'est commode, je crois que les deux iront de pair.

Pendant un instant, je ne sens rien. Puis la cordelette, toujours glissée entre mes cuisses, se tend alors que Damien la tire doucement par derrière. J'étouffe un cri, et au même instant quelque chose de froid frôle mes lèvres.

— Ouvrez-les, dit Damien. (J'obéis. Il fait glisser le mystérieux objet sur mes lèvres. C'est doux et rugueux à la fois, et j'ai beau essayer d'en saisir le parfum, l'odeur capiteuse du chocolat domine la pièce.) À présent, mordez, dit-il.

Lorsque j'obéis, je gémis de plaisir alors que la fraise sucrée explose dans ma bouche. Le jus coule le long de mon menton, Damien le lèche du bout de sa langue qu'il glisse sur le côté de ma bouche pour me taquiner sans pitié.

– Je croyais que tu n'allais pas me toucher, dis-je en tournant la tête à la recherche de sa bouche.

Je veux un baiser. Je veux sentir son contact.

– On me demande de tenir ma promesse ? demande-t-il, tirant de nouveau sur la cordelette.

Je gémis, et mes hanches se soulèvent sur mon siège. Je me sens ruisselante et la cordelette est trempée. Elle est toute proche de mon clitoris, mais pas tout à fait dessus, et je brûle d'envie que Damien y consacre son attention.

– Non, dis-je dans un souffle.

Je veux le supplier de me toucher, peu importe la promesse.

Il glousse.

– Ah, je suis un homme d'intégrité ! Mais convenons que je m'en tiendrai à l'esprit de ma promesse, et non à la lettre. Voulez-vous que j'appuie délicatement du bout des doigts sur votre clitoris ? Que je sente ce bouton durcir sous ma caresse ? Que je le taquine, joue avec lui jusqu'à ce que vous jouissiez ?

– Je…

– Chut ! Ne parlez pas, Nikki, jusqu'à ce que je vous y autorise. Vous comprenez ? (J'acquiesce d'un signe de tête.) Très bien. Continuons de parler de ma promesse. Peut-être voulez-vous que je glisse mes mains entre vos cuisses ? Que je les écarte ? Que je vous renverse sur cette banquette et remonte le long de vos jambes de baiser en baiser. Que je respire le parfum de votre sexe et que je plonge ma langue dans ses plis suaves, plus délicieux que ne pourrait l'être un chocolat ? (*Oui*, ai-je envie de répondre. *Oh, oui, par pitié.*) Peut-être voulez-vous simplement que je vous baise ? (Je geins, mais Damien ne relève pas.) À toutes ces possibilités, mademoiselle Fairchild, je dis non. J'ai promis de ne pas vous toucher, et je ne vous toucherai pas. Je ne toucherai pas votre sexe, en tout cas. Quant au reste de votre personne, eh bien, peut-être que nous ferons une ou deux petites exceptions. Hochez la tête si vous comprenez. (J'obéis.) C'est bien. À présent, goûtez ceci.

J'ouvre la bouche, pour découvrir une véritable friandise décadente : du cheesecake crémeux trempé dans du chocolat ! Je gémis et l'avale, puis me lèche les lèvres.

— Coquine ! me gronde Damien. Vous n'en laissez même pas un peu pour moi.

Tout en parlant, il joue avec la cordelette. Derrière le bandeau, je ferme les yeux et laisse de délicieuses sensations m'envahir.

Damien s'arrête bien trop vite. Il est temps de me donner une autre friandise. Un morceau de quatre-quarts qu'il trempe dans le chocolat. Puis un marshmallow. Puis… oh, c'est son doigt dans ma bouche… J'en lèche le chocolat, puis le gobe goulûment. Je passe ma langue sur sa peau, suce et lèche son doigt dans des allers-retours qui lui arrachent un petit gémissement. Et là, je sais que je l'ai eu.

J'attends la friandise suivante, mais au lieu de cela Damien me tire par la manche.

— Rentre le bras, me dit-il.

J'obéis. Il en fait autant de l'autre côté, et quand mes bras ont quitté les manches, il peut retrousser mon chemisier jusqu'à mes épaules.

– Cela semblait être une bonne idée. Il faudra que je m'y essaie aussi.

J'ignore ce qu'il veut dire, jusqu'à ce que je sente quelque chose de chaud, humide et collant sur mes seins. Puis le doigt de Damien revient dans ma bouche et je lèche de nouveau le chocolat. Mais cette fois, il en fait autant. Sa bouche s'acharne sur mon sein enduit de chocolat. Il lèche, il suce, mon téton se raidit et mon aréole frissonne. Mon sexe se crispe aussi, brûlant et suppliant, cruellement stimulé par la cordelette avec laquelle Damien joue, tirant dessus au même rythme qu'il joue de ses lèvres sur mes seins. La cordelette glisse et frotte inlassablement, menaçant de me faire perdre la tête. Et tout aussi inlassablement, sa bouche m'agace et me taquine. Elle suce, tire et mordille délicatement, suffisamment pour que je la sente, assez pour que cette vive et suave sensation me parcoure de la tête aux pieds, jusqu'à la cordelette qui continue de me tourmenter si délicieusement.

Inlassablement, jusqu'à ce que les frissons qui me parcourent forment une vague qui me secoue tout entière.

Je me laisse emporter, ondulant des hanches pour glisser sur la cordelette tout en me concentrant sur la sensation de la bouche de Damien qui se referme sur mon sein. C'est une explosion brutale, et je pousse un cri avant de retomber, épuisée, quand l'orgasme décroît, me laissant hébétée et enivrée.

Lentement, la langue de Damien ôte la dernière trace de chocolat de ma peau nue. Puis il m'aide à rajuster mon pull.

— Alors, dis-moi, Nikki, dit-il d'une voix tendre et séductrice. As-tu apprécié ton dessert ?

— Oh, mon Dieu, oui.

— En veux-tu encore ? demande-t-il en ôtant mon bandeau.

Je cligne des yeux en voyant Damien le magnifique, une infime traînée de chocolat au coin de la bouche. Je me penche et la fais disparaître d'un baiser, du bout de la langue, savourant ces dernières gouttes.

— Plus de ça, dis-je dans un souffle. À présent, la seule chose que je veux, c'est toi.

Chapitre 4

Il n'y a pas de circulation quand nous rentrons. Damien profite de l'autoroute déserte pour conduire comme un démon sur la Pacific Coast Highway puis sur les routes tortueuses des canyons de Malibu.

Il parvient à faire le trajet en moins de vingt minutes, ce qui est un record et la preuve que la firme Bugatti n'exagère pas les prouesses de ses voitures.

Bien que le trajet de retour soit bref et la vitesse grisante, ce sont les vingt plus longues minutes de ma vie.

À présent, nous sommes à la maison et Damien retire lentement, très lentement la cordelette de sous ma jupe. Le nœud serré résiste, si bien que lorsque la cordelette glisse entre mes fesses et sur mon sexe, je dois me mordre les lèvres pour ne pas crier quand la sensation monte en moi.

– Damien… dis-je dans un murmure.

C'est le seul mot que je parviens à prononcer. Nous sommes dans l'entrée vide de sa maison encore en travaux. La pièce est vaste et nue, et même ma respiration semble résonner. Derrière nous, la porte est restée grande ouverte.

Peu m'importe tout cela. Pour tout dire, en cet instant, le sol dur en marbre me paraît sacrément attirant. Je croise le regard de Damien et j'y vois le reflet de mon désir. Cette soirée a été un prélude, de merveilleux préliminaires. Mais le moment est venu de passer à la suite. Je veux faire l'amour.

Je veux Damien.

– Enlève tes vêtements, ordonne-t-il, à peine m'a-t-il débarrassée de la cordelette, qui reste accrochée à mon cou.

Je hoche la tête et obéis en silence, ôtant d'abord la jupe, puis le haut. Pendant ce temps, Damien va claquer la porte d'entrée. Quand il revient, je m'efforce de me dépêtrer du nœud à mon cou.

– Non, dit-il. Laisse-le.

Il se baisse et défait les minuscules boucles de mes sandales. Et je les quitte avec un soupir de soulagement. Les dalles de marbres sont glacées sous mes pieds et avec tout ce désir accumulé en moi je suis surprise de ne pas faire jaillir de la vapeur à chaque pas.

À présent, je suis nue, avec seulement la cordelette autour du cou. Lui est toujours habillé, sans même un faux pli. Ce simple fait m'excite. Je suis consciente de toutes ces sensations. La chaleur de Damien à quelques centimètres seulement de moi. La pulsation du sang dans mon cou. La crispation de mon sexe qui réclame qu'on le touche.

Nos regards se croisent et je laisse échapper un cri. Le désir que j'y lis, je m'attendais à le voir, mais je suis saisie par l'émotion brute, l'envie désespérée qu'il ne tente même pas de dissimuler.

– Nikki, dit-il.

D'un geste vif, il s'empare de la cordelette et m'attire. Je trébuche et me retrouve collée contre lui, ma chair brûlante contre le coton frais de sa chemise. Mais je n'ai pas le temps de réfléchir, car sa bouche se referme sur la mienne dans un baiser qui est plus un assaut qu'une séduction. Il exige, il s'empare. Plus rien d'autre n'existe que Damien. En cet instant il est tout mon univers, et je sais avec la plus grande certitude que pour lui rien d'autre n'existe en dehors de nous deux.

– Je veux procéder lentement, dit-il, achevant enfin son baiser. Je veux te faire gémir d'impatience et te tortiller de désir pour moi. Je veux que tu sois tellement excitée que tu me supplies. (Je déglutis. Moi aussi, c'est ce que je veux.) Mais bon sang, Nikki, je ne peux plus attendre.

– Alors n'attends pas, dis-je d'une voix rauque de désir.

– Bon Dieu, quel effet tu me fais…

Il referme sa bouche sur la mienne, avant même de terminer sa phrase. En même temps il me soulève, je me blottis contre lui, savourant le contact de ses bras, mais cela ne me suffit pas. Il m'en faut plus. Beaucoup plus.

Il m'emporte à l'étage et me dépose devant les portes fermées donnant sur le balcon. J'ai à peine repris mon équilibre que sa bouche reprend la mienne dans un violent baiser et que nous tombons ensemble à la renverse. Le lit, juste à côté, nous empêche de nous étaler sur le sol. Le matelas frôle l'arrière de mes cuisses, mais avant que j'aie pu m'asseoir Damien détache ses lèvres de ma bouche.

– Non, dit-il en me retournant. Penche-toi, les mains sur le lit.

J'obéis, la cordelette pendant toujours à mon cou comme une laisse. Je fais danser mes fesses aussi coquettement que je le peux dans une telle position.

– Pour quelqu'un qui dit ne pas pouvoir attendre, il te faut beaucoup de temps.

– Peut-être que j'attends une excuse. Il ne suffit pas de rappeler à un homme que le paradis n'en a plus que pour quelques heures d'existence, me taquine-t-il d'un ton sévère. Une jeune femme aussi bien élevée que vous devrait avoir plus de tact, et ne pas aborder à plusieurs reprises un sujet aussi douloureux au cours d'une soirée. Vous avez oublié les convenances ?

– C'est une très bonne question, monsieur Stark. Peut-être ne suis-je pas aussi polie et raffinée que vous le croyez.

– Peut-être pas, dit-il en faisant glisser ses doigts sur mon dos. Je n'aime pas qu'on me rappelle que la fin est proche. Vous avez été bien cruelle en ayant l'audace d'en parler.

– Tout à fait, renchéris-je. Grossière, même. Définitivement inconséquente. Et je ne mérite certainement pas l'approbation d'Emily Post. Peut-être devriez-vous me punir ?

Je n'aurais pas dû dire ça. Il ne parle toujours pas, mais à présent le silence a perdu toute légèreté : il est devenu lourd et sombre.

– Vraiment ? dit-il enfin d'une voix sourde et mesurée. Pensez-vous que je ne vous ai pas vue, dans la voiture, enfoncer vos ongles dans vos cuisses ? Nous ne parlions que des paparazzi, pourtant. (Je ferme les yeux, refusant de me rappeler.) Nikki, regarde-moi !

Son ton est autoritaire, et je préfère m'abstenir de résister. Je ne change pas de position, mais je tourne la tête. Il se déplace pour se trouver en face de moi et je me force à croiser son regard. J'y vois du feu, de l'inquiétude aussi. J'aurais dû m'y attendre. C'est une chose, quand c'est lui qui décide et me donne une claque sur les fesses. Mais quand je réclame de souffrir, il hésite. C'est sa manière de me protéger, mais en cet instant ce n'est pas de protection que j'ai besoin. C'est de l'excitation sensuelle de sa main sur mes fesses.

– Nikki… dit-il.

Rien de plus. Juste mon prénom. Mais j'entends la question dans sa voix. Je m'apprête à répondre, mais les mots ne viennent pas aussi facilement que je l'espérais. Car en vérité, je sais maintenant que les entailles ne sont pas aussi éloignées que je le pensais. Certes, je me suis seulement enfoncé les ongles dans les chairs ce soir. Mais rien que la semaine dernière, j'ai balancé un couteau à l'autre bout de ma cuisine, furieuse et effrayée d'avoir voulu appliquer la lame sur ma peau, et effacer mes craintes et mes doutes dans l'extase toute-puissante de la douleur. J'ai gagné cette bataille, mais pas la guerre, et mes cheveux désormais courts sont pour mon âme la cicatrice que les traces sur mes cuisses sont pour ma chair.

Est-ce pour cette raison que j'en ai envie ? Est-ce que je désire la brûlure de sa main parce que j'ai besoin de la douleur ? Le plaisir que j'éprouve quand je me donne si entièrement à Damien provient-il de la source d'où a jailli mon besoin irrépressible de m'entailler ?

La pensée se tord en moi, sombre et déplaisante, et je la chasse. Ce n'est pas vrai. Et quand bien même, je suis en sécurité avec Damien, quelle que soit la source de mon désir. Il me l'a prouvé tant de fois.

Soudain, je ne suis plus penchée sur le lit. Il m'a saisie par les bras et relevée devant lui.

– Bon Dieu, Nikki ! dit-il. Réponds-moi.

Je pose mes paumes sur ses joues et ma bouche sur la sienne tandis qu'il m'attire contre lui. Je sens qu'il se détend et que sa peur de mon silence commence à s'évanouir.

– J'ai besoin de toi, lui dis-je quand nos lèvres se séparent. De toi. Pas de ça. (Ses yeux semblent aller si loin en moi que je ne peux garder aucun secret, si infime soit-il. Je respire profondément et lui ouvre mon cœur.) Je n'en ai pas besoin, dis-je, mais je le désire.

Sa mâchoire se contracte imperceptiblement comme s'il s'efforçait de se maîtriser.

– Vraiment ? demande-t-il.

J'acquiesce. Les joues me brûlent. J'ai été plus intime avec Damien qu'avec quiconque dans ma vie, et voilà que je rougis ? Une réaction de gamine ridicule. Cette pensée me contrarie, mais me donne la force de continuer.

– Je le désire. Pas parce que j'ai besoin de la douleur. Mais parce que j'ai besoin de toi.

Et plus que je ne saurais dire. J'ai envie de ses mains sur moi, j'ai envie de lui céder entièrement. Je veux être l'objet de son plaisir, et je veux me perdre dans la certitude qu'il n'y a rien que Damien veuille davantage que me faire plaisir, et rien que je veuille davantage que lui céder.

Mes paroles semblent le mortifier.

– J'ai besoin de toi aussi, Nikki. Mon Dieu, ce que j'ai besoin de toi !

Je respire longuement, plus heureuse de ces mots qu'il ne peut l'imaginer.

– Alors, touche-moi.

C'est ce qu'il fait – *oh, que oui* – et même si je m'attends aux caresses, à la passion et à cet immédiat assaut sensuel, je suis décontenancée par la ferveur et la détermination que je lis dans ses yeux. Pour lui, il n'y a rien en ce monde en dehors de moi, et je le vois à chaque regard. Je le sens dans son baiser brutal qui s'attarde.

– Sur le lit, dit-il. Penche-toi. Jambes écartées.

– Comme tu y vas !

Il me donne une petite claque sur les fesses, et je pousse un cri de surprise et d'excitation.

– Qu'est-ce qu'on dit ?

– Oui, monsieur, dis-je docilement en me forçant à ne pas sourire.

Je me retourne vers le lit, me baisse, les mains fermement posées sur le matelas, tout excitée. Je ne me pose plus de questions. Tout ce que je veux, c'est que Damien me mette le feu. Qu'il s'enfonce profondément en moi.

Sa main s'arrondit sur ma fesse en décrivant des cercles lents et sensuels. Puis je la sens qui s'écarte, et je pousse un cri de plaisir et de douleur quand elle s'abat sur mes fesses, et s'attarde lourdement dans une pression délicate qui apaise la sensation cuisante.

Lentement, il laisse glisser sa main entre mes jambes.

– Oh, chérie, dit-il tandis que ses doigts passent sur moi.

Je ruisselle et je tremble à son contact, si proche de jouir que je dois réprimer la tentation de me caresser à l'endroit que Damien évite si soigneusement. *Et puis, après tout…* Je m'appuie sur la main gauche et je plonge la droite entre mes cuisses. Un frisson me parcourt tandis que le bout de mon doigt frôle mon clitoris. Il est enflé et sensible, et je suis au bord de l'orgasme.

– Oh, tu n'as pas été sage, dit Damien en sentant ma main sous la sienne.

Je déglutis, pressentant une autre fessée, mais rien ne vient. Au lieu de cela, il me pousse en avant, et je dois reposer la main sur le lit si je ne veux pas m'affaler dessus. Il enlève sa main et je gémis. Il ne me touche plus du tout, et c'est la pire punition qu'il puisse m'infliger. N'est-ce pas ce qu'il avait prévu ? De me laisser ainsi, penchée toute nue, le cul en l'air, dans l'attente et le désir ? Il en serait bien capable, je le sais, et cette pensée m'arrache un sourire. Cela me rendrait folle, mais je sais que, la punition terminée, ce n'en sera que plus délicieux.

Ce n'est cependant pas ce qu'il a prévu. Je sens son sexe contre mes fesses, et tout mon corps qui s'ouvre dans une suave impatience. *S'il te plaît, Damien, prends-moi, prends-moi maintenant.* J'ai envie de le crier, mais je me tais. Pourtant, c'est plus fort que moi : mon corps fourmille de désir, mes hanches ondulent devant son sexe et le sourd gémissement de satisfaction que je lui arrache ne fait que redoubler mon ardeur.

Ses mains m'empoignent les hanches et m'immobilisent, et je ne peux m'empêcher de protester. Il éclate de rire et je réprime un cri d'indignation, car il s'emploie à me chauffer aussi méthodiquement que cruellement.

Je sens alors le bout de son sexe sur les plis du mien. J'ai envie de crier de soulagement. D'abord il me taquine, entrant à peine ; je me mords les lèvres à m'en faire saigner. L'impatience est brutale, mais suave. Il est si dur, si prêt, et il nous met tous les deux au supplice en se retenant.

Je n'ai pas autant de maîtrise que lui. Chaque centimètre de mon corps brûle d'un désir désespéré, et mes muscles se crispent autour de son membre à chaque coup de butoir.

Plus profond. Plus fort. Oh, mon Dieu, par pitié !

– Comme tu voudras, dit-il.

Je n'ai pas le temps d'être surprise : il est déjà en moi, il me remplit et son corps se presse sur le mien tandis que je me maintiens des deux mains sur le lit. L'une de ses mains se faufile autour de ma taille pour me soutenir. Je suis cambrée, sur la pointe des pieds, c'est comme si mon corps faisait tout pour l'attirer au plus profond de moi. Je le veux tout entier. Je veux le consumer et être consumée.

Et quand il se retire doucement, pour s'enfoncer tout entier en moi d'un seul et puissant mouvement, je suis certaine que le monde va exploser autour de moi.

– Tu vas bientôt jouir, murmure-t-il d'une voix tendue à l'extrême.

– Oui, dis-je dans un râle.

– Caresse-toi, ordonne-t-il.

L'excitation qui s'est accumulée en moi me parcourt comme une décharge électrique.

– Quoi ?

Je gémis tandis qu'il continue de me torturer lentement, comme s'il savait exactement comment m'amener au bord de la jouissance sans que j'y bascule entièrement.

– Tu m'as entendu.

Je m'humecte les lèvres et je déglutis. Mes doigts tremblent du désir d'obéir. De toucher l'endroit où nos corps se rejoignent, de le caresser sur toute sa longueur, tout en taquinant mon clitoris hypersensible.

– Je croyais que ce n'était pas bien, dis-je, me sentant étrangement intimidée.

Sa réponse suffit à me renverser :

– Peut-être que j'aime bien quand tu n'es pas sage.

Dans un gémissement, je soulève une main du lit. Je suis déséquilibrée, mais il me retient de son bras autour de ma taille. Je glisse ma main entre mes cuisses et frôle mon clitoris. Tout mon corps se crispe et se resserre avidement pour l'attirer plus profondément encore en moi. Je suis repue, rayonnante et si proche de jouir que je sais que la moindre caresse sera ma perte.

J'en ai envie, mais je veux aussi le sentir. Sentir nos corps unis tandis qu'il glisse jusqu'au fond, en moi. Je passe la main le long des plis de mon sexe. Je le sens, là, comme un acier velouté, et j'entends son gémissement rauque tandis que je me caresse doucement.

– Bon Dieu ! Nikki, je ne peux pas me retenir…

– Alors, ne te retiens pas.

Je ferme les yeux, et mes doigts ont à peine frôlé mon clitoris qu'il se met à trembler, son bras se resserre autour de ma taille et il me remplit. Sa jouissance déclenche la mienne et je me crispe autour de lui, laissant retomber ma main sur le lit pour ne pas m'effondrer, trop à vif de toute façon pour continuer à me caresser.

– Nikki, dit-il quand il cesse de trembler. Bon Dieu, mais qu'est-ce que tu me fais ?

Il desserre son étreinte, mais il me rattrape en voyant que je vais tomber, les jambes tremblantes.

– Si tu avais l'intention de me punir, dis-je, tu étais complètement à côté de la plaque.

– Vraiment ? me taquine-t-il. On dirait que tu crois que j'en ai fini avec toi. Je t'assure que non.

– Oh ! (Mon cœur bat plus fort.) C'est une nouvelle très intéressante.

– Je suis heureux d'apprendre que cela t'intrigue, dit-il en laissant glisser une main le long de mes cuisses. Mais cette fois, peut-être faut-il que tu t'allonges. Tu as l'air d'avoir les jambes en coton.

– Tu crois ?

Il me soulève, et je me retrouve de nouveau blottie contre sa poitrine. Je me sens en sécurité, au chaud, adorée. Et quand il me dépose délicatement sur le lit avec un baiser sur mon front, j'ai envie de pleurer devant toute cette douceur. Mais une lueur démoniaque passe dans son regard.

– Ne t'endors pas tout de suite, dit-il en dénouant la cordelette autour de mon cou pour l'attacher aussitôt à mon poignet droit et l'autre extrémité à un barreau à la tête du lit, son visage juste au-dessus du mien. Je crois que cela va beaucoup me plaire, ajoute-t-il avec un sourire railleur. Et à toi aussi, Nikki.

Je m'humecte les lèvres, toute idée de délicatesse s'envolant aux promesses décadentes et silencieuses de Damien Stark.

Il ramasse le peignoir au pied du lit et en enlève la ceinture. Il la laisse traîner sur mon corps, puis sourit.

– Main gauche.

J'obéis en levant la main au-dessus de la tête et empoigne un barreau. J'ai les bras écartés, le dos légèrement cambré, et les jambes serrées.

– Très joli, dit Damien quand il a attaché l'autre main. Mais nous devrions pouvoir faire encore mieux.

Il se laisse glisser du lit et, d'un pas décidé, gagne la baie vitrée coulissante donnant sur le patio. Il l'ouvre, laissant entrer la brise nocturne. L'air est frais, mais mon corps est tellement en feu que je m'en rends à peine compte. Il reste près de la porte, une main frôlant les tentures diaphanes qui flottaient contre moi quand je posais pour Blaine.

– Tu te rappelles notre première nuit ? demande-t-il. (Comment l'aurais-je oubliée ? Ces voilages. Ce lit. Et moi, perdue sous l'assaut sensuel de Damien, mes peurs et ma honte apaisées par ses baisers et ses tendres paroles. Mais je n'en parle pas et je me contente de chuchoter un « Oui ».) Moi aussi, dit-il.

Il empoigne une tenture dans chaque main et les arrache des anneaux qui les retiennent à la tringle. Depuis le lit, je vois les muscles de son dos se tendre et l'étoffe blanche et légère tomber, libérée par sa volonté. Un petit sourire me monte aux lèvres, car j'ai l'impression qu'il en va de même pour moi.

Il revient aussitôt auprès de moi et, comme je l'avais deviné, se sert des voilages pour m'attacher les chevilles aux barreaux du pied du lit. Le résultat est une véritable exhibition. Je suis étalée, jambes et bras en croix. Je ne peux rien toucher, ni lui ni moi. Je ne peux me retourner. Et certainement pas serrer les cuisses pour dissimuler mon sexe enflé et ardent. Je tourne la tête sur le côté. J'ai envie de me cacher sous les draps, tout en me sentant excitée à l'idée d'être ainsi ouverte pour Damien. Livrée à son plaisir.

Je me demande ce qu'il a en tête, puis je gémis en le voyant s'éloigner. Je me mords les lèvres, soudain inquiète. Je sais que, quoi qu'il arrive, cela va se terminer de manière splendide. Mais je sais aussi que Damien est un maître dans l'art d'instiller le désir. S'il me laisse ainsi écartée et ouverte… je ne vais avoir d'autre choix que de hurler.

– Ne t'inquiète pas, dit-il comme s'il lisait dans mes pensées. J'aurais bien envie de te tourmenter un peu, mais ce soir cela reviendrait à me mettre moi-même au supplice.

– Du sadisme, pas du masochisme ? je demande avec espièglerie.

– Du sadisme, mademoiselle Fairchild ? dit-il en riant. Voyons si je me rappelle la définition. Je crois que le sadisme consiste à tirer un plaisir sexuel à infliger la douleur, la souffrance ou l'humiliation à autrui. (Il s'approche de la petite table de chevet et ouvre le tiroir.) J'admets le plaisir sexuel, et j'ai l'intention d'être nettement plus comblé avant la fin de la nuit… mais explorons le reste, qu'en dites-vous ? (Je m'humecte les lèvres tandis qu'il sort une boîte d'allumettes. J'ai parfaitement confiance en Damien, mais qu'a-t-il donc l'intention de faire avec ces allumettes ?) Alors, dites-moi, mademoiselle Fairchild… Souffrez-vous ?

Je déglutis. Je suis dans une situation inconfortable, mais loin d'être douloureuse.

– Non.

– Je suis fort aise de l'entendre. (Il gagne l'autre extrémité de la pièce et disparaît de ma vue. Un instant plus tard, il revient avec une grosse bougie dont la flamme tremblote.) La cire de bougie peut être très excitante, dit-il en réponse à mon regard interrogateur. La sensation de la température qui change rapidement. La manière dont elle se tend quand elle durcit sur la peau. Avez-vous déjà expérimenté cela, mademoiselle Fairchild ?

– Non, dis-je, ne sachant si je suis excitée ou effrayée.

– Mmm… fait-il, comme s'il gravait ma réponse dans sa mémoire. Eh bien, aujourd'hui, une seule chose m'intéresse dans cette bougie. (Il s'arrête près du lit et incline la bougie, si bien que de la cire goutte sur le plateau de marbre de la table de chevet. Puis il y pose le bas de la bougie, la maintient et attend qu'elle refroidisse. Ensuite, il sort autre chose du tiroir. C'est seulement quand la lumière de l'applique diminue que je vois qu'il s'agit d'une télécommande. Nous nous retrouvons rapidement dans l'obscurité, seulement baignés par la lueur orangée d'une unique flamme.

— Oh…

— Déçue ? demande-t-il.

— Non, dis-je, les joues en feu. Mais j'ai été un peu intriguée.

— Ah bon ? Il faut que je m'en souvienne. Mais où en étions-nous ? Ah oui, le sadisme. (Il monte sur le lit et s'agenouille entre mes jambes écartées. Je commence à haleter quand il pose ses mains sur mes cuisses, juste au-dessus des genoux, les pouces sur la chair tendre.) L'humiliation venait ensuite, je crois. Êtes-vous humiliée, mademoiselle Fairchild ? Après tout, vous êtes exposée devant moi. Grande ouverte comme une fleur épanouie et trempée. Vous êtes splendide, Nikki, dit-il avec passion. Mais êtes-vous humiliée ?

J'ai tourné la tête sur le côté, car effectivement je me sens exposée. Exposée, ouverte, décadente et déchaînée. Mais pas humiliée. Au contraire, je suis plutôt excitée. Et je crois que c'est cet étrange mélange d'émotions qui enflamme mes joues d'une rougeur ridicule.

— Non… je chuchote.

— Regarde-moi.

Je tourne la tête pour voir ses yeux, le brun luisant dans la lueur de la bougie, et le presque noir aussi sombre que l'éternité.

– Pas humiliée, dit-il. Ni en souffrance, j'imagine ?

– Non.

– Tant mieux. (Un sourire passe sur ses lèvres tandis qu'il caresse délicatement du pouce l'intérieur de mes cuisses et la pire de mes cicatrices.) Vous êtes exceptionnelle, mademoiselle Fairchild. Je pourrais vous contempler jusqu'à la fin des temps. Me perdre en vous pour toujours.

Je respire en tremblant. Mon sexe se crispe de désir, et mes seins sont si lourds qu'ils en deviennent douloureux. Je veux bouger, satisfaire mon désir, mais je suis solidement attachée et impuissante.

– J'aime être capable de te faire rougir, dit-il.

– Pourquoi ?

– Parce que je sais pourquoi tu rougis.

– Vraiment ? Eh bien, dans ce cas, je vous en prie, monsieur Stark, expliquez-moi.

– Parce que je t'ai grande ouverte devant moi. Parce que tu es nue et réduite à l'impuissance. Parce que je peux te faire ce que je veux, tout ce que je veux. Et parce que cela t'excite. (Ses mains se posent sur mon sexe et je laisse échapper un gémissement à peine audible.) Alors dites-moi, mademoiselle Fairchild… Si vous n'êtes ni en souffrance ni humiliée, comment vous sentez-vous ?

– Excitée… j'avoue, les joues en feu.

Même à la lueur de la bougie, je vois son visage s'assombrir à mes paroles. Je ne suis pas la seule excitée à cet instant. Je m'apprête à continuer, mais il secoue la tête.

– Taisez-vous à présent, et fermez les yeux. Je vais vous embrasser.

J'obéis, les lèvres entrouvertes dans l'attente des siennes. Mais ce n'est pas sur mes lèvres qu'il dépose son baiser. Je sens les poils de sa barbe sur ma cuisse, puis sa langue dans le pli délicat entre ma jambe et ma chatte. Je suis pantelante, à présent, et toute l'espièglerie qui planait dans l'air un instant plus tôt a disparu, remplacée par un désir et une envie farouches.

Sa bouche se referme sur moi, sa langue s'activant à un rythme destiné à me rendre folle.

Ses pouces m'agacent, n'allant jamais jusqu'à entrer, mais, alliés à la force érotique de sa langue sur mon clitoris, c'est un miracle si je ne suis pas déchirée en deux par la puissance des sensations qui déferlent en moi.

Je cambre le dos et ondule des hanches. Instinctivement, j'essaie de fermer les cuisses, de retenir ce raz de marée de plaisir si violent qu'il frise la douleur. Mais je ne peux pas. Mes liens me forcent à rester ouverte, et je n'ai d'autre choix que de m'abandonner à ces extraordinaires sensations.

Les mains de Damien montent jusqu'à mes hanches pour les immobiliser. Ivre de désir, je ferme les yeux, la tête renversée en arrière, soumise à sa bouche et à sa langue qui opèrent en moi leur magie érotique, m'entraînant de plus en plus haut, jusqu'à ce qu'une explosion d'étoiles et d'étincelles multicolores me laisse épuisée et hors d'haleine.

Lentement, je reviens à la réalité et je reprends mon souffle, toujours étalée sur le lit. Je suis encore haletante, et tout mon corps est à vif, sentant la moindre fibre du drap sous lui. Je me sens gâtée, dorlotée, adorée et utilisée. Je suis certaine qu'il ne reste plus à Damien qu'à me détacher et me prendre dans ses bras, le temps que nous sombrions dans un bienheureux sommeil. Car que peut-il rester d'autre pour cette nuit ? Il m'a suavement anéantie.

J'aurais pourtant dû savoir qu'il est inutile d'imaginer quoi que ce soit avec Damien.

Ses dents frôlent mon téton et je me cambre, oubliant toute envie de dormir. Je suis épuisée, fendue en deux par son assaut sensuel, mais je ne veux pas pour autant qu'il cesse. Le supplice est un délice et je resterais bien ainsi pour l'éternité, prête à renoncer à boire et à manger, du moment que je peux rester dans les bras de Damien.

J'ouvre les yeux tandis qu'il se redresse. Il sait à quoi je pense, je le vois à son sourire. Puis il jette un regard sur le côté et son sourire disparaît, remplacé par une expression indéchiffrable.

L'inquiétude me saisit.

– Damien ?

Instinctivement, je tourne la tête pour suivre son regard. Je vois une horloge accrochée au mur, au milieu d'une collection de photos encadrées, les quelques effets personnels que Damien a déjà apportés dans cette maison encore inachevée. *Oh !*

Machinalement, j'essaie de me redresser, mais je suis toujours attachée en croix sur le lit, nue et vulnérable. Pourtant, à cet instant, Damien semble l'être plus que moi.

– Moins d'une minute, dit-il en se retournant vers moi. C'est toi qui te transformes en citrouille, ou bien moi ?

Le ton est badin, mais j'y perçois quelque chose qui me trouble et m'inquiète.

– Je ne crois pas que je t'aimerais en citrouille, dis-je en me forçant à plaisanter. Et moi, je suis atroce en orange.

Il éclate de rire et mes inquiétudes s'envolent, alors qu'il m'enfourche, pesant sur mes genoux, suivant le contour de mes lèvres du bout du doigt, et son sexe dur frottant mon ventre avec provocation.

– Tu es encore à moi, chuchote-t-il.

Et là, avant que j'aie pu répondre, il entre en moi si vivement que je pousse un cri de surprise et de passion. Nous bougeons à l'unisson, lentement et doucement, et quand je sens son corps frémir au-dessus du mien je ferme les yeux, satisfaite de savoir que mon corps lui a procuré du plaisir.

Il roule sur le côté et se blottit contre moi.

– Nikki…

Ce n'est pas une question cette fois. Simplement mon prénom sur ses lèvres, qui m'illumine avec la chaleur d'un rayon de soleil. Nous restons ainsi, l'un contre l'autre, jusqu'à ce que la position devienne insupportable.

– Détache-moi, dis-je.

Il lève la tête et me regarde. Je vois encore le feu dans son regard, mais aussi le jeu. Il n'est pas pressé de me libérer.

– Hé ! je proteste en pianotant des ongles sur les barreaux métalliques. Tu ne trouves pas le chemin jusqu'à la tête de lit ?

– Je réfléchis aux choix possibles, dit-il. Pourquoi ?

– Parce que je vais avoir bientôt une crampe dans les bras.

– Je serais heureux de te masser.

Je lui fais une grimace.

– Et comme tu as un cocktail ici samedi, tes invités risquent de se poser des questions.

– Peut-être, mais ce serait bien que les invités aient un sujet de conversation, non ?

– Autant je m'en voudrais de les en priver, autant j'aimerais avoir les mains libres.

– Vraiment ? (Il laisse glisser un doigt le long de mon flanc et je dois me retenir pour ne pas me tortiller. La sensation est délicieuse, entre caresse et chatouillis.) Et que souhaiteriez-vous faire de vos mains, mademoiselle Fairchild ?

– Vous toucher, dis-je avec hardiesse. J'en ai le droit. Après tout, nous sommes sur un pied d'égalité, maintenant que minuit est passé. N'est-ce pas… monsieur ?

Une petite pause avant qu'il incline la tête dans un rapide hochement cérémonieux.

– Oui, madame, dit-il en se redressant pour dénouer les liens de mes poignets. En effet.

Mes mains enfin libres, je m'assieds tandis qu'il détache mes chevilles. Je serre les jambes, savourant la sensation de pouvoir de nouveau bouger. Puis je m'agenouille sur le lit, au bout duquel Damien, assis, me regarde. Il m'est difficile de ne pas lever les yeux vers lui. Il est encore plus magnifique à la lueur de la bougie. Je tends la main pour sentir sa chaleur au bout de mes doigts. Sur ma chair. Lentement, je pose ma paume sur son cœur, puis je ferme les yeux en le sentant battre, puissant et régulier comme l'homme lui-même.

Je le repousse en arrière sur le lit, puis je l'enfourche, les genoux de part et d'autre de sa taille. Je laisse glisser mes doigts sur sa poitrine et je regarde le petit muscle de sa mâchoire tressaillir tandis qu'il s'efforce de se contenir. Je souris en savourant le pouvoir qu'il m'a donné.

— J'ai l'impression d'être extraordinaire avec toi, dis-je. Je veux que tu éprouves la même chose.

— C'est le cas. Quand je te touche. Quand je vois ta peau trembler de désir. Quand tu te crispes pour m'engloutir en toi. Qu'est-ce que tu crois pouvoir me faire de plus ?

— Mais c'est toi qui mènes la danse, dis-je en déplaçant un peu mes hanches pour qu'il comprenne que c'est mon tour, à présent.

— Non. C'est une illusion. C'est toi, Nikki. Tu m'as emprisonné, et tu tiens mon cœur entre tes mains. Manie-le doucement, il est plus fragile que tu ne le penses.

Je suis émue par ses paroles. Doucement, je suis du bout du doigt la ligne de sa mâchoire où je sens les poils de sa barbe. Je me baisse et me colle contre lui pour prendre à sa bouche un long et profond baiser.

— Qu'est-ce que tu veux ? je lui demande. Tout de suite, si tu pouvais avoir ce que tu veux, que voudrais-tu que je fasse ?

— Tout de suite, je veux que tu sois à côté de moi. Je veux t'enlacer.

Ses paroles me désarment et j'ai la gorge nouée par les larmes. Je suis toute chose, mais je ne crois pas avoir jamais été plus heureuse. Doucement, je viens me couler à côté de lui, mon dos contre sa poitrine, et je contemple le monde au-delà de la baie vitrée tandis qu'il caresse mon bras. Ce n'est pas la première fois que nous sommes allongés ainsi. C'est familier, chaleureux. À l'image du couple que nous formons.

— Ce lit va me manquer, dis-je.

– Je pourrais sans doute le garder ici. Mais il ne va pas vraiment avec le reste.

– Oh, si tu tiens à être traditionnel…

Il éclate de rire, puis il m'attire plus près contre lui. Nous sommes tellement à l'aise, et j'adore ce que j'éprouve avec Damien. Je me retourne face à lui, récompensée par un baiser sur mon front. Nous sommes blottis face à face, sa main sur la courbe de ma hanche et la mienne caressant distraitement sa poitrine. Il n'a que quelques poils, c'est comme un duvet sous mes doigts. Je m'amuse à dessiner des motifs sur sa poitrine, puis, quand je lève les yeux vers lui, je vois le coin de sa bouche qui se tord.

– Qu'est-ce qu'il y a ?

– Vous vous amusez bien, mademoiselle Fairchild ?

– À vrai dire, oui.

– J'en suis heureux. Je n'aime pas te voir bouleversée par ces salauds.

– Moi non plus. Mais je vais mieux, maintenant. Et toi aussi, apparemment.

– Je leur aurais volontiers arraché la tête au restaurant.

– J'ai vu. Mais je ne parlais pas seulement des paparazzi.

– Ah bon ? souligne-t-il en me regardant avec circonspection.

Je me soulève sur un coude.

– Je me pose toujours des questions à propos de ce coup de fil. Il se passe quelque chose ? (Je bafouille, incapable de me contenir plus longtemps.) Carl a fait quelque chose ? (Damien ne répond pas et je le fusille du regard.) Enfin, Damien… Tous ces trucs que Carl a dits, tu sais bien que ça ne va pas s'oublier comme ça.

– J'espère justement le contraire, dit Damien. Même si j'ai tendance à penser que tu as raison.

– Damien ! Dis-le-moi franchement. Il s'est passé quelque chose dont tu ne m'as pas parlé ? C'était à ce sujet, le coup de téléphone ?

– Non, dit-il en me caressant furtivement le bout du nez. Je t'assure.

Je le regarde, sourcils froncés. Il se déplace pour que je le voie bien, puis il trace une croix sur son cœur. Je hausse les sourcils et il lève deux doigts pour faire le serment des scouts. Je réprime un petit rire.

– Je te jure, dit-il en prenant ma main, que cet appel n'avait rien à voir avec Carl Rosenfeld.

Je le crois, mais je suis toujours inquiète. Car la personne qui l'a appelé a réussi à faire craquer le vernis de Damien Stark. Et quiconque en est capable ne peut être n'importe qui.

Chapitre 5

J'ouvre les yeux sur le semis d'étoiles qui apparaît par la porte, sans trop savoir ce qui m'a réveillée. Étourdie, je me tourne vers Damien, cherchant machinalement la douceur et le confort de ses bras pour me rendormir. Mais je ne trouve que des draps froissés abandonnés. Je m'assieds, désorientée.

La bougie s'est consumée, mais Damien a rallumé à faible puissance les appliques dont la lueur suffit tout juste à dissiper un peu l'obscurité. Je jette un coup d'œil vers la cuisine, mais il n'y a ni bruit ni lumière. Les draps sont glacés. Damien s'est levé depuis un bon moment.

Je me laisse glisser hors du lit et ramasse le peignoir. Je l'enfile, sa douceur soyeuse me rappelle la main de Damien. Je défais la ceinture restée attachée à la tête de lit, m'en entoure la taille et la noue. Puis je pose la main sur la boule d'acier glacée. J'aurai de la peine à voir ce lit partir, mais il n'a plus son utilité. C'était un accessoire, une illusion choisie pour un effet précis.

Je tremble, craignant brusquement et sans raison que tout cela n'ait été qu'illusion, Damien plus que tout. Mais ce ne sont que des fantômes. Je sais ce qu'il en est. Du moins, je l'espère. Soudain, je me rappelle ce qu'il m'a dit au restaurant : qu'il me quitterait pour me protéger. J'ai froid tout à coup. Mais je suis bête, Damien ne m'a pas quittée. Il a seulement quitté le lit.

– Damien ?

Je ne m'attends à aucune réponse, donc ne pas en recevoir ne me surprend pas. La maison est vaste, il pourrait être n'importe où… même très loin.

Un moment, je songe à retourner me coucher pour essayer de me rendormir. Il ne m'a pas réveillée, après tout, et je me demande s'il n'est pas parti en quête d'un peu de solitude. Il m'a dit que le coup de téléphone n'avait rien à voir avec les menaces de Carl, et je ne doute pas de lui. Néanmoins l'appel l'a troublé, et je suis assez égoïste pour vouloir comprendre pourquoi. Je veux qu'il se confie à moi, et que ce soit auprès de moi qu'il cherche du réconfort. Je veux qu'il tienne sa promesse et éclaire un peu les ombres qui l'entourent.

Mais est-ce pour cette seule raison que je le cherche ? Promesse ou non, Damien a droit à une vie privée. Et cela a beau me frustrer, la promesse, c'est à lui de la tenir… ou non.

Mon hésitation ne dure qu'un instant, car si je tiens vraiment à comprendre l'homme je désire encore plus le réconforter. Je veux le tenir dans mes bras et lui promettre silencieusement que je serai toujours là pour lui.

Je veux…

Peut-être suis-je égoïste, mais je suis assez arrogante pour penser que Damien a besoin de moi. Et assez égoïste pour rester.

Je vois qu'il a laissé son téléphone près de la bougie. Je m'arrête en pensant au texto qu'il a reçu, puis au coup de fil qui a suivi juste après. Soit il a reconnu le numéro, soit le nom de l'appelant figure dans son répertoire. Dois-je y jeter un coup d'œil ?

Attends : si Damien fouinait dans l'historique de mes appels, j'exploserais de fureur ! Et pourtant, j'envisage de fouiller dans le sien ! Aurais-je miraculeusement remonté le temps jusqu'à mes années de lycée ? La pensée est indéniablement désagréable, et je la balaie tout en gagnant l'ascenseur de service au fond de la cuisine. Au premier étage, il donne sur l'office, un splendide espace rempli d'appareils dernier cri qui n'ont jamais servi. Je traverse la cuisine pour rejoindre une véranda. Je m'attends à le trouver dans la salle de sport qui occupe une centaine de mètres carrés sur le côté nord de la maison. Mais quand j'y arrive, pas de Damien.

La salle est grande et divisée en sections distinctes. La première contient des appareils, des poids libres, des tapis et un sac de frappe. Je la traverse rapidement pour pousser la magnifique porte en chêne qui ouvre sur la suivante, plus vaste. Dans cette deuxième section se trouve une piste de course avec des barres de traction, des vélos, un second sac de frappe et plein d'autres équipements.

Fidèle au style de Damien, toute une paroi vitrée s'ouvre sur la propriété et sur l'océan. Le salon, au niveau principal, donne sur la piscine à débordement, mais on peut aussi accéder au bassin depuis la salle de sport, par l'une des petites portes en verre ouvrant sur la terrasse en bois. De là où je me trouve, je ne vois pas l'eau, mais une des lumières de la piscine doit être allumée car une clarté bleu vert chatoie sur le deck. Pendant un instant, je n'y fais pas attention. Damien l'a laissée allumée depuis que la piscine a été remplie il y a trois jours – depuis que j'ai dit qu'enfant j'adorais m'asseoir au bord de la piscine la nuit avec ma sœur, pour regarder la lumière danser à chaque vaguelette poussée par le vent.

Sauf qu'en cet instant, il n'y a pas de vent. Même les trois voilages que Damien a épargnés ne bougent pas. Et la lumière danse selon un rythme régulier.

Je souris, comprenant que je l'ai trouvé.

Je m'avance vers la porte en verre, mais je m'arrête en voyant la petite table près du sac de frappe. Une bouteille d'eau y est posée, mais ce n'est pas ce qui attire mon regard. C'est le journal. Lire les nouvelles est une sorte de religion pour Damien, mais je ne l'ai jamais vu oublier de plier soigneusement un journal une fois sa lecture terminée. Cette feuille est par terre, en revanche. Peut-être est-elle simplement tombée, mais je n'y crois pas trop. Je la ramasse et vois aussitôt qu'il s'agit de la rubrique des sports. Vu le passé de tennisman de Damien, cela n'a rien d'étonnant. Mais le gros titre m'arrache un cri de surprise.

Apparemment, un nouveau centre de tennis va bientôt ouvrir à Los Angeles. L'inauguration a lieu vendredi prochain, dans une semaine exactement. Et le centre portera le nom de l'ancien entraîneur de Damien, Merle Richter. L'homme qui s'est suicidé quand Damien avait quatorze ans. L'homme avec qui son père l'avait forcé à travailler, alors même que Damien le suppliait de le laisser arrêter le tennis.

Je me rappelle avoir entendu Alaine parler de l'inauguration d'un centre. Sur le moment, cela ne m'a pas marquée, mais à présent je comprends tout.

Je serre fermement le journal dans une main et fais coulisser la porte vitrée. La plate-forme est lisse sous mes pieds, et le peignoir flotte sur mes mollets alors que j'approche de la piscine. La propriété est construite sur les collines de Malibu, et le débordement est conçu pour donner l'illusion de tomber à pic, comme si on pouvait s'avancer et disparaître au-delà dans l'espace.

Damien nage le long de ce précipice et je me demande s'il n'a pas choisi cet endroit intentionnellement. Il crawle, nu, et la lumière de la piscine souligne sa musculature dans l'eau. Son corps est magnifique, athlétique et puissant, mon ventre se noue. Rien de sexuel – même si je mentirais en niant qu'il y a toujours quelque chose de sexuel avec lui. C'est possessif. *Il est à moi,* me dis-je. Mais cette pensée est mêlée de crainte. Car même si je sais que l'inverse est vrai – je me sens définitivement à lui –, j'ai parfois peur que Damien n'appartienne à nul autre qu'à lui-même.

Je crains aussi les raisons qui m'ont amenée à me donner si complètement à lui. Indéniablement, il comble un besoin en moi. Mais je n'ai pas les meilleurs antécédents qui soient dans ce domaine. Et tandis que ma main glisse presque inconsciemment sous mon peignoir pour toucher les cicatrices durcies qui enlaidissent ma cuisse, je dois avouer que j'ai souvent eu besoin de choses non seulement mauvaises mais très, très dangereuses.

Cependant, sur le moment, peu m'importent mes motivations ; que ce soit la vérité ou une illusion, je ne peux croire que quelque chose chez Damien puisse représenter un danger pour moi. Au contraire, c'est un cadeau, un sauveur. Un chevalier sur son blanc destrier – même si cette image le ferait grimacer, et qu'il tiendrait à ce que le cheval soit noir.

Pour moi, il n'y a rien de sombre chez Damien Stark, il n'apporte que la lumière dans mon monde. Voilà pourquoi je me sens impuissante devant sa souffrance, et d'autant plus perdue quand ce n'est pas vers moi qu'il se tourne.

J'ai marché lentement, et à présent je suis au bord de la piscine du côté de la maison. Il y a là cinq marches. Des marches larges conçues pour se prélasser dans l'eau. Je descends en retroussant le bas du peignoir pour ne pas le mouiller.

Damien, à l'autre bout du bassin, ne m'a pas remarquée. Je fais trois pas et descends une marche. L'eau m'arrive juste aux genoux. C'est la première fois que j'y pénètre, et je suis surprise de la sentir si chaude. Pas comme un bain, mais tiède, plus chaude que l'air nocturne.

J'avance jusqu'au bord de la deuxième marche et contemple l'homme qui a ravi mon cœur. Je suis à une cinquantaine de centimètres en contrebas, à présent, et tout ce que je vois, c'est lui, l'eau et le ciel immense. Ses mouvements sont efficaces et maîtrisés. Je gagne la troisième marche. Le peignoir et le bas de la fine étoffe s'étalent alors sur l'eau comme les pétales d'une rose.

Je suis sur le point de l'ôter et de le poser sur le deck, quand Damien s'arrête à mi-longueur. Il flotte, tourné vers moi, mais les ombres et la lumière qui jouent sur son visage, reflétées par le mouvement de l'eau, m'empêchent de déchiffrer son expression. Néanmoins je sens le poids de son regard sur moi. Même si j'ai envie de me précipiter vers lui, je reste immobile. La peur me cloue sur place. Je crains d'avoir outrepassé les limites, d'avoir interrompu un moment de solitude.

Plus il reste à l'autre bout de la piscine, plus cette peur croît en moi, si bien que lorsqu'il revient enfin je recule instinctivement. Il me regarde avec une telle adoration que mon cœur se serre. Il cesse de nager et se redresse dans l'eau qui lui arrive à la poitrine.

– Je ne voulais pas te réveiller.

– Comment pourrais-je dormir sans toi ?

Je me suis avancée et le peignoir flotte autour de moi. Damien s'approche en fendant l'eau, puis tire sur la ceinture. Le peignoir s'ouvre, révélant mon corps. Il glisse ses mains sur mes épaules et le fait tomber. L'étoffe détrempée colle à mes bras, mais je m'avance, l'abandonnant derrière moi – et ce n'est plus la soie qui m'enveloppe, mais les bras de Damien.

– Je crois que le peignoir est fichu, dis-je. Je ne voulais pas descendre dans la piscine avec, mais je te regardais et j'ai tout oublié.

– Ça m'arrive aussi.

Il me caresse tendrement le visage d'une main, tandis que l'autre me tient fermement la taille, comme s'il avait peur que l'eau m'emporte.

– Cela t'ennuie que je sois là ?

Sa bouche s'incurve en un sourire ironique et il m'attire contre lui. Je sens son érection contre ma cuisse.

– À ton avis ?

Je secoue la tête. Ce n'est pas pour le sexe que je suis venue ici, même si j'ai du mal à me rappeler pourquoi, avec Damien nu en érection à côté de moi. Mais si, je m'en souviens. Je relève la tête pour le regarder droit dans les yeux.

– J'étais inquiète.

– Pour le coup de téléphone ? Je t'ai dit que c'était sans rapport avec les menaces de Carl.

– C'était à propos du centre de tennis ? j'ose demander.

Il me jette un regard aigu.

– Tu es au courant ?

– C'est ce qui te tracasse ?

Il hésite, puis acquiesce brièvement.

– Comment l'as-tu appris ?

– J'ai vu le journal. Tu l'as laissé près du sac de frappe.

– Peut-être que je voulais inconsciemment que tu le trouves, ironise-t-il.

– Eh bien, dis-je en riant, c'est un début !

Comme je l'espérais, il éclate de rire à son tour. Puis il se détend et m'enlace étroitement. Je soupire, les bras autour de son cou, la tête contre sa poitrine.

– Je ne suis pas un fan de Richter, dit-il. L'idée qu'un centre de tennis professionnel porte son nom me met en rage.

– Tu ne peux rien faire ?

– Je pourrais acheter ce fichu centre, dit-il. Mais je ne vais pas le faire.

J'ai envie de voir son visage, mais je ne bouge pas. Immobile, je me demande si Damien Stark a choisi ce moment pour me révéler ses secrets.

– L'appel qui m'a contrarié venait de mon père, commence-t-il.

– Ah…

Je lève la tête vers lui. Son visage se crispe, et son regard s'est durci. Je ne m'étais pas trompée concernant son hésitation. Le père de Damien n'est pas un sujet facile. Je sais qu'il n'étaient pas proches. Que son père l'a poussé dans la compétition comme ma mère m'a forcée à enchaîner les concours de beauté. Je sais tout cela, parce que Damien me l'a dit. Mais je soupçonne Richter d'avoir abusé de Damien et je suis sûre que son père le savait mais a forcé son fils à rester avec ce salaud.

– Tu veux qu'on en parle ? je demande imprudemment.

– Non, répond-il, laconique.

– Très bien.

J'essaie de garder mon ton nonchalant, mais je comprends que j'ai échoué quand il appuie son front sur le mien et pose ses mains sur mes épaules.

– Je sais que ça te tracasse, dit-il. Et j'en suis désolé.

Je commence à protester. La Nikki bien sage que ma mère a conditionnée est prête à s'élancer pour le rassurer en affirmant que ce n'est pas grave du tout qu'il ait des secrets et qu'il ne veuille pas m'en parler. Pas grave s'il se lève au milieu de la nuit pour se consoler dans la solitude.

La bien sage a envie de dire tout cela, mais je l'envoie balader. J'inspire profondément, et ce n'est pas non plus Nikki la rebelle ni la Nikki en société. Non, tout simplement moi, qui regrette de ne pas avoir de formule magique pour tout arranger, que Damien me dise la vérité ou non.

– Ça me tracasse, oui, mais seulement parce que je n'aime pas te voir souffrir.

– Et moi qui pensais avoir bien caché mes blessures, plaisante-t-il à moitié.

– Tu les caches bien, mais tu parles à une experte en la matière. Je les vois quand personne d'autre ne les remarque. Je sais que cela m'a aidé de te parler. De savoir que je pouvais prendre un peu de ta force, si la mienne n'était pas suffisante. (Il veut répondre, mais je pose un doigt sur ses lèvres.) Je suis sincère quand je dis que je veux être à ton côté, Damien. Mais le dire ainsi me fait passer pour plus altruiste que je ne le suis vraiment. (Je marque une pause, car l'honnêteté, ce n'est jamais si facile.) La vérité, c'est que cela me paraît injuste. J'ai tout partagé avec toi, mais tu gardes tellement de choses sous clé…

– Nikki…

– Non ! (Je le coupe.) Ce n'est ni une exigence ni une accusation. C'est une excuse. Parce que j'ai choisi toute seule de te parler, et c'est injuste de ma part d'être vexée parce que tu n'as pas fait le même choix. Ce n'est pas comme si on était obligé de tout faire pareil.

– Non, convient-il avec un léger sourire. Mais comme j'ai apprécié notre petite partie de Jacques-a-dit, peut-être devrions-nous ajouter ce jeu à notre répertoire.

– Je ne blague pas.

– Je sais… Merci.

Je regarde cet homme qui dirige un empire. Mais pour l'heure, le pouvoir, la gloire et l'argent ne signifient rien. Ce n'est qu'un homme. Mon homme. Et je dois reconnaître cette vérité muette qui attend depuis si longtemps : je suis en train de tomber amoureuse de Damien Stark.

Cela ne m'effraie pas. Au contraire.

– Viens avec moi, dis-je en lui tendant la main.

– Où allons-nous ?

– Je vais te changer les idées. Et beaucoup plus efficacement que des longueurs de bassin.

Nous nous séchons au bord de la piscine, puis nous allons à l'étage. Je le fais s'allonger sur le lit, et je viens me coucher à côté de lui. Je suis fatiguée, à présent – il est plus de 3 heures du matin –, mais j'ai besoin d'être avec Damien en ce moment. Et j'espère sincèrement que lui aussi a besoin de moi.

– Je vais m'occuper de toi, dis-je d'une voix rauque et sensuelle.

Un pli amusé fronce le coin de ses yeux, et je commence par là, en déposant un petit baiser sur sa tempe. Puis je passe une jambe par-dessus sa poitrine. À présent, je suis assise sur lui, et cette touffe de duvet avec laquelle je jouais tout à l'heure agace mon sexe encore sensible. Je me cramponne à ses épaules en ondulant des hanches pour laisser monter le plaisir alors que mon clitoris glisse sur sa peau.

Il m'empoigne les fesses pour accentuer et souligner le mouvement.

– Remonte ! exige-t-il d'une voix grondante. Je veux te savourer.

Je secoue la tête et glisse dans l'autre direction.

– Bonne idée, dis-je, mais je vais ailleurs.

Je laisse traîner mes mains sur sa poitrine, agaçant ses tétons du bout des doigts et traçant des lèvres et de la langue un chemin qui descend doucement. Je sens son corps se raidir, et bientôt l'acier de son érection se dresse contre l'arrière de mes cuisses. Il est aussi excité que moi, et le savoir me donne encore plus de pouvoir.

Je m'agenouille et descends encore, puis je me cale contre ses cuisses. Lentement, je me penche en avant, sans le quitter des yeux. Je veux le prendre en moi et le savourer. Je veux le lécher comme un sucre d'orge et voir dans son regard l'explosion du plaisir.

C'est ce que je veux, mais j'en suis privée, car il m'empoigne et me fait brutalement remonter sur lui. Avant que j'aie pu protester ou poser une question, ses lèvres se collent aux miennes dans un baiser brûlant.

— À genoux, dit-il.

J'obéis et il se penche sur moi en me caressant le dos. Je sens ses mains sur mes côtes. Je suis frappée de constater combien il est fort et combien je suis fragile.

— Dis-moi que tu me fais confiance, chuchote-t-il comme si mes pensées lui appartenaient elles aussi.

— C'est le cas.

— Dis-moi que je peux te prendre comme je le désire.

Je ferme les yeux et souris.

— Oh, oui !

— Je vais te faire voler en éclats, Nikki, dit-il tout en me caressant le sexe du bout de ses doigts. Je veux sentir mes mains sur toi quand tu exploseras et je veux savoir que c'est moi qui te donne tout cela. Chaque souffle, chaque vague de plaisir, chaque douleur dans ta chatte, jusqu'à la dernière marque de morsure sur ton dos. Moi. C'est moi qui ai fait cela. (Je frissonne à ses paroles, impatiente de les voir se réaliser.) Je vais te conquérir, Nikki. Avec ma main, avec mes lèvres, avec mon sexe.

À cet instant, il s'enfonce en moi et tout mon corps se crispe sur lui. Je bouge les hanches pour l'engloutir plus encore. L'une de ses mains cherche à combler un autre désir et se faufile pour trouver mon sein, et me pince si violemment le téton que mon sexe se resserre encore plus sur lui. Puis ses doigts descendent jusqu'à frôler mon clitoris, et je me mords les lèvres en attendant, oui, qu'il me fasse jouir.

Mais pas tout de suite. C'est Damien qui mène le jeu. Et ce soir, c'est lui qui décide des règles.

Bientôt, il se retire de moi et enlève sa main de mon clitoris. Je suis démunie, perdue. Il roule sur le côté et fouille dans la table de chevet.

J'étouffe un cri quand je vois le lubrifiant, un cri qui se transforme en soupir d'aise quand il en enduit délicatement mon anus.

– Partout, Nikki.

Ce soir, je sens de la brutalité dans sa voix. Un besoin qui frise le désespoir.

Sa bite est dure et prête, mais il prend son temps, me taquine avec ses doigts pour que je sois prête à l'accueillir. Je ferme les yeux en m'abandonnant à la sensation. Il ne m'a prise ainsi qu'une fois, lorsque je me suis donnée entièrement à lui.

Mais là, je ne donne pas. C'est Damien qui prend.

Son sexe me touche, m'agace et me dilate jusqu'à ce que je m'ouvre, puis il me pénètre, d'abord lentement, puis de plus en plus profondément et violemment.

– Pour toujours, gronde-t-il.

Sa voix est animale, ses gestes plus encore. Il s'enfonce en moi et je me mords la lèvre, car, oui, il me fait mal. Mais je ne veux pas crier. Je ne sais pas pourquoi il a besoin de cela, mais je sais qu'il en a besoin.

Damien, qui n'était jusque-là que braise, n'est plus que flammes. Ce qu'il exigea, il le prend. Ses doigts sur mon clitoris, son sexe qui me pilonne. Damien a besoin de moi, et je me donne de plein gré en ravalant mes cris, tandis qu'il s'enfonce en moi si profondément qu'une douleur fulgurante me parcourt. Je ne suis pas étrangère à la douleur. Elle me donne du pouvoir, quelque chose de tangible à quoi m'accrocher. Et je peux supporter la douleur donnée par Damien et l'entraîner jusqu'au fond de moi comme un bien précieux.

Je pense comprendre ce dont il a besoin. Pas de ma douleur, mais du pouvoir. Il a besoin de me posséder. Peut-être qu'il ne peut pas s'emparer des fantômes du passé qui sont revenus le hanter, mais il m'a, moi. En cet instant, je suis à lui, il peut me toucher et me prendre. Me posséder et m'utiliser.

Je suis à lui. À Damien, tout simplement.

Il jouit violemment et rapidement, et mes genoux faiblissent quand il s'effondre de tout son poids sur moi. L'espace d'un instant, je suis prise au piège, puis il roule sur le côté, une de ses jambes encore sur moi, la tête posée près de ma poitrine. Il ouvre les yeux et me regarde. Quelques secondes passent. Puis je vois des ombres glisser dans ses yeux.

– Bon Dieu, dit-il. Nikki, je…

– Non, dis-je en lui caressant la joue. Tu ne comprends pas ? Je veux être à ton côté. Quoi que tu fasses, quoi qu'il arrive.

Il reste un moment silencieux.

– Je t'ai fait mal ? demande-t-il finalement.

– Non. (Ce n'est qu'un petit mensonge. Le plus vif de la douleur est déjà passé. Je suis endolorie, mais c'est une sensation agréable.) Non, tu as été merveilleux.

Il me serre contre lui. Je le sens encore troublé, autant parce qu'il pense m'avoir fait mal que parce qu'il n'a pas réussi à se maîtriser. Moi, c'est le contraire. Il n'a pas réussi à se maîtriser avec moi : c'est presque comme partager un secret. La pensée me fait sourire et je ferme les yeux avec un long soupir. Endolorie, oui, mais délicieusement comblée. Je suis sur le point de m'endormir, quand il reprend :

– Mon père a l'intention d'aller à l'inauguration.

– Ah !

Je me redresse sur un coude pour le regarder.

– Je n'irai pas. Richter était un salaud et je ne soutiens pas la décision de lui rendre le moindre hommage.

– Je comprends que tu ne veuilles pas y aller.

– J'en suis heureux.

– Et moi, que tu aies le courage de tenir tête à ton père. Je ne serais pas capable de résister à ma mère.

– Je crois que si, dit-il en glissant une main entre mes jambes.

– Attention, dis-je en levant les yeux au ciel. Nous avons tous les deux besoin de sommeil, et ce n'est pas la meilleure manière de s'y prendre.

– Dommage.

Il glisse un doigt en moi et j'étouffe un cri.

– C'est un acompte, plaisante-t-il en le retirant. Sur demain soir.

– Vous êtes vraiment très cruel, monsieur Stark.

– Cela peut m'arriver, dit-il. Mais jamais avec toi.

– Et le centre de tennis, c'est tout ce qui te tracasse, vraiment ? je demande en le scrutant.

– Oui…

Cette hésitation est-elle le fruit de mon imagination ? Ai-je tellement l'habitude que Damien me cache des choses que je vois des secrets même lorsqu'il n'y en a pas ?

Oui, a-t-il dit. Je décide de le croire. Il a ouvert une porte. Mais Damien Stark, comme cette maison, contient beaucoup de pièces, et je ne peux m'empêcher de me demander combien d'autres portes restent closes et verrouillées.

Chapitre 6

Je suis réveillée le matin par l'odeur du café et des croissants tout chauds, et quand j'ouvre péniblement les yeux je trouve Damien à côté du lit, chargé d'un plateau appétissant.

— Qu'est-ce que c'est que tout ça ?

— Une femme qui va affronter sa première journée de travail mérite un petit déjeuner au lit, dit-il en posant le plateau sur mes genoux, à peine suis-je assise.

Je bois une gorgée de café, puis je soupire alors que le breuvage commence à faire son effet.

— Quelle heure est-il ?

— Six heures tout juste passées. (Je réprime un gémissement.) À quelle heure es-tu censée y être ?

— Dix. Bruce me fait commencer un vendredi pour me familiariser avec les lieux et signer la paperasse. C'est probablement la semaine la plus calme que j'aurai avant longtemps. Lundi, je devrai y être à 8 heures, sûrement.

— Ne fais pas semblant de te plaindre. Tu adores ça, je le sais.

Il s'assied près de moi et boit une gorgée dans ma tasse. Il ne s'en est sans doute pas rendu compte, mais ça me fait sourire.

Quant à ce boulot, il dit vrai, je l'adore. Si je suis venue à Los Angeles il y a moins d'un mois, c'était pour un poste chez C Squared, une entreprise de logiciels sur Internet qui a un succès dingue, même si son propriétaire, Carl Rosenfeld, est l'un des plus gros cons du monde. Même si je redoute en permanence l'épée de Damoclès suspendue au-dessus de la tête de Damien, le fait que Carl m'ait virée est finalement une bonne chose. Je suis maintenant employée chez Innovative Resources, une entreprise qui réussit tout aussi brillamment, avec un patron beaucoup moins psychopathe.

J'étale un peu de confiture de fraise sur le croissant et en prends une bouchée, surprise de le sentir tiède et croustillant. Il fond dans la bouche.

– Où as-tu déniché des croissants frais ?

Je refuse de croire qu'il a poussé son jogging matinal jusqu'en ville. Et ces croissants ne sont pas du congelé réchauffé !

– Edward, répond Damien.

C'est son chauffeur.

– Remercie-le pour moi.

– Tu pourras le faire toi-même. Il va te déposer, à moins que tu n'aies l'intention d'aller au boulot à pied.

– Ce n'est pas toi qui m'emmènes ?

– Je serais ravi de covoiturer, mais ce n'est malheureusement pas possible aujourd'hui. (Il se penche et je m'attends à un baiser. Au lieu de cela, sa main se referme sur la mienne et porte le croissant à ses lèvres pour en prendre une bouchée.) Tu as raison, dit-il avec un sourire espiègle. Délicieux.

– Vous avez une dette envers moi, monsieur. On ne peut pas voler impunément sa viennoiserie à une femme.

– J'attends avec impatience ton juste et sévère châtiment, dit-il, se redressant et me tendant la main. Ou bien je pourrais me faire pardonner dans la douche ?

– Je ne pense pas, dis-je un brin hautaine. Je ne veux pas être en retard pour mon premier jour.

– Je croyais que tu n'étais attendue qu'à 10 heures.

J'acquiesce en terminant le croissant puis prends une autre gorgée de café.

– Oui, mais je dois passer chez moi me changer. (Je lui décoche un sourire coquin.) Et il faut que je me lave après notre nuit.

– C'est une bien triste pensée. Évidemment, si tu tiens à prendre des mesures aussi radicales, n'oublie pas que je t'ai proposé de partager ma douche.

Je le regarde de la tête aux pieds. Il est rasé de près, vêtu d'un pantalon bien repassé et de son habituelle chemise blanche. Sa veste attend au pied du lit et je sens même l'odeur du savon sur sa peau.

– On dirait que tu t'es très bien débrouillé tout seul, dis-je.

– Jamais je ne pourrais. Et pour toi, je suis prêt à me laver deux fois plutôt qu'une.

– Tentant, dis-je tout en repoussant le plateau pour me lever. (L'air est frais, mais c'est une agréable caresse sur ma peau encore sensible.) Mais tu n'as pas un travail qui t'attend ? Une acquisition à faire dans les technologies de pointe ? Une galaxie à acheter, peut-être ?

Il me tend un peignoir ouvert. Ce n'est pas le rouge que j'ai mouillé dans la piscine – je me demande combien il en entrepose dans son dressing.

– Je m'en suis occupé la semaine dernière. Apparemment, il ne me reste plus rien à acheter.

– Pauvre garçon ! (Je me retourne et lui dépose un baiser sur le menton pendant qu'il noue ma ceinture.) Comme Alexandre le Grand. Plus de mondes à conquérir.

– Je t'assure que je suis très satisfait de mes conquêtes, dit-il. (Il glisse par la manche une main sur mon bras, ça me fait frissonner. Son regard prend une expression calculatrice.) Mais tu as tout de même raison. J'ai une journée remplie de rendez-vous à Palm Springs, et le premier est à 8 heures.

– Et tu me proposais de prendre une douche ? Qu'est-ce que tu aurais fait si je t'avais pris au mot ?

– Je me serais beaucoup amusé, je t'assure.

– Et tu aurais été en retard à ton rendez-vous.

– Je suis assez sûr qu'ils ne peuvent pas commencer sans moi. Cela dit, ce n'est pas une raison pour être en retard.

Au même instant, un grondement bruyant s'élève et la maison vibre.

– Qu'est-ce que… ?

– On passe me prendre, dit Damien alors qu'un hélicoptère apparaît dans le ciel et commence à descendre.

Je me précipite sur le balcon et le vois atterrir sur un bout de pelouse.

– Parce que tu ne pouvais pas t'offrir un héliport digne de ce nom ?

– Au contraire, tu as sous les yeux la plate-forme d'atterrissage dernier cri et écologique en gazon renforcé.

– Sans blague ?

– C'est absolument révolutionnaire, je t'assure. Le sol est doté d'un filet ultrarésistant qui protège les racines et offre une surface à forte capacité de charge.

Et comme les glissements de terrain sont fréquents dans les collines de Malibu, j'ai pris des précautions supplémentaires en renforçant la zone d'une grille enterrée, dans laquelle le reste s'incruste. Le résultat est sacrément impressionnant.

– Si tu le dis.

– Malheureusement, ce n'est pas l'un de mes projets. Pas encore, en tout cas, sourit-il. J'ai commencé les discussions avec l'entreprise qui détient le brevet de cette technologie de filet.

– Pour racheter la boîte ?

– Peut-être. Ou en devenir un actionnaire dormant. (Il me regarde sans ciller.) En affaires, je ne mets pas toujours les doigts dans la confiture. (Je ne relève pas l'allusion. Je veux le million que j'ai gagné en posant pour le portrait, afin de démarrer mon affaire dès que je me sentirai prête. Damien pense que je le suis, et veut m'aider. Je ne veux pas revenir sur le sujet pour le moment, mais il insiste.) Tu es prête, Nikki. Tu peux le faire.

– Tu seras étonné d'apprendre que je m'estime meilleure juge de mes capacités que toi, je rétorque, plus sèchement que je n'aurais voulu.

– De ta volonté, oui. De tes capacités, non. C'est un critère beaucoup plus objectif, et je suis mieux à même d'en juger que toi. Tu es trop proche du sujet. Tu veux que je te le démontre ? (Je fais une grimace excédée, mais il continue.) Tu as déjà sur le marché deux applications pour smartphone raisonnablement rentables, entièrement conçues, commercialisées et soutenues par toi seule. Tu as accompli cet exploit quand tu étais encore à l'université, et ça témoigne du genre d'autonomie dont a besoin une dirigeante d'entreprise. Tes diplômes en électronique et en informatique ne sont que la cerise sur le gâteau, mais le fait qu'on t'ait invitée au programme de doctorat du MIT et de CalTech prouve bien que je ne suis pas le seul à voir ce que tu vaux.

— Mais j'ai refusé d'y aller.

— Pour pouvoir rester dans le monde du travail et acquérir de l'expérience.

Je me rends compte que je ne vais pas gagner ce débat, alors je fais la seule chose possible : je l'ignore et lui pose un petit baiser sur la joue.

— Votre hélico vous attend, monsieur Stark. Vous ne voulez pas être en retard.

Je me retourne pour rentrer dans la chambre, mais il me retient par le poignet. Son long et profond baiser me fait chanceler, mais il a la présence d'esprit de me soutenir pour que je ne m'effondre pas.

— Pourquoi ce baiser ? dis-je quand il me libère.

Pour te rappeler que je crois en toi.

— Ah…

Il y a tant de fierté et de confiance dans sa voix que cela m'étourdit.

— Et c'est une promesse de ce qui va suivre, ajoute-t-il avec une petite moue suggestive. Je t'appelle quand je rentre. Je ne sais pas vers quelle heure.

— L'hélicoptère ne serait-il pas aussi rapide qu'il en a l'air ? dis-je pour le taquiner.

— C'est plutôt que mes confrères ne sont pas aussi expéditifs en affaires que moi.

— Pas de problème. Je vais peut-être dîner avec Jamie, de toute façon. J'ai un peu manqué à mes devoirs de meilleure amie, ces derniers temps. (Je m'apprête à partir, mais il me retient.) Quoi encore ?

— Je n'ai pas envie de m'en aller, dit-il avec un sourire de gamin.

J'éclate de rire, ravie. Damien est tout plein de personnages à la fois, et je suis amoureuse de tous.

— Mais si tu restes, comment vais-je pouvoir passer la journée à guetter ton retour ?

— Tu es une femme très sage, dit-il avant de me donner un dernier baiser. À ce soir.

Chapitre 7

Edward m'accueille près de la portière d'une belle voiture bordeaux et argent.

— Une nouvelle voiture ?

— Non, madame, répond Edward. M. Stark l'a restaurée il y a trois ans.

— Vraiment ?

Je contemple la voiture en me demandant comment Damien a bien pu en trouver le temps. J'essaie de me le représenter sous le châssis, les mains dans le cambouis. Curieusement, c'est un tableau plus facile à imaginer que je ne l'aurais cru. Comme j'ai pu le voir régulièrement, Damien sait presque tout faire. Et avec élégance, en plus.

Question élégance, la voiture n'est pas en reste. Elle n'est que courbes fluides, l'exemple même de la classe et de la grâce automobile. C'est presque un crime qu'Edward soit simplement en costume et non en livrée, et je ne serais pas le moins du monde surprise s'il prenait l'accent british. Il n'a aucune idée de ce qui me passe par la tête.

— En principe, nous réservons la Bentley pour les occasions officielles, mais M. Stark a pensé que cela vous plairait d'arriver à votre nouveau travail avec style.

Pendant ce temps, l'hélicoptère apparaît au-dessus de la maison, assez loin pour m'empêcher de voir Damien, mais je lui adresse tout de même un petit signe de la main.

– C'est chez moi que je dois aller, en fait, pas tout de suite au travail. Mais M. Stark a raison pour le reste, dis-je en montant dans la Bentley. Je vais adorer ça.

– M. Stark a clairement stipulé que je devais vous déposer à votre bureau.

– Ah bon ? (Je suis à deux doigts d'appeler Damien pour lui dire ses quatre vérités, mais cela n'y changerait rien de toute façon.) Mais il me faut d'abord passer chez moi.

– Bien entendu, mademoiselle Fairchild.

Il ferme la portière et je me retrouve dans un cocon de cuir et de ronce de noyer, à respirer le parfum du luxe. Les vitres ne sont pas électriques mais fonctionnent avec une manivelle à l'ancienne en acajou poli. Le cuir blanc est moelleux comme du beurre, et le dossier du siège avant muni d'un plateau. Défiant les conventions, je l'abaisse. Il offre une surface parfaite pour écrire. J'ai terriblement envie d'une plume et d'un parchemin.

– De quelle année est la voiture ? je demande, alors qu'Edward s'engage dans l'allée.

– C'est une S2 Saloon de 1960, dit-il. Il n'en a été fabriqué que trois cent quatre-vingt-huit, et il n'en reste que très peu en circulation. Quand M. Stark a trouvé celle-ci par hasard chez un casseur, il était déterminé à lui redonner sa splendeur.

Je ne sais trop ce que Damien pouvait bien faire dans une casse, mais je n'ai aucun mal à imaginer sa détermination. Ce que Damien veut, il l'obtient, qu'il s'agisse d'une voiture ancienne, d'un hôtel à Santa Barbara ou de moi...

Je passe l'index sur la tablette vernie et me rappelle ma petite envie.

– Vous n'auriez pas par hasard du papier et un stylo ?

– Mais certainement, dit Edward.

Il sort de la boîte à gants un nécessaire qu'il me tend. Je l'ouvre et y trouve un stylo à plume ainsi qu'un épais papier à lettres monogrammé aux initiales de Damien. J'hésite. Maintenant que je me retrouve face à la perspective de coucher mes pensées, je me sens démunie. Mais l'occasion est trop belle.

« Mon très cher monsieur Stark, je commence. Avant de vous connaître, je n'avais jamais songé à la nature sensuelle d'une voiture. Mais à présent que je suis entourée de cuir souple, dans le cocon chaleureux de ce véhicule gracieux et puissant, c'est enivrant, et je… »

Je laisse aller ma plume sur le papier, regrettant presque la révolution technologique. Comme c'était merveilleux de recevoir la lettre d'un amant, de l'ouvrir et de voir son cœur sur la page, dans son écriture ferme et solide. Il y a dans les textos et les mails une immédiateté qu'on ne peut nier, mais ils ne peuvent reproduire l'intimité d'une lettre.

Le temps qu'Edward s'arrête à Studio City devant l'immeuble où je vis avec Jamie, j'ai terminé mon petit mot. Je le glisse dans une enveloppe assortie que je cachette et me rends compte que je ne connais pas l'adresse de Damien à Malibu. Curieux, étant donné le temps que j'y ai passé. Mais peu importe. La lettre lui parviendra tout aussi facilement à son bureau, même si je ne me souviens pas du numéro de la tour. J'écris soigneusement au milieu de l'enveloppe, que je timbre :

« Damien Stark, CEO
Stark International
Stark Tower, Penthouse
S. Grand Avenue
Los Angeles, CA 90071 »

Puis je descends de la voiture et souris à Edward.

– Je dois prendre une douche et quelques affaires. Cela va peut-être prendre un peu de temps.

– Ce n'est pas un problème, répond-il avant de reprendre sa place au volant.

Je ne me sens pas coupable à l'idée de laisser Edward tout seul. Il a sans aucun doute emporté un livre audio, et ce n'est pas comme s'il devait retourner à Malibu pour prendre Damien. Quand il se rendra compte que j'ai filé par l'escalier de secours récupérer ma propre voiture, j'imagine que la lecture de son livre sera déjà pas mal avancée.

Je mets la lettre à la boîte, avant de grimper quatre à quatre jusqu'à l'appartement, tout en calculant le temps dont je dispose pour prendre une douche, me changer et aller au bureau. La circulation est pire que ne le pensait Edward – un accident sur la 405 – et je vais être plus en retard que prévu. Je sais que j'aurais simplement pu choisir une tenue parmi le milliard que Damien a entreposé pour moi, mais ce nouveau travail, c'est mon domaine à moi. Et c'est peut-être idiot, mais je veux porter mes propres vêtements et conduire ma propre voiture.

Jamie oublie toujours de verrouiller la porte, et je suis surprise qu'elle soit fermée. Je sors mes clés de mon sac, puis me rembrunis en entrant dans l'appartement plongé dans le noir. Elle doit dormir, et j'espère qu'elle est seule. Même si elle ramène les hommes à la maison comme on recueille des chats égarés, elle a l'habitude de les virer dès qu'ils ont bien épuisé les ressorts de son matelas. C'est dangereux et je m'inquiète, car c'est presque devenu un jeu. Et contrairement à ceux auxquels je joue avec Damien, je ne crois pas que Jamie ait un code.

La porte de sa chambre est fermée et je songe un instant ne pas la déranger. Mais c'est mon premier jour de boulot, et je veux la voir. Sans compter qu'elle a sûrement envie de me voir aussi. Je frappe légèrement à la porte, puis je tends l'oreille. Je m'attends à l'entendre gémir ou marmonner une excuse, puis courir à la porte et me prendre dans ses bras. Mais il n'y a que le silence.

– Jamie ?

Je frappe de plus belle, toujours en vain. Je tourne la poignée en essayant de regarder sans regarder, au cas où elle aurait finalement laissé dormir avec elle le mec ramené la veille.

Mais la chambre est vide et obscure. J'essaie de ne pas m'inquiéter. Elle avait probablement quelque chose à faire ce matin. Ou bien elle a dormi chez quelqu'un après avoir fait la fête.

Sauf que je ne crois à aucune de ces explications. Jamie n'est pas du matin et dort rarement ailleurs. Elle n'est pas du genre à profiter du canapé, elle préfère le confort de son chez-soi.

J'espère que je m'inquiète pour rien, mais lui envoie un texto : « Tu es où ? Je dois lancer une patrouille de recherche ? »

J'attends en fixant l'écran, mais mon téléphone reste muet. Merde alors ! Je tombe directement sur sa boîte vocale. À présent, j'ai l'estomac noué. Je ne peux pas appeler la police – je regarde assez la télé pour savoir qu'elle ne bouge pas avant que vingt-quatre heures ne se soient écoulées. Appeler Damien ? Mon doigt hésite au-dessus de son nom. Peut-être qu'il ne peut rien faire, mais si je m'inquiète, je suis presque certaine qu'il coupera court à sa réunion et viendra me retrouver malgré mes protestations. Je l'imagine peut-être en chevalier blanc, mais je ne suis pas une damoiselle en détresse et n'ai pas envie d'en devenir une.

D'accord, pas de problème. Jamie est sans doute tout simplement sous sa douche, ce que je devrais faire aussi. Je vais me laver et me changer, et si elle ne m'a pas rappelée quand je serai prête, je lui téléphonerai ou lui enverrai un autre texto.

Et si elle ne répond toujours pas, j'appellerai Ollie. Je ne sais pas ce qu'il pourrait faire, mais comme c'est mon autre meilleur ami, j'ai le droit de l'appeler en cas de crise. Et avec Ollie, le risque d'interrompre une réunion à un milliard de dollars est nettement moindre.

Autre point important, même si j'ai du mal à l'avouer : il se peut qu'ils soient ensemble. À ma connaissance, ils ont déjà couché ensemble une fois. Et Jamie a beau jurer que c'était sans lendemain, et Ollie affirmer qu'il était resté fidèle à sa fiancée excepté cette fois-là, je ne sais pas si je peux les croire.

Mes doutes me pèsent. Jamie et Ollie sont mes deux meilleurs amis, et je n'ai pas envie que leur petite escapade assombrisse l'atmosphère entre nous trois.

Comme je suis en retard et que je n'aime pas m'éloigner trop longtemps de mon téléphone, je prends rapidement ma douche. Je me sèche les cheveux avec une serviette, puis je mets un peu de gel pour maintenir quelques mèches en place.

J'ai découvert qu'il est plus facile d'entretenir une coupe courte que les longues boucles qui me descendaient dans le bas du dos.

Ceinte d'une serviette, je sors de la salle de bains dans un nuage de vapeur et fais un bond au plafond en entendant de la vaisselle se fracasser dans la cuisine. L'espace d'un instant, je suis terrifiée, imaginant des cambrioleurs. Mais le hurlement que je m'apprêtais à pousser laisse la place à un éclat de rire quand j'entends la voix de Jamie s'élever dans l'appartement :

— Oh, merde ! Nikki ! Je viens de péter ton mug préféré !

— Je suis là, dis-je en sautant les deux marches pour la retrouver dans la cuisine.

Elle me regarde bizarrement, probablement parce que je ris encore. Elle tient l'anse de mon mug des Dallas Cowboys. Le reste de la céramique bleue est éparpillé à ses pieds.

— Désolée, fait-elle.

— Ce n'est pas grave.

Je continue de rire, de soulagement, sûrement.

— C'est idiot que ce soit ton préféré, de toute façon, dit-elle, comme si je lui avais fait des reproches. Tu n'aimes même pas le football.

— Il était grand, dis-je. Je pouvais y mettre du chocolat chaud et des marshmallows sans que ça déborde quand on y plongeait une cuiller.

— Oui, mais à quoi ça sert de boire du chocolat chaud avec des marshmallow, si c'est pour prendre toutes ces précautions ?

Je ne peux pas la contredire. J'enfile une paire de tongs au bas des marches et vais chercher sous l'évier la pelle et la balayette que j'ai achetées quand j'ai emménagé ici.

– Merci, dit-elle avant de lever les yeux au ciel quand je les lui tends. OK, OK, soupire-t-elle.

Tandis qu'elle s'accroupit avec son jean, bien plus commode pour cette tâche que ma serviette, je lui demande où elle était passée.

– J'étais inquiète. Tu as dormi ailleurs ?

– Sûrement pas. (Elle balaie les derniers fragments dans la pelle et me regarde avec un grand sourire.) J'ai peut-être découché, mais j'ai pas dormi de la nuit. Et toi ? enchaîne-t-elle plus gravement. Parce que ton lit ne voit pas passer beaucoup de monde, ces derniers temps. Il va déprimer de solitude, si ça continue.

– Je vais m'en occuper, j'ironise. Je n'étais pas là non plus.

– Oh-oh.

– Je n'ai rien dit ! Par contre, moi, quand je découche, c'est toujours avec le même. Toi tu as tellement de mecs différents que tu pourrais faire un groupe sur Facebook.

– Pas mal, comme idée. Sauf que je crois que le dernier est peut-être différent des autres.

– C'est vrai ?

– Carrément. Il est pas aussi canon que ton maître du monde, mais je ne dirais pas non s'il proposait de remettre le couvert. Et plus, si affinités…

Jamais je n'ai entendu Jamie envisager d'aussi près une relation. Dire que je suis stupéfaite serait encore loin du compte.

– Tu ne peux pas m'annoncer une nouvelle pareille quand je suis en retard. Allez, on va bavarder pendant que je m'habille.

Elle me suit dans ma chambre et pose ses fesses sur le rebord de mon bureau devant mon portable. Il est allumé et l'économiseur est un diaporama de photos de Damien que j'ai prises à Santa Barbara. Damien, avec tant de lumière et de bonne humeur dans les yeux que je ne peux regarder ces images sans sourire. Entre cet écran de veille et l'original de Monet qu'il m'a offert – désormais accroché entre ma commode et le bureau –, je ne peux pas entrer dans cette pièce sans me sentir choyée. C'est une impression à laquelle je ne suis pas habituée.

À l'université, mon appartement était simplement l'endroit où je vivais. Chez ma mère, ma chambre était l'endroit que je voulais fuir. Mais ici, il y a Jamie et ma nouvelle liberté. De la passion. Du potentiel. Et surtout, il y a Damien.

Cette pièce est la preuve que je suis passée à autre chose et que j'avance vers ce qui me plaît.

Jamie tape sur le clavier de mon ordinateur.

– Raine, dit-elle finalement. (Je débats entre une jupe bleue et une grise devant mon placard, et il me faut un moment avant de comprendre qu'elle ne parle pas de royauté.) *Bryan* Raine, précise-t-elle, comme pour me faire mieux comprendre. (Comme j'ai l'air toujours aussi perplexe, elle secoue la tête, agacée, puis tapote l'écran.) *Mon* mec, c'est Bryan Raine.

Bien que pressée, je suis assez curieuse pour renoncer à l'examen de ma garde-robe et aller voir la série de photos qu'elle a sortie. Toutes du même homme. Beau gosse, presque toujours torse nu, avec des cheveux châtains, des yeux et des traits photogéniques. La plupart des photos, d'ailleurs, sont extraites de publicités : voitures, eaux de toilette, vêtements. Je dois avouer que ce type a tout ce qu'il faut pour vous faire acheter un jean.

— C'est lui, annonce fièrement Jamie.

— C'est le type avec qui tu es sortie hier soir ?

— Ouaip ! (Elle sourit avec espièglerie.) Enfin, sortie… On est surtout restés chez lui. Il est pas canon ?

— Incroyable, dis-je en cherchant une petite culotte et un soutien-gorge dans ma commode.

J'hésite un instant. Dans le jeu de Damien et moi, je devais suivre ses règles. Et ces deux dernières semaines, je n'ai porté ni culotte ni soutien-gorge. Au début, c'était bizarre, mais indéniablement sexy, surtout quand j'étais avec lui, car il pouvait passer à tout instant une main sous ma jupe, me toucher, me tripoter…

Il y a quelque chose de très érotique dans le fait de ne pas porter de sous-vêtements ; et même en l'absence de Damien, mon corps restait en éveil et j'avais conscience du moindre frôlement d'étoffe sur mes fesses, et du moindre souffle d'air sur mon sexe.

Aujourd'hui ce n'est pas un jeu, mais le premier jour d'un nouveau boulot, et les règles de vie d'Elizabeth Fairchild sont trop ancrées en moi. J'ai peut-être passé toute ma vie à essayer d'échapper à ma mère, mais elle est toujours plus ou moins présente. Et dans son monde, l'excitation de la liberté sexuelle ne vous dispense pas de la nécessité de porter une petite culotte au bureau.

J'en enfile une, soupire puis retourne à mon placard pour choisir ma tenue. Je jette un coup d'œil à Jamie au cas où elle aurait un avis, mais elle continue de contempler l'écran d'un air rêveur.

— Ne bave pas sur mon clavier, dis-je. Comment tu l'as rencontré ?

— C'est mon partenaire, dit-elle, faisant allusion à la publicité qu'elle s'apprête à tourner. Il est principalement mannequin, mais il a aussi fait quelques figurations à la télé, c'était même un des méchants dans le dernier James Bond.

— Ah bon ?

J'ai vu le film, mais je ne me souviens pas de lui.

— Oui, bon, on le voyait avec un flingue et ses airs sexy, corrige-t-elle. Mais il était du côté des méchants.

— Mais vous n'avez pas commencé à tourner, dis-je, un peu perplexe. Alors comment vous vous êtes connus ? Laquelle ? j'ajoute en brandissant deux jupes.

— La bleue. Il m'a appelée. Il a dit que comme la pub était, en gros, une histoire d'amour de trente secondes, il fallait qu'on se voie pour vérifier si l'alchimie fonctionnait entre nous.

— J'en déduis qu'elle a particulièrement bien fonctionné ?

— Torride, opine Jamie.

Même si je ne suis pas enthousiaste devant la facilité avec laquelle Jamie passe de lit en lit, je dois avouer que ce matin, ma coloc' a bonne mine. Étincelante, pétillante... Le nouveau boulot et le nouveau mec y sont sûrement pour beaucoup. Je me sens envahie d'un sentiment protecteur mêlé de soulagement et d'un rien d'inquiétude. Jamie ne s'en est jamais ouverte à moi, mais je suis assez sûre qu'avant d'emménager avec moi, elle choisissait souvent ses mecs non pas en fonction de leur capital séducteur mais de leur capital tout court, pour l'aider à payer ses crédits. Si une vraie relation se développe entre Jamie et Bryan Raine, personne n'en sera plus heureux que moi. Mais s'il finit par lui briser le cœur, j'ai peur que ma coloc' solide et autonome s'effondre.

Elle fronce les sourcils. Peut-être a-t-elle lu mes craintes sur mon visage ?

– Qu'est-ce qu'il y a ?

– Tu comptes vraiment porter une jupe ? Je croyais que les geeks étaient tous en jean et T-shirt avec des équations de maths dessus.

Je me renfrogne, car il se trouve que je possède plusieurs T-shirts portant des blagues mathématiques vraiment marrantes.

– C'est mon premier jour, et le poste n'est pas techno. Je suis cadre de direction. Je tiens à avoir le profil voulu.

J'ai enfilé la jupe bleue, et à présent je chausse mes souliers préférés, puis j'attrape un petit haut en soie blanche et une veste adorable dénichée dans une friperie de Studios où Jamie m'a emmenée faire des folies quand je suis arrivée à Los Angeles. Elle a une coupe classique avec un motif discret gris et bleu. La vendeuse nous a dit qu'elle avait été portée par l' actrice d'une série que je n'ai jamais regardée, mais dont Jamie m'a assuré qu'elle était géniale.

– Il faut que tu m'en dises plus sur ce mec, dis-je en m'éclipsant dans la salle de bains. Mais là, je dois filer. (Elle me suit et s'appuie contre le chambranle pendant que je me maquille. Une fois le mascara appliqué, j'exécute une pirouette entre la douche et le lavabo.) Ça va ?

– Comme toujours. Et si on te demande, c'est Lauren Graham qui portait cette veste dans *Gilmore Girls*. Fais-moi confiance, c'est cool. (J'acquiesce, la croyant sur parole.) Tu veux qu'on se retrouve après le boulot ? Je te parlerai de Bryan, et toi de tes nuits torrides. Je veux tout savoir.

— Bonne idée, je réponds, sans prendre la peine de lui dire qu'en ce qui concerne Damien, il n'est pas question que je révèle « tout ». On va chez Dupars ?

— Tu rigoles ? Je veux prendre un verre. Retrouve-moi au Firefly, dit-elle, faisant allusion au bar de Ventura Boulevard où nous sommes allées lors de ma première soirée en ville.

— Je t'envoie un SMS dès que je quitte le bureau, dis-je en l'étreignant. Je suis vraiment contente pour Bryan. J'ai hâte d'entendre la suite.

— Et moi de le revoir, ajoute-t-elle avec un sourire coquin. Je t'assure, je pourrais le regarder toute la journée.

Je laisse Jamie soupirer, et se remémorer sa nuit passée, pour dévaler l'escalier jusqu'au parking. En sortant, je vois la limousine dans mon rétroviseur. Je garde l'œil dessus jusqu'au virage, mais elle ne bouge pas. Quand je prends Ventura Boulevard, je ne peux m'empêcher de sourire. Après tout, ce n'est pas tous les jours que je réussis à déjouer les manœuvres de Damien Stark.

Bien que ma vieille Honda soit très poussive et cale souvent aux feux rouges, je parviens à sortir de Studio City pour rejoindre les bureaux d'Innovative Resources à Burbank en moins de quinze minutes – sans caler. Je considère cela comme un excellent présage pour la journée. Je me gare près d'une Mini Cooper rouge que je lorgne avec envie, puis je gagne le hideux bâtiment en plâtre de quatre étages qui abrite les bureaux d'Innovative et quelques autres sous-locataires. Mon téléphone bipe et je m'arrête au milieu du parking pour le sortir de mon sac. Je souris en voyant que c'est Damien.

« Je pense à toi. Sois sage pour ton premier jour. Fais ami-ami avec les autres enfants. Mais ne partage pas tes bonbons. »

J'éclate de rire et je tape ma réponse.

« Je ne les partage qu'avec toi. »

La sienne me fait sourire : « Ravi de l'apprendre. »

Je réplique aussitôt : « J'entre dans le bâtiment à l'instant. Souhaite-moi bonne chance. »

« Bonne chance, même si tu n'en as pas besoin, répond-il promptement. La réunion reprend. Je file. À ce soir, chérie. En attendant, imagine mes doigts te toucher sensuellement. »

« Je ne fais que ça », je réponds avant de glisser mon téléphone dans mon sac avec un soupir d'aise.

À ce moment, je vois qu'il est 9 h 45, j'ai donc encore un quart d'heure avant de commencer ma journée. Mon téléphone sonne. C'est de nouveau Damien.

– J'imagine déjà… dis-je d'une voix sensuelle.

– Qu'est-ce que tu t'imagines ? demande-t-il, pas sensuel pour un sou.

Pour tout dire, il a l'air plutôt furieux. Je fais la grimace. Apparemment, il vient d'appeler Edward.

– Je vais travailler, réponds-je.

– Je suis censé être en réunion en ce moment.

– Alors, pourquoi n'y es-tu pas ?

– Bon sang, Nikki !

– Non ! Je suis la seule qui ait le droit de dire ça, Damien, et je suis parfaitement capable de conduire toute seule. Si tu veux faire travailler Edward, demande-moi. Tu viens me voir et tu me dis : Nikki, mon chou, lumière de ma vie, est-ce que mon chauffeur peut t'emmener au bureau ?

Un silence – j'espère que ma réplique le fait rire.

– Et tu aurais dit oui ?

– Non, dis-je. Mais c'est comme ça que tu aurais dû t'y prendre. C'est mon boulot, Damien. Je veux conduire, et c'est ce que je compte faire.

– Je ne veux pas que tu affrontes les paparazzi toute seule.

Oh ! Je me sens un petit peu mieux. Je n'apprécie pas ce qu'il a fait, mais au moins il avait ses raisons.

– Il n'y a personne ici.

– Mais il y aurait pu y en avoir…

– Et je m'en serais occupée, dis-je, probablement un peu trop vivement. Tu ne peux pas être avec moi à chaque seconde de la journée, même si cela me plairait. Il arrivera forcément que je les croise quand je serai seule, et nous devrons nous y faire.

– Ça ne me plaît pas, insiste-t-il.

Je ne réponds pas. Je ne sais pas quoi dire. Finalement, Damien reprend :

– Je retourne à ma réunion.

Traduction : *Je me fais du souci pour toi.*

– Tout va bien, dis-je. Je te remercie, c'était la bonne émotion, mais la mise en pratique était nulle, c'est tout.

Ça le fait rire.

– Nous ne serons jamais d'accord là-dessus. Ce n'est pas un débat que je peux mener depuis Palm Springs.

Je me rembrunis. Apparemment, à Los Angeles il peut. Génial. Comme il doit vraiment retourner à sa réunion, il raccroche. Et je me retrouve à faire la grimace devant mon téléphone, tout en sachant que je vais devoir m'accommoder non seulement des paparazzi mais aussi de Damien qui joue la baby-sitter, même si je suis ravie qu'il s'occupe de moi.

Je balaie le problème et entre rapidement dans le bâtiment. Je n'ai plus le temps de prendre un café, mais ce n'est pas grave, car je ne veux pas risquer de tacher mon chemisier blanc – la voix de ma mère prend toujours le dessus dans ces moments-là.

La réception est au quatrième étage. J'appelle l'ascenseur. Les portes finissent par s'ouvrir et je m'efface pour laisser sortir les gens, quand j'entends une voix rauque et familière derrière moi.

– Tiens, voilà le Texas dans toute sa splendeur.

Je fais volte-face et me retrouve devant Evelyn Dodge, la reine des effrontées, l'une des filles que je préfère au monde. Elle porte un pantalon noir ample et des sandales dorées qu'on dirait importées du Maroc. Le pantalon disparaît en partie sous une tunique bigarrée qui, d'après ce que je vois, a été confectionnée avec des carrés Hermès cousus ensemble. On dirait une gitane aux goûts de luxe.

– Je savais que c'était ton premier jour aujourd'hui, mais pas que j'aurais la chance de te croiser.

Je reste à la regarder d'un air ébahi et j'en oublie que je bloque l'entrée de l'ascenseur. Je m'écarte pour laisser passer un petit groupe.

– Qu'est-ce que tu fiches donc ici ? je demande avec un grand sourire.

Ancienne actrice devenue agent puis mécène, Evelyn habite à Malibu, non loin de la nouvelle maison de Damien. Comme elle n'est pas du genre à faire une expédition dans la Vallée, même en cas de fin du monde, je me demande ce qu'elle peut bien fabriquer dans les bureaux d'une entreprise high-tech au nord de Burbank.

– Pareil que toi, la Texane.

Je hausse un sourcil amusé.

– Tu te lances dans les technologies ? Tu as conçu une application pour iPhone qui présente les œuvres de Blaine ?

– Pas mauvais comme idée, en fait, et je vais peut-être t'interroger là-dessus plus tard. Mais la réponse est non. Je suis venue voir Bruce.

– Pourquoi ?

La question a franchi mes lèvres trop vite. Mais Evelyn n'est pas du genre à s'en formaliser.

– J'ai besoin d'une de ses clés, dit-elle en riant à gorge déployée. Mais ne t'inquiète pas. Ce n'est pas pour un rendez-vous amoureux. Blaine me suffit amplement de ce côté-là. En l'occurrence, il a décidé de retoucher quelques tableaux pour l'expo de samedi, mais ils sont dans le hangar de stockage de la galerie.

– Giselle ne peut pas te faire entrer ? je demande, interloquée.

Giselle est l'épouse de Bruce et la propriétaire de plusieurs galeries d'art en Californie du Sud. En plus de mon portrait présenté au cocktail de samedi – même si seuls quelques invités sauront que c'est moi le modèle –, il y aura quelques autres tableaux de Blaine.

– Si elle n'avait pas fichu le camp à Palm Springs, oui. Mais elle m'a appelée en route. Apparemment, elle est partie récupérer quelques pièces dans la galerie qu'elle a là-bas, et son assistant n'a pas le double de la clé du hangar. Pourquoi Giselle l'a-t-elle laissée à Bruce et pas à son assistant, ne me le demande pas. Parfois, cette femme me laisse rêveuse.

– Damien est à Palm Springs aussi. Il y est parti ce matin.

– Dommage que Giselle ne l'ait pas su. Elle aurait pu se décharger de cette corvée sur lui. Cela lui aurait évité de se déplacer… Franchement, j'aurais préféré aller à Palm Springs plutôt qu'à Burbank, et je suis sûre qu'elle le sait, mais je crois qu'elle et le petit Bruce sont repartis pour se faire la tête. S'il est de mauvais poil la prochaine fois que tu le vois, ce sera sûrement à cause de ça. Mais je pense qu'il est trop pro pour le laisser voir.

– Pourquoi se font-ils la tête ?

– Avec ces deux-là, on ne peut jamais savoir.

Elle balaie le sujet comme si c'était de l'histoire ancienne, mais pour moi le sujet « Giselle » est d'un intérêt indéniable, même si c'est déplaisant. J'ai été jalouse de cette femme pendant cinq minutes quand j'ai fait la connaissance de Damien à la soirée d'Evelyn, parce que je l'avais prise pour sa petite amie. Giselle est raffinée et élégante, et elle me rappelle Audrey Hepburn dans *Sabrina*. Et franchement, Damien et elle formaient un beau couple. Bien sûr, dès que j'ai su qu'elle était mariée, toute jalousie avait disparu. Je ne dirais pas qu'elle revient à l'instant, mais mon espoir que Bruce et Giselle retrouvent rapidement le bonheur conjugal est plus dans mon intérêt.

– Et toi ? continue Evelyn. Je continue d'espérer que toi et ton appareil photo, vous accepterez mon offre de prendre un verre entre filles pour te soutirer des ragots.

Quand j'ai été présentée à Evelyn, je faisais des photos du couchant depuis son balcon avec mon iPhone, regrettant de ne pas avoir d'appareil photo digne de ce nom pour capturer l'ahurissante beauté de mon premier coucher de soleil sur le Pacifique. Evelyn m'avait invitée à revenir, et bien que je l'aie revue plusieurs fois au cours de ces deux dernières semaines, je n'y étais pas allée.

– Mais je suppose que tu n'as pas besoin de moi, maintenant que tu jouis de la vue chez Damien, ajoute-t-elle.

– C'est un sacré panorama en effet, admets-je. Mais je serais quand même ravie de venir chez toi un de ces jours.

– Quand tu veux. Apporte ton appareil, si cela te chante. Ou bien viens juste pour l'alcool et le papotage. Je ne suis avare ni de l'un ni de l'autre. Ni de conseils, si tu en as besoin. Mais d'après ce qu'on me dit, tu t'en sors très bien.

– Blaine t'a donc parlé.

Je ne peux m'empêcher de sourire. Au premier abord, on ne dirait pas que ce jeune peintre maigrichon et cette grande bonne femme exubérante forment un couple. Et même si Evelyn raconte que Blaine n'est là que pour réchauffer son lit, je suis sûre qu'il ne lui sert pas seulement de bouillotte.

– Évidemment que oui. À quoi ça sert d'envoyer le petit explorer le monde, s'il ne me rapporte pas de trucs croustillants ?

– Alors ?

– Rien de croustillant sur toi. Tu es d'un ennui… D'après ce que je sais, tu nages dans le bonheur.

– Ça me convient bien, dis-je en riant.

– Tant mieux. Ravie de savoir que je ne suis pas la seule à m'éclater au lit. (Je rougis, et je dois me retenir pour ne pas rire.) Mais il y a plus que ça, hein ? D'après ce que dit Blaine, tu aurais dompté le fauve ? (Je ne réponds pas, mais je suis si ravie que je dois rayonner.) Alors, c'est fini, les histoires concernant la petite Padgett ?

— Fini, dis-je d'un ton ferme.

Elle fait allusion aux récentes tentatives d'un homme d'affaires, qui en veut à Damien et l'implique dans la mort de sa sœur. Heureusement, Damien a tué la rumeur dans l'œuf.

— Contente de l'apprendre, dit-elle. Et pas de nouveaux drames en perspective ?

— Non, dis-je prudemment. (Ce n'est ni le moment ni l'endroit pour lui parler des menaces de Carl. Cependant, d'après son intonation, j'ai l'impression qu'elle est déjà au courant.) Pourquoi ? Il y a quelque chose que je devrais savoir ?

— Rien du tout, fait-elle en balayant l'air d'un geste. (Je la regarde attentivement. Evelyn était peut-être bonne menteuse à l'époque où elle était agent, mais elle n'est plus aussi douée. Elle me regarde et éclate de rire.) Ah, mais je t'assure que c'est vrai. Tu n'as vraiment pas de quoi t'inquiéter. Pas pour le moment, en tout cas.

Plusieurs groupes sont entrés et sortis de l'ascenseur durant notre conversation, et de nouveau les portes s'ouvrent devant nous.

— C'est l'heure d'aller bosser, non ? fait Evelyn.

— Tu ne t'en tireras pas à si bon compte, dis-je en la suivant.

J'ai la ferme intention de l'interroger, mais la montée est trop courte, et les portes qui se rouvrent mettent fin au tête-à-tête. La réceptionniste, une fille de mon âge nommée Cindy — me semble-t-il — se lève immédiatement.

— Waouh ! c'est supercool que vous soyez là, me dit-elle avant de rougir. Pardon, je veux dire que vous serez parfaitement à l'aise. Nous pouvons déjeuner ensemble, si vous voulez.

– Merci, dis-je en glissant un regard oblique à Evelyn, qui semble amusée. Je crois que j'ai un déjeuner avec Bruce aujourd'hui.

– Oh, bien sûr. M. Tolley vous attend. Une seconde, et je vous accompagne. (Elle se tourne vers Evelyn avant que j'aie le temps de lui dire que je suis d'abord censée voir la responsable des ressources humaines.) Que puis-je pour vous ?

– Evelyn Dodge. J'ai appelé Bruce pour venir chercher…

– Ah oui, bien sûr, mademoiselle Dodge.

Elle va chercher derrière son bureau une enveloppe qu'elle tend à Evelyn, et qui doit contenir une clé. Evelyn la glisse dans son immense sac et pointe l'index vers moi.

– On se verra demain, la Texane.

– Oui, dis-je. (Evelyn est l'une des très rares personnes à connaître l'identité de la femme qu'a peinte Blaine.) Tu verras sûrement beaucoup de ma personne demain.

Evelyne s'esclaffe et s'engouffre dans l'ascenseur. Je suis Cindy dans le couloir gris, les oreilles encore pleines du rire d'Evelyn.

Chapitre 8

Nous ne sommes pas arrivées dans le bureau de Bruce qu'il en sort déjà. Quand nous nous sommes vus pour l'entretien, il était l'image même du businessman zen. Là, il a manifestement l'air épuisé.

– Nikki, quel plaisir de vous voir ! dit-il en me tendant la main.

La poignée est ferme et sans chichis, ce qui augure bien de notre avenir professionnel. Cindy retourne à la réception et Bruce m'entraîne vers les entrailles de l'entreprise. Il marche vite, et j'ai du mal à le suivre. Si ses chamailleries avec sa femme le tracassent, ça ne se voit pas. On dirait qu'il a des difficultés professionnelles, pas conjugales.

– Si je tombe mal… Je veux dire, je crois que les ressources humaines m'attendent.

– J'ai parlé à Trish, m'informe Bruce. Elle s'occupera de votre paperasse cet après-midi. Pour le moment, je voudrais vous confier quelque chose. (Il s'arrête devant un bureau dont la porte fermée est couverte d'autocollants de personnages de BD et de logos de groupes.) J'espère que cela ne vous ennuie pas que je vous livre aux fauves.

Je regarde la porte avec curiosité. Le fait est que j'ignore absolument de quoi il parle, mais je sais quelle réponse il faut donner à son nouveau patron quand il vous pose ce genre de question :

– Pas du tout. De quoi s'agit-il ?

– Problèmes d'agendas : j'ai deux rendez-vous à la même heure. Il faut que Tanner et vous descendiez en ville pour voir l'équipe informatique de Suncoast Bank. Ils s'intéressent à l'algorithme de cryptage sur 128 bits que nous bêta-testons. Vous allez vous occuper du marketing du produit, de toute façon, mais j'espérais vous laisser du temps pour vous acclimater avant de vous le confier. Désolé de vous flanquer tout ça sur le dos dès le premier jour.

– Aucun problème, dis-je.

J'ai répondu calmement, mais intérieurement j'exulte. Bruce m'a parlé du logiciel de cryptage de pointe d'Innovative durant mon entretien, et je sais qu'il est destiné à devenir le fer de lance de l'entreprise. Je ne pensais pas avoir droit à une mission aussi précieuse dès le début, mais puisque c'est le cas, j'ai bien l'intention de profiter de cette réunion pour prouver à mon patron que je peux faire ce boulot, et le faire bien.

– Cela ne devrait pas être trop difficile à vendre, ajoute-t-il. Le produit est exactement ce qu'il leur faut, mais nous voulons que notre équipe travaille sur site pour veiller à ce que leur service informatique soit convenablement formé. Et avoir des yeux et des oreilles sur place pour réagir rapidement au moindre bug ou incident de fonctionnement.

– Bien sûr…

– C'est pour ça que j'envoie aussi Tanner, ajoute-t-il en frappant à la porte. Il a travaillé sur le développement du projet, et franchement je crois que ce serait bien pour lui de travailler pendant six mois sur le site du client.

– Pourquoi ?

– Si cela ne vous gêne pas de mélanger travail et plaisir, nous pourrons en discuter demain, quand je vous verrai. Pour le moment, disons simplement qu'en parlant de fauve, ce n'est pas le client que j'avais en tête.

– Bien sûr, dis-je, me rappelant qu'il va assister au cocktail lui aussi.

Durant la première heure de la soirée, seuls nos amis qui connaissent le modèle du tableau seront présents. Ensuite, Damien ouvrira le troisième étage à une flopée de clients de Blaine.

Une voix s'élève derrière la porte.

– J'ai déjà dit « Entrez ».

Bruce pousse la porte, et un blond avec un bronzage de surfer et un look de vendeur lève le nez vers nous. Une tonne de papiers envahit son bureau et le sol. Il nous adresse un grand sourire. Je sais que je devrais attendre de mieux le connaître, mais instinctivement je le trouve déjà antipathique.

– Bruce, dit-il d'un ton enjoué, je viens de raccrocher avec Phil. Il nous envoie l'info sur la proposition de Continental Mortgage. Je vais faire en sorte qu'il ne les lâche pas.

– Très bien, répond Bruce, l'air un peu distrait. Tanner, je te présente Nikki.

Tanner sourit de plus belle, et pendant une seconde j'ai l'impression de me voir dans un miroir. Son sourire n'est pas plus sincère que celui que j'arborais dans les concours de beauté.

– Nous avons beaucoup entendu parler de vous, dit-il. Tout le monde était impatient de connaître la dernière tocade en date. (Il jette un coup d'œil à Bruce avec un petit rire.) Alors, bienvenue à bord !

– Je vais essayer d'être à la hauteur de vos attentes, dis-je.

Je me tourne juste assez pour éblouir les deux hommes d'un parfait sourire de Miss Monde, ambiance Je-souhaite-vraiment-la-paix-sur-terre.

– Je n'en doute pas un instant, dit Bruce. Nous sommes ravis que vous vous joigniez à notre équipe.

La sincérité dans sa voix est évidente, et je constate à son expression que Tanner s'en rend compte, lui aussi.

– Il faudrait vraiment qu'on y aille, dit-il en prenant un tas de papiers en désordre sur son bureau et en les fourrant dans sa besace en cuir.

– Tenez, dit Bruce en me tendant une brochure portant le logo Suncoast sur la couverture. Vous pourrez vous familiariser avec les détails durant le trajet.

Il nous annonce qu'il doit se préparer pour son propre rendez-vous, me promet que nous déjeunerons ensemble le lundi, puis nous souhaite bonne chance.

Avant que j'aie le temps de m'en rendre compte, je me retrouve devant l'ascenseur avec Tanner. Oui, je suis un peu tendue. Certes, je peux faire ce boulot. Je sais ce qu'est un algorithme de cryptage et suis plus que capable de présenter une bonne entreprise à un client. Ce ne sont pas mes compétences qui m'inquiètent. Mais de me trouver au côté d'un type qui, pour une raison inexplicable, semble me mépriser.

Bruce ne l'a peut-être pas remarqué, mais je suis certaine de ne pas m'être trompée sur Tanner. Soudain, je me sens un peu vague. Et cette impression laisse bientôt place à la nausée quand nous montons dans l'ascenseur et qu'il pose les yeux sur moi, grimaçant comme s'il venait de voir une crotte sur le trottoir.

Je me détourne, déterminée à ne pas relever. Mais je me reprends, pensant soudain à Damien. De très loin l'homme d'affaires le plus prospère que je connaisse. Que ferait-il, face à un collègue récalcitrant et irrespectueux ?

Et par ailleurs, si Nikki Fairchild se retrouvait face à une vipère aigrie dans une soirée, l'ignorerait-elle ? Pas du tout.

J'ai sans doute beaucoup de talent pour ne pas montrer mon véritable visage au monde, mais même la Nikki en société ne supporterait pas ce genre de conneries. Damien Stark non plus. Et Nikki la pro pas davantage.

J'appuie sur le bouton d'arrêt d'urgence, puis je m'avance vers Tanner. Cette proximité ne m'enchante pas, mais je n'ai pas le choix : je dois empiéter sur son espace personnel si je veux qu'il me respecte. Son sourire narquois disparaît et il a effectivement l'air assez mal à l'aise.

– Vous avez un problème ? je demande sans prêter attention à la sonnerie qui retentit désormais à intervalles désagréablement réguliers.

Il pince les lèvres et pâlit sous son bronzage. L'espace d'une seconde, je me dis que c'est réglé. Je me suis fait comprendre et je domine la situation. Puis il ouvre la bouche et reprend des couleurs.

– Ouais, fait-il. C'est vous, mon problème.

Je me force à ne pas bouger. Au moins, c'est dit.

– Moi ? Le fait qu'on bosse ensemble ?

– Bosser ensemble ? *Ensemble* ? C'est comme ça que vous voyez les choses ? On bosse pas ensemble ! dit-il en appuyant bien sur le dernier mot. C'est vous ma chef, maintenant.

– Effectivement. Et je vous suggère d'y réfléchir à deux fois avant de me parler de cette manière.

Non, mais vraiment, qu'est-ce qui lui prend, à ce mec ?

– C'était censé être mon boulot. Je bosse sur ce logiciel de cryptage depuis le premier jour. Je le connais sur le bout des doigts. Et j'ai prouvé à Bruce à maintes et maintes reprises que je sais diriger une équipe. Et qu'est-ce qui arrive ? Une petite salope pistonnée décide qu'elle a envie de travailler pour se faire de l'argent de poche, et voilà que je me retrouve au bas de l'échelle.

– De l'argent de poche ? Mais vous vivez à quelle époque ?

– Qu'est-ce que ça change ? Vous en avez marre de claquer le fric de votre mec ? Vous vous êtes dit que vous pouviez venir ici tout chambouler ? Vous savez combien de coups de fil Cindy a dû supporter ? Des dizaines, venant de journalistes voulant savoir si vous bossez vraiment ici. Ça, c'est ce qui s'appelle faire perdre son temps.

Mon pouls s'accélère et je sens la sueur perler à mon front. Comment la presse saurait-elle que je travaille ici ? Et pourquoi elle me fout pas la paix ? Même avec Damien Stark dans ma vie, je ne suis pas si intéressante que ça.

Du coup, son énigmatique « dernière tocade en date » devient plus compréhensible.

– Et vous savez ce qui me troue le cul ? demande-t-il avant d'enchaîner sans attendre de réponse. Le fait que vous soyez là simplement parce que le patron veut faire plaisir à sa femme.

Là, j'ai vraiment la tête qui tourne. Je ne sais absolument pas ce que Giselle a à voir là-dedans, mais je n'en suis plus à jouer aux devinettes. Je remets l'ascenseur en route, puis je me retourne vers lui dès qu'il s'ébranle.

– Ce boulot requiert un minimum de subtilité. Une capacité à communiquer avec les clients et le public. Et plus que tout, le don de sourire aux gens sur qui on préférerait cracher. (Je lui fais mon plus beau sourire mondain.) Tanner, je ne crois pas que ce poste soit fait pour vous.

Nous arrivons au rez-de-chaussée et les portes s'écartent. Je sors en le laissant me suivre. C'est *moi* qui dirige ici, et il va devoir s'y faire. Je n'ai peut-être pas compris tout ce qu'il vient de me dire, mais assez pour savoir que si je ne prends pas les rênes maintenant, il fera tout pour me les arracher. C'est mon boulot, je l'ai décroché au mérite, pas grâce à Damien, et certainement pas grâce à Giselle. C'est moi qui commande ici, et je vais le prouver.

En traversant le hall pour sortir, je vois une Asiatique assise à une table devant la cafétéria. Elle lit ce qui semble être un rapport financier, et dans le bref instant où elle tourne une page nos regards se croisent. Je ne l'ai encore jamais vue, mais quelque chose dans son allure posée et assurée m'inspire.

Je me dirige vers la sortie, et, une demi-seconde plus tard, ma rayonnante assurance vole en éclats, quand six paparazzi se précipitent sur moi dans un crépitement de flashs. Apparemment, ils me guettaient sur le parking. Avant même d'avoir le temps de réagir, je suis bombardée de questions.

– Est-il vrai que Stark envisage d'acheter Innovative Resources ?

– Nikki, quel est exactement votre rôle chez IR ?

Je m'efforce de rester calme, de garder mon masque de pro. Même si je déteste ça.

– Vous êtes aux ordres de l'entreprise de Stark ?

– Que répondez-vous aux allégations d'espionnage industriel ?

Là, je dois me forcer pour ne pas serrer les poings. Pas pour me faire mal, mais parce que j'ai envie de tabasser celui, parmi ces ordures, qui a osé suggérer que Damien m'enverrait espionner une entreprise pour son compte.

– Est-ce un stratagème pour faire monter votre cote auprès des producteurs de téléréalité ?

– Parlez-nous de la vraie Nikki. Est-il vrai que votre sœur s'est suicidée ?

Je recule, désarçonnée par la violence de ces questions.

Non. Non, non, non.

Cette fois, je serre les poings. J'ai besoin d'avoir mal. J'ai besoin de la douleur pour me ressaisir. Pour avoir la force de remettre mon masque et d'affronter ces ordures. Et ensuite, fuir.

Lentement, je redresse les épaules. Je les fixe l'un après l'autre, puis leur sors mon sourire le plus éblouissant.

– Pas de commentaire, dis-je avant de tourner les talons pour aller retrouver Tanner.

Il est toujours dans l'entrée du bâtiment, et mon regard tombe sur lui au moment précis où il abandonne son expression suffisante.

– Pressez-vous, Tanner, dis-je en ignorant les paparazzi. Une réunion nous attend.

*
* *

Nous buvons des cocktails au Firefly. Elle grignote sa dernière olive, puis pointe la petite épée en plastique vers moi.

– Oh, mon Dieu, j'en reviens pas qu'on t'ait attelée à un tel crétin ! s'exclame Jamie. C'est comme si tu vivais dans une sitcom. Non, un film. Une de ces comédies déjantées où on colle l'héroïne avec l'idiot complètement incompétent.

– Sauf qu'il est aigri, pas incompétent. Et dans ces comédies dont tu parles, l'héroïne ne finit-elle pas toujours avec l'idiot ?

– Pas forcément, pontifie Jamie. Il suffit qu'il y ait un autre soupirant dans l'intrigue secondaire. *Une journée avec Tanner,* je vois d'ici la bande-annonce.

– Eh bien, je te laisse le rôle, dis-je avec une grimace. Personnellement, je préfère un autre partenaire.

– En effet. Et même si ça me chagrine de ne pas parler de nos deux bons coups, je veux que tu me racontes d'abord la fin de cette histoire. Comment les journalistes savaient-ils que tu étais là-bas ? C'est Tanner qui le leur a dit ? Tu as parlé à Damien de cette histoire d'espionnage industriel ? Il a dû être furieux, non ?

– Je le lui dirai quand je le verrai. Et il sera furieux, effectivement.

Je réprime une grimace. Si Edward m'avait conduite au bureau, ce serait arrivé quand même, mais je sens que ce détail ne comptera absolument pas quand Damien apprendra ce qui s'est passé.

– Quant à Tanner… (Je hausse les épaules. Je le soupçonne d'en être à l'origine, mais je ne peux pas le prouver.) Ce n'est pas très grave. Ils sont au courant, c'est tout ce qui compte. Super, j'ajoute ironiquement.

Jamie se penche vers moi et me regarde d'un air soucieux.

– Tu es sûre que ça va ? Vraiment ?

J'ai failli lui sortir mon sourire artificiel pour lui affirmer que tout va bien. Mais c'est Jamie en face de moi, Jamie, ma meilleure amie depuis toujours. Et, surtout, elle sait ce que ma grande sœur représentait pour moi. Combien je me suis appuyée sur Ashley pour supporter toutes les saloperies que ma mère m'a fait endurer. Toutes ces nuits, enfermée dans ma chambre sans pouvoir allumer la lumière, parce que ma mère était convaincue que j'avais besoin de dormir pour avoir le visage frais et reposé. Les innombrables heures passées à marcher avec un livre posé sur la tête. Le deuxième week-end du mois, où je n'avais droit qu'à de l'eau citronnée, pour me détoxifier et « empêcher cette saleté de cellulite de s'installer ». Tous ces trucs. Et le reste.

D'accord, je gagnais les écharpes et les couronnes, mais c'était Ashley que j'enviais. Ashley, qui avait le droit de mener une vie normale, ou du moins je le pensais. Ashley, qui prenait soin de sa petite sœur avant de s'occuper d'elle-même.

Je n'avais pas pensé que ma mère avait dû la bassiner tout autant que moi. Je l'ai su trop tard, quand je me suis retrouvée avec le mot laissé par Ashley avant son suicide. Le mot où elle disait de sa petite écriture nette et précise que son mari l'avait quittée parce qu'elle n'avait pas su se comporter en femme et en épouse. Qu'elle n'avait pas réussi à être la dame que notre mère s'était efforcée de nous faire devenir.

Salope.

Je ferme les yeux et me rends compte que j'ai posé la main sur ma cuisse, à l'endroit de ma cicatrice. Je m'étais déjà entaillée avant la mort d'Ashley, mais après ce tragique épisode j'avais recommencé. Il y a tant de souvenirs liés à ces cicatrices, comme si chacune de ces traces représentait une émotion. Mais c'est surtout d'Ashley qu'il s'agissait.

– Non, dis-je finalement à Jamie. Ça ne va pas. Mais ça allait, jusqu'au moment où il a été question d'Ashley. La situation ne me plaisait pas, mais je la supportais. Et je m'en remettrai. C'est juste qu'aujourd'hui j'ai été prise au dépourvu.

– Ça passera, tu sais. C'est l'avantage et l'inconvénient de la notoriété. Elle finit par décliner.

– Et comme l'a dit Tanner, je suis la dernière tocade en date. (Je souris, et cette fois avec sincérité.) Peut-être que le mois prochain on me laissera tranquille, on me préférera la petite starlette qui sort avec Byron Rand.

– Bryan Raine, corrige-t-elle. Et n'essaie pas de changer de sujet. Allez, oublie les paparazzi et raconte-moi ce qui s'est passé à ta réunion.

– D'accord, dis-je en finissant mon verre.

J'en étais au moment où Tanner et moi avions commencé le rendez-vous avec nos clients chez Suncoast.

– Je m'en occupe, avait dit Tanner, quand le chef de l'équipe informatique m'avait posé une question conceptuelle. Mademoiselle Fairchild ne joue ici qu'un rôle purement administratif.

– Quel petit con ! lança Jamie à ce moment de mon récit.

– Je ne vais pas te contredire là-dessus. Mais j'aurais probablement dû me taire. En fait, toute l'idée était d'amener le client à prendre le produit et l'équipe. Comme ça, j'aurais été débarrassée de Tanner pendant six mois.

– Alors, qu'est-ce que tu as fait ?

– Quand il a terminé, j'ai fait gentiment remarquer que si l'exposé de Tanner était exact, il avait oublié quelques points clés. Ensuite, j'ai passé les quinze minutes suivantes à leur expliquer comment faire varier l'algorithme pour obtenir une grande variété d'options. Conceptuellement, le programme est génial, mais quand on s'intéresse au code proprement dit, en fait…

– OK, me coupe Jamie. Je pige. Des trucs de geek. Tu les as impressionnés. Tanner est passé pour le con de service.

– Exactement. Mais le mieux, c'est qu'il n'est pas apparu comme un con ignorant. Il connaît son affaire, il a juste omis quelques détails importants.

– Et tant mieux, car le client n'a pas envie d'avoir un abruti sur le dos pendant six mois, dit Jamie.

– Exactement. Je crois que je serais forcée de démissionner si Tanner bossait dans le bureau à côté du mien. Ce mec est un poison.

– Pas question que tu démissionnes ! s'exclame Jamie en levant les yeux au ciel. Comment tu vivrais ? Avec un million de dollars, on ne fait plus grand-chose de nos jours.

Je lui jette ma serviette au visage.

– C'est de l'argent pour démarrer ma start-up, et tu le sais très bien. Ce n'est ni pour payer le loyer, ni pour aller au cinéma. Et même pas pour s'offrir nos cocktails.

– Je sais. Ce que je veux dire, c'est que tu es prête. Allez, Nik. Tu sais déjà comment diriger une entreprise et conquérir une clientèle. Regarde comment tu t'en es sortie aujourd'hui. Tu as remis ce petit con à sa place et tu as charmé tes clients. Tu ne vas pas faire des investissements idiots ou utiliser les fonds de l'entreprise pour acheter une Mercedes, tu n'es pas ta mère, ajoute-t-elle en levant son verre.

— C'est pour ça que je me prépare. Quand j'ouvrirai les portes, je tiens à ce que tout se passe bien.

— Bon sang, ce que tu peux être têtue ! Pourquoi tu t'obstines comme ça ? Tout se passera bien. Tu fais attention à ce que je te dis ? Tu as le meilleur mentor qui soit à ta portée, non ? Il meurt d'envie de te filer un coup de pouce, n'est-ce pas ?

— Je sais, dis-je. Mais je veux réussir par moi-même.

— Alors, lance-toi !

Elle lève la main pour appeler le barman. Ouf ! Ce n'est pas une conversation que j'ai envie de poursuivre, en grande partie parce que je ne veux pas analyser les raisons de mes hésitations. Parfois, l'ignorance est un bienfait. Ou si ce n'est l'ignorance, le déni et la fuite…

Le barman s'approche et Jamie commande un autre cocktail. Moi, je prends une eau gazeuse.

— Tu n'as aucun esprit d'aventure, dit-elle. (Je réfléchis aux choses assez aventureuses que Damien et moi avons faites ensemble, et je ravale un sourire satisfait.) Alors, quand est-ce que tu touches l'argent ? demande-t-elle.

Puisque je ne vais pas pouvoir fuir le sujet, je lui dis la vérité.

— Il est déjà à moi. Mais il faut que je dise à Damien où faire le virement.

— Euh, ouais… fait Jamie.

Je hausse les épaules. À vrai dire, bizarrement, j'hésite à investir. Après avoir vu les horribles investissements de ma mère fondre comme neige au soleil, j'ai peur de prendre des décisions. Évidemment, l'échec de ma mère est dû à sa manière catastrophique de gérer le budget familial et à ses dépenses inconsidérées. Mais me persuader que je ne suis pas ma mère n'est pas toujours facile.

— J'ai discuté avec des courtiers, dis-je. (Et c'est presque vrai. J'ai dit à deux réceptionnistes que je comptais prendre rendez-vous avec des courtiers. D'après le regard que me jette Jamie, je comprends qu'elle me perce à jour.) Assez parlé d'argent. Je veux en savoir plus sur Raine.

— Oh, tu vas tout savoir, promet-elle. Mais d'abord, je termine mon interrogatoire.

— Génial ! dis-je, ironique.

— Qu'est-ce que ça donne, l'alchimie avec Bruce ?

— Pardon ? Il n'y a pas d'alchimie avec Bruce.

— Pas cette alchimie-là, idiote. Je parle de la relation patron-employée. Tu peux lui parler ? Il se comporte comme un mec normal ? Ou bien tu ressens une vibration malsaine, genre « Montre-moi-tes-nichons », comme avec Carl ?

— Pour la défense de Carl, il n'a jamais voulu voir mes nichons. Il voulait juste que je m'en serve pour séduire les clients.

Le barman revient avec nos verres, et Jamie avale une longue gorgée.

— Ah oui, là je préfère, dit-elle.

— Oh, c'est un connard total, dis-je. Mais je voulais juste que nous soyons claires sur la raison.

– La précision, c'est important, dit-elle. On devrait trinquer en son honneur.

Nous joignons le geste à la parole.

– Qu'est-ce qu'il y a ? je demande en la voyant grimacer.

– Je pensais simplement à ce qu'il t'a dit au restaurant. Qu'il comptait bousiller Damien.

– Super ! Comme si je n'y pensais pas assez toute seule.

– Puisque rien n'est arrivé, dit Jamie sans relever mon sarcasme, c'est sûrement que Carl brassait du vent. Comme il était furieux que Damien ait refusé de le financer, il a fait sa crise.

Je bois une gorgée d'eau gazeuse et lui dis que Damien est du même avis qu'elle.

– Mais pas toi ?

– J'espère que ça ne va pas plus loin. Mais j'ai travaillé avec ce type, et il ne lâche pas aussi facilement.

– Espérons qu'il lâchera cette fois, dit-elle. Ça me ferait mal qu'il essaie de nuire à Damien. Après tout, ton mec est sur ma liste de candidats à la béatification.

Depuis que Damien a permis à Jamie de décrocher son rôle dans la pub, elle le prend pour la perfection incarnée. J'en conviens de tout cœur.

– À ta santé, dis-je en levant mon verre. Aujourd'hui une pub, demain un oscar.

– Je bois pour que ça se réalise.

– Tu boirais pour n'importe quelle occasion.

– C'est vrai, dit-elle en avalant son cocktail. Tu l'aurais imaginé ?

– Quoi donc ?

– Quand on était au lycée, que tu faisais tous ces foutus concours de beauté chez les ploucs et que j'auditionnais pour la troupe de l'association municipale. Tu aurais imaginé qu'on se retrouverait à Los Angeles, moi avec une pub et toi sur le point de lancer ton business ?

– Non, jamais je ne l'aurais imaginé.

– Alors, tope-là ! dit Jamie en tendant sa main. Aux deux Texanes venues toutes seules à Los Angeles, et qui ne s'en sortent pas si mal !

*

* *

Comme Jamie est venue à pied au bar, nous rentrons toutes les deux dans ma Honda. Cela nous prend plus longtemps que prévu, car la voiture ne cesse de caler aux feux.

– Reconnais-le, Nik. Tu ne peux pas continuer à Los Angeles avec cette voiture.

Jamie a malheureusement raison. Mais cette voiture est la première chose que je me sois achetée toute seule, après que ma mère m'a coupé les vivres. Je suis fière de ce qu'elle représente et je ne peux m'empêcher d'être un peu superstitieuse en la voyant commencer à rendre l'âme.

– J'irai la faire réviser bientôt, promis. C'est probablement un problème de bougies ou de carburateur.

– Est-ce que tu sais seulement ce que c'est, un carburateur ?

– Non, mais le mécanicien doit le savoir, lui.

– Ouvre les yeux et regarde la réalité en face, Nik. Ça a été une super petite bagnole, mais un beau jour elle va caler au milieu de l'autoroute, et tu feras l'ouverture du 20 heures. La petite amie d'un milliardaire écrasée comme un moucheron dans un carambolage. Va pas dire que je ne t'ai pas prévenue. (Je lève les yeux au ciel, mais ne discute pas. À vrai dire, elle a peut-être raison.) À propos de petite copine de milliardaire, continue-t-elle, qui vient à la fête demain ? Je vais enfin connaître Evelyn, alors ?

— Oh oui ! Et Blaine, évidemment. Vous serez les seuls à savoir que c'est moi le modèle du tableau, alors on va rester en petit comité jusqu'à 20 heures. Puis les autres invités arriveront pour voir les tableaux de Blaine exposés.

— Cool. Et Ollie ?

Vu le ton détaché sur lequel elle m'a posé la question, je ne sais pas s'il y a encore quelque chose entre elle et lui. Je n'aurais qu'à demander, mais je ne peux m'y résoudre.

— Il ne vient pas, dis-je.

— Pas en début de soirée, clarifie-t-elle. Je sais que tu ne lui as jamais parlé du tableau. (Elle me jette un regard oblique.) N'est-ce pas ?

— Non, dis-je d'un ton ferme.

— Je me demandais s'il viendrait après. Pour le vernissage, ou Dieu sait comment tu appelles ça ?

— Un cocktail, dis-je en me garant sur ma place de parking. Et il ne vient pas, non. Je crois que Courtney et lui ont quelque chose de prévu.

Courtney, la fiancée d'Ollie. Je me sens coupable de mentir, mais je ne veux pas dire à Jamie que Damien a refusé d'inviter Ollie chez lui. Cela m'ennuie que Damien et l'un de mes meilleurs amis ne s'entendent pas, mais je ne peux pas grand-chose contre ça.

Bien qu'ils aient commencé à se flairer comme deux chiens dominants, ils ont fini par respecter une trêve.

Brutalement rompue quand Ollie a découvert certains secrets de Damien et m'en a parlé, rompant du même coup le secret professionnel entre un avocat et son client. Damien comprend qu'Ollie ait voulu me protéger – c'est probablement l'unique raison pour laquelle il est toujours avocat et exerce toujours à Los Angeles.

Mais Damien ne veut pas de lui dans sa maison, et je ne peux lui en vouloir. J'espère qu'ils trouveront le moyen de se réconcilier ; j'ai besoin de ces deux hommes dans ma vie. Mais le drame a eu lieu il y a une semaine seulement, et c'est encore un peu trop frais entre eux.

En revanche, Jamie ne sait rien de tout ça et je ne compte pas lui en parler.

Entre-temps, nous sommes arrivées chez nous. Je glisse la clé dans la serrure et j'ouvre la porte, puis je m'immobilise sur le seuil.

– Putain de merde ! dit Jamie en regardant par-dessus mon épaule.

Je ne dis rien, elle a pas mal résumé la situation.

Là, au milieu de notre salon, trône le lit. Le lit ! Le magnifique lit en fer auprès duquel j'ai posé. L'ahurissant lit sur lequel Damien m'a si intégralement baisée la nuit dernière et toutes les nuits qui ont précédé...

Pétrifiées l'une comme l'autre, nous entrons. Sur le lit se trouve une housse de chez Fred, avec un mot épinglé dessus. Je n'ai qu'à jeter un coup d'œil à l'écriture sur l'enveloppe pour sentir mon corps se tendre d'impatience. Lentement, je sors le billet de l'enveloppe, le déplie et le lis : « Je serais heureux que vous me fassiez l'honneur de porter cette robe demain, mademoiselle Fairchild. Après quoi, peut-être me ferez-vous l'honneur encore plus grand de l'ôter. »

Je me rends compte trop tard que Jamie lit par-dessus mon épaule.

— Comment tu fais pour avoir autant de veine ? Ce mec est à tomber.

— Carrément !

Elle se laisse choir sur le lit pendant que j'ouvre la housse et éclate de rire. Je suis tombée amoureuse de cette robe en mousseline bleue pendant que nous faisions du shopping hier. Elle descend à mi-cuisse, n'est pas moulante, mais le devant plissé et la coupe ample la rendent amusante et aguicheuse. J'ai hâte de la porter avec ma paire de sandales argentées préférée, et un bracelet en argent assorti.

Je la brandis devant Jamie.

— Qu'est-ce que tu en dis ?

— Que tu vas être un appel au péché avec cette robe. Je peux faire une razzia dans ton placard ? J'en ai marre de mes fringues.

— Jamie, tu mets du 36. Je n'ai pas fait cette taille depuis que j'ai fichu le camp de chez ma mère et que j'ai appris l'existence de cette mystérieuse substance que je me plais à appeler « nourriture ».

Elle soupire et lorgne ma robe avec envie.

— Il me faut un petit copain milliardaire.

— Je suis bien d'accord, dis-je. Je trouve que c'est un accessoire tout à fait désirable.

— On va faire du shopping ? demande-t-elle. Je ne blaguais pas, pour mon problème de fringues.

Je jette un coup d'œil à mon téléphone. Toujours pas de nouvelles de Damien.

— Pas de problème, dis-je. Mais donne-moi une seconde pour me changer. Et on peut faire un vrai dîner, par la même occasion ? La vodka ne nourrit pas vraiment.

– Ah bon ? fait mine de s'étonner Jamie, en actrice très professionnelle.

Elle file dans sa chambre pendant que je vais dans la mienne, puis je l'entends crier :

– Comment il est entré ici ?

– Va savoir…

J'ai quand même ma petite idée. Il a probablement dû acheter la complaisance du gérant, qui est suffisamment dingue pour avoir trouvé amusant de faire la livraison surprise d'un lit chez moi.

J'enfile l'un de mes T-shirts à équations mathématiques dont Jamie s'est moquée ce matin, et un jean. C'est la première fois que j'en porte un depuis que Blaine a commencé mon portrait, et j'hésite avant de remonter la braguette : j'ai l'impression d'être une vilaine petite coquine qui fait une bêtise.

Ce n'est pas le cas, évidemment. Le jeu est terminé. Si j'ai envie de porter un jean, je peux. Et si j'ai envie de porter une jupe sans culotte dessous ? Eh bien, ça aussi, je peux.

Je sors de ma chambre, le sourire aux lèvres, mais mon humeur change quand je reviens dans le salon où ce lit gigantesque envahit l'espace. J'étais ravie de le trouver ici en entrant, comme si je baignais dans un déluge de souvenirs délicieux. Seulement, à présent, ce bonheur est teinté d'une émotion déplaisante. Je m'approche et pose la paume sur la boule lisse du pied de lit. Si je suis enchantée qu'il n'ait pas été expédié dans un entrepôt ou vendu à un magasin d'antiquités, je suis en même temps indéniablement mélancolique.

– Il n'a rien à faire ici, dis-je quand Jamie revient et me demande ce qui ne va pas.

– Le lit ?

– Il était censé rester dans la maison de Malibu, pas ici. Ça donne l'impression que tout est fini.

Je me rappelle ce que m'a dit Damien. Qu'il avait sacrifié un partenariat qui l'enthousiasmait pour sauver un petit producteur artisanal. L'histoire ne m'a pas plu sur le moment, et elle me plaît encore moins maintenant. Jamie reste silencieuse en me scrutant, puis elle ricane.

– Oh, Nik, arrête !

– Quoi ?

– Me fais pas le coup de la prémonition. Tu cherches des signes là où il n'y en a pas. Tu fais ça tout le temps.

– Sûrement pas.

– Bon, peut-être pas tout le temps, mais tu l'as fait avec Milo.

– C'était au lycée, en seconde !

– Bon, alors peut-être que « tout le temps » était exagéré, concède-t-elle. Tu étais folle de lui, et il était en terminale, tu te rappelles ? (J'acquiesce, car je me souviens de tout.) Un jour qu'il faisait froid, il t'a prêté son blouson en cuir.

– Et on a passé toute la semaine à essayer de décrypter ce que ça signifiait.

Oh que oui, je m'en souviens.

– Et au final, il te l'a donné parce que tu avais froid et qu'il était gentil, insiste Jamie.

– Qu'est-ce que tu essaies de me dire, là ?

– Tu n'aimes pas ce lit ?

– Je l'adore !

– Damien le sait ?

— Évidemment.

— Alors, voilà. Tu aimes ce lit. Damien t'aime, c'est rien de le dire… et voilà. Je suis sûre que quand tu t'installeras, tu pourras remporter le lit.

— Quand je m'installerai ?

L'idée est à la fois terrifiante et excitante.

— C'est ce que tu veux, non ? Je n'essaie pas de te virer, mais il faut regarder la réalité en face.

Oui, ai-je failli dire.

— C'est trop tôt pour y penser, je préfère répondre.

— Merde, Nik, tu en as envie, lance-toi !

— D'accord. J'en ai envie. Mais foncer n'est pas toujours la meilleure solution. Parfois, un peu de réflexion et de discrétion est bienvenu.

— Il ne s'agit pas de moi, dit-elle, voyant très bien que j'essaie de changer de sujet.

— Peut-être que ça devrait. Tu n'es pas la mieux placée pour donner des conseils en matière de relations.

— C'est vrai. Mais tu as posé la question. Alors, laquelle des deux est l'idiote, ici ? Et puis, continue-t-elle alors que je réprime un sourire, peut-être que j'ai tourné la page. La monogamie, ça peut être génial. C'est vrai, je n'imagine pas me lasser un jour de Raine, dit-elle d'un air rêveur. D'ailleurs, après hier soir, je n'imagine pas que Raine se lasse un jour non plus.

J'éclate de rire, mais je dois admettre que je sais de quoi elle parle.

— Alors, je garde le lit ?

— Évidemment que tu le gardes. Et pour le coup, laisse-le dans le salon un jour ou deux. On se fait une soirée margaritas ce soir, après le shopping ?

— On loue des films ?

– Rien de larmoyant, dit-elle. Je ne suis pas d'humeur. De l'action. Je veux voir des trucs qui pètent dans tous les sens.

Et sur le moment, cela m'apparaît comme la soirée parfaite.

Chapitre 9

Après nous être empiffrées au Haru Sushi & Roll Café, et avoir dépensé comme des folles au Beverly Center, Jamie et moi nous installons dans le salon avec un pichet rempli d'un mélange de tequila, de jus de citron vert glacé et d'un rien de Cointreau. Nous avons déjà bu du saké au dîner, et nous sommes toutes les deux assez pompettes pour chanter en chœur le rap du générique de *Die Hard – Une journée en enfer*.

Nous en sommes au moment où les orteils de Bruce Willis se crispent dans sa salle de bains, quand le téléphone de Jamie sonne. Elle jette un coup d'œil, puis pousse un cri suraigu et saute du lit pour foncer s'isoler dans sa chambre.

Bryan Raine, sans doute.

J'hésite à continuer ma soirée avec le film – elle est capable de rester toute la nuit au téléphone avec lui – quand mon téléphone sonne à son tour. Je ne prends pas la peine de regarder l'écran, je réponds aussitôt.

– Damien ?

– Ça va ?

Je mets un certain temps à comprendre qu'il me parle des paparazzi.

– Comment se fait-il que tu saches tout ce qui m'arrive ? Tu as loué un satellite pour ça ? Il y a des petits émetteurs cachés dans les vêtements que tu m'as offerts ?

– Quiconque possède un smartphone et un compte Facebook a vu des photos de toi aujourd'hui, dit-il. Et franchement, j'aime bien l'idée du satellite. Je vais demander à ma division aérospatiale de se renseigner là-dessus.

– Génial !

– Je t'ai demandé si ça allait, Nikki.

J'ai envie de lui reprocher de ne pas m'accorder le mérite de m'être débrouillée toute seule, mais l'inquiétude que je perçois dans sa voix est sincère.

– Oui, ça va, je réponds donc simplement.

– Ils ont parlé d'Ashley.

Parler de ma sœur, et avec une voix aussi douce, me fait monter les larmes aux yeux.

– Je sais ce que tu penses, mais ça n'aurait rien changé, dis-je. Il n'y avait personne aux alentours du bâtiment à mon arrivée. Ils sont venus plus tard, et même si Edward m'avait déposée il aurait été parti depuis longtemps à ma sortie.

– Nous en parlerons plus tard. (Je sais que je devrais argumenter, mais je suis heureuse de pouvoir reléguer le sujet dans un avenir improbable.) Raconte-moi le reste de ta journée.

– Tu y tiens ?

– Ce n'était pas bien ?

Je réfléchis.

– Pas trop mal, mais j'en ai passé la majeure partie avec un type de mon équipe nommé Tanner, qui se trouve être un petit connard sournois. Jamie pense que c'est lui qui a appelé les paparazzi.

— Et fait courir des rumeurs d'espionnage industriel ? dit-il d'un ton amusé qui me surprend. Je dois dire que tu es mon espionne la plus charmante.

— Tu n'es pas fâché ?

— Je suis furieux. Je ne prends pas ce genre d'accusation à la légère. Si c'est ce petit con qui les a lancées, je le saurai.

— Oh ! À t'entendre, on croirait que tu trouvais ça drôle.

— Pas du tout. Tout au plus, j'ai hâte d'anéantir celui qui a lancé cette rumeur. Je défends beaucoup de choses, mais pas l'espionnage industriel. Et laisser entendre que ma petite amie est l'espionne ne fait qu'aggraver les choses.

Je déglutis. Je ne me prive jamais de taquiner Damien sur l'étendue de son empire, mais j'oublie parfois à quel point il a le bras long. Il découvrira qui a lancé la rumeur, Tanner ou un autre. Et je ne doute pas qu'il le réduira à néant.

Comme l'a dit Ollie, Damien est dangereux. Pour ses ennemis, en tout cas.

— Ce n'est pas le sujet de conversation que j'aurais choisi, dit-il.

— Ni moi, je réponds, soulagée. Raconte-moi ta journée.

— Je préférerais savoir ce que tu fais en ce moment. Où es-tu ?

— Sur notre lit. Je pense à toi.

— Vraiment ? Je te vois d'ici. Alanguie, les cheveux sur l'oreiller, ton corps nu étendu sur la couette.

Je ne peux m'empêcher de rire.

– J'adore ton fantasme, mais tu es loin de la vérité…
je porte un jean et un T-shirt dépenaillé. Jamie est dans
sa chambre. Et toi, tu es où ? Pas encore à Palm Springs,
quand même ?

– La journée a été interminable. Je suis dans la
limousine, nous approchons de Los Angeles. Je vais
envoyer un chauffeur te chercher. Je veux que tu sois
à la maison quand j'arriverai.

La chaleur de sa voix suffit à me faire fondre, et je
pousse un petit soupir en m'étalant, les yeux mi-clos,
tandis qu'il poursuit d'une voix suave :

– Je veux que tu sois au lit, nue.

– Mais le lit est chez moi, je lui rappelle en roulant
sur le côté et en faisant mine de le chercher auprès de
moi.

– À l'appartement, dit-il. La sécurité te donnera les
codes pour entrer. Nue, Nikki. Laisse tes vêtements en
tas près de la porte pour que je puisse les voir en entrant.
Je veux savoir que tu m'attends, moite de désir. (Ma
respiration s'accélère. Des petits frissons me parcourent
et je ferme les yeux, enivrée par ses paroles.) Il y a du
vin, sers-toi un verre et bois. Emporte-le dans le salon.
Tu penseras à moi, Nikki, seule chez moi. Seule dans
tous ces endroits où je t'ai baisée. Tu t'allongeras sur le
canapé, ton verre dans une main, l'autre sur tes seins.
Avec peut-être un rien de vin sur le bout de tes doigts,
et tu les laisseras paresseusement caresser ton corps. Tu
penseras à moi, n'est-ce pas, ma chérie ?

– Oui.

Je parviens tout juste à prononcer ce simple mot.

– Tes seins. Tes tétons. L'intérieur de tes cuisses. Je
veux que tu sois trempée, ma chérie. Un peu ivre et
complètement trempée.

– Damien… dis-je, dans un souffle.

Ses paroles me sont montées à la tête comme le vin qu'il veut que je boive. Je me mords la lèvre et me rends compte que j'ondule des hanches, et que la couture de mon jean frôlant mon sexe tuméfié est à deux doigts de me donner un orgasme.

– Tu comprends ? demande-t-il.

– Mmm…

– Et quand tu recevras un SMS t'annonçant que j'arrive dans le parking, je veux que tu ailles dans la chambre et que tu t'allonges à plat ventre sur le lit. Puis tu écarteras les jambes. Je ne tarderai pas, et quand j'entrerai dans la chambre, tu m'attendras, trempée et ouverte. Tu m'as manqué, aujourd'hui, Nikki, ajoute-t-il d'une voix sourde. J'ai besoin de te toucher. De mettre ma main sur ta chatte quand tu jouiras, et de te serrer dans mes bras pendant que tu trembleras. Mais, surtout, je veux t'entendre hurler mon nom.

Je ne peux m'empêcher de gémir.

– Quoi ? crie Jamie depuis sa chambre.

Sa voix retentit dans l'appartement et dissipe le brouillard sensuel qui m'avait enveloppée. Je me redresse, la tête bourdonnante, me rendant compte que j'étais près de jouir avec ma meilleure amie dans la pièce d'à côté.

– Rien ! Je parle juste à Damien.

– Pardon, quoi ? insiste-t-elle en passant la tête par la porte.

– Je… (J'hésite. Je suis encore toute chose après ce que m'a dit Damien et j'ai une envie folle qu'il me touche. Mais j'ai à peine vu Jamie dernièrement et nous sommes en pleine soirée entre filles, et…) Attends, lui dis-je. Je suis au téléphone.

– Oh, pardon, dit-elle en disparaissant dans la cuisine.

– Tu es toujours là ? je demande au combiné.

– Toujours.

– Écoute, tout ce que tu viens de me dire… ça me paraît merveilleux…

– J'en suis ravi.

– Mais je ne peux pas. Pas ce soir. (Pas de réponse.) Damien ? Tu es là ?

– Oui, répond-il d'un ton neutre.

– C'est juste que Jamie et moi, nous faisons une petite soirée entre filles, et…

– Ça ne fait rien. (Cette fois, je perçois de l'émotion dans sa voix. Du regret, oui. Mais aussi de la compréhension, me semble-t-il.) Je suis déçu.

– Moi aussi. Tu survivras, sans moi ? je plaisante pour tenter de détendre l'atmosphère.

– Ce sera difficile, mais c'est peut-être mieux ainsi.

– Merci beaucoup, dis-je en riant.

– J'ai tout un tas de rapports à lire ce week-end. Si je peux le faire ce soir, nous aurons samedi et dimanche pour nous.

– Dans ce cas, je ne me sens plus coupable. Va, étudie, réfléchis, achète, échange et négocie. Bref, fais ce que tu as l'habitude de faire pour empêcher l'univers de Damien Stark de s'effondrer.

– Je m'y mets, dit-il d'un ton neutre. Et nous nous verrons demain. Tu me raconteras ta première journée.

– D'accord.

– En attendant, chuchote-t-il, pense à moi en te touchant.

– Je n'y manque jamais, dis-je avant de raccrocher.

Je souris en jetant mon téléphone à côté de moi sur le lit puis, quand je me retourne et vois Jamie revenir de la cuisine avec un sachet de chips et un bol de sauce, mon sourire s'élargit.

– Comment arrives-tu à manger encore ? Je suis calée.

– Comme si personne n'avait de la place pour quelques chips, dit-elle en se posant sur le lit. Il voulait passer ce soir ? demande-t-elle en indiquant le téléphone du menton.

– Il voulait envoyer Edward pour que je sois à l'appartement quand il rentrerait du désert, dis-je.

Je souris toujours. Je n'y vais peut-être pas, mais la pensée n'en reste pas moins agréable.

– Sérieux ? demande-t-elle en me touchant le front.

– Qu'est-ce que tu fais ?

– Je vérifie si tu as de la fièvre. Tu es malade ? Je croyais qu'il suffisait que Damien bouge le petit doigt pour que tu rappliques.

– Je lui ai dit que nous étions toutes les deux ce soir.

Puis, parce que je ne peux y résister, j'ajoute :

– Et pour ta gouverne, tu n'imagines pas tout ce que Damien sait faire avec son petit doigt.

Elle éclate de rire, et je me joins à elle après une gorgée de margarita. Nous nous installons sur les coussins pendant que Bruce fait une boucherie à l'écran. Comme c'est le film d'action préféré de Jamie, je l'ai vu une bonne douzaine de fois, mais je sursaute toujours quand Alan Rickman apparaît. Et, bien sûr, à ce moment-là, mon téléphone sonne de nouveau. C'est Ollie.

– Salut, dis-je. Quoi de neuf ?

– Tu es avec Stark ?

La question est assez innocente, malgré tout je me raidis.

– Non, pourquoi ?

Il soupire, et je me rends compte que j'ai répondu sèchement.

– Je ne voulais simplement pas vous déranger, je t'assure.

– Désolée… Non, je suis chez moi.

– Ah bon ? C'est cool. Tu serais partante pour prendre un verre ?

– Maintenant ?

À une certaine époque je n'aurais pas hésité. Même en plein milieu d'une soirée entre filles, Ollie se serait joint à notre marathon DVD, ou bien nous aurions pu sortir tous les trois. Mais les choses ont tellement changé entre nous que je ne sais pas trop comment réagir. Ça me rend triste. Ces derniers temps, chaque fois que je vois Ollie, des fragments de ma vie s'écroulent autour de moi. Et je préfère éviter qu'un autre vole en éclats. Mais pour autant, c'est d'Ollie qu'il s'agit, et je n'ai pas envie de tout gâcher entre nous.

– Tu veux juste sortir, ou il y a quelque chose dont tu veux parler ? je demande.

Il se tait un moment – et je sais qu'il a conscience des nuages entre nous. Nous nous connaissons trop bien.

– Les deux, avoue-t-il finalement. Oh, et merde ! Nikki, tu sais aussi bien que moi de quoi il s'agit.

En effet, mais je ne suis pas prête à l'admettre.

– De quoi tu parles ? je demande.

– Charles m'a dit que Stark faisait une soirée chez lui demain, dit-il. (Charles Maynard, son patron, l'avocat de Damien depuis plus de dix ans.) Il pensait que j'étais invité, étant donné que toi et moi sommes amis.

Il s'efforce de rester neutre, mais je sens bien qu'il est vexé.

– Ollie…

À côté de moi, Jamie laisse tomber son iPhone et dresse l'oreille.

– Je crois que c'est la première fois que tu donnes une fête à laquelle je ne suis pas invité, dit Ollie.

– Ce n'est pas moi qui la donne, dis-je.

Cela sonne creux, même si c'est vrai. C'est sûr que, si je le lui avais demandé, Damien aurait accepté qu'Ollie vienne. Il aurait laissé son mépris de côté. Mais je ne l'ai pas fait parce que je comprends pourquoi Damien ne veut pas d'Ollie chez lui. J'ai préféré l'homme de mes nuits à l'ami de longue date, et je ne regrette pas ma décision.

– C'est juste… soupire-t-il. Écoute, je suis désolé, OK ? Je comprends que tu es avec Stark. Et c'est vrai que lui et moi on a quelques différends, mais si ça veut dire qu'on ne peut plus être amis…

Il n'achève pas sa phrase, et je ferme les yeux.

– Je ne veux pas bousiller notre relation non plus, dis-je finalement.

Je ne pousse pas plus loin. D'après moi, c'est Ollie qui a édifié la muraille. À lui de l'abattre.

– Alors, qu'est-ce que tu en dis ? demande-t-il. On sort prendre un verre ? On traîne un peu. On réinvente les dialogues de nos voisins de table ?

Je souris malgré moi. Quand j'étais à l'université et Ollie en faculté de droit, c'était notre distraction préférée. Nous allions au Magnolia Café ou au Z Tejas d'Austin et nous regardions les gens aux tables voisines, leurs gestes, leurs histoires. Et nous inventions des dialogues, transformant des amis en amants en train de rompre ou de se déclarer leur flamme.

— Ce soir, c'est un peu compliqué, dis-je en jetant un coup d'œil à Jamie. Mais attends une seconde. (Je mets le téléphone sur silencieux et je la regarde.) Qu'est-ce que tu en penses ? Tu veux qu'on fasse un trio, ce soir ?

— C'est pas vraiment mon truc, ça.

— Sérieux ! dis-je en levant les yeux au ciel. Ollie veut sortir prendre un verre.

— Avec nous deux ? demande-t-elle, incrédule.

— Il n'a invité que moi, mais si vous n'êtes pas capable de vous tenir il ne fallait pas sauter dans son lit quand tu l'as connu. Vraiment, Jamie, il faut que tu tires un trait là-dessus.

— Bon, d'accord, concède-t-elle. Mais il n'y a pas que moi qui me comporte bizarrement. Toi non plus, tu n'étais pas dans le camp d'Ollie, ces derniers temps.

Elle n'a pas tort.

— Alors on ferait peut-être bien de se voir tous les trois. Sortir. Se marrer un peu. Faire comme dans le bon vieux temps.

Je n'arrive pas à savoir si elle hésite ou si mon imagination me joue des tours.

— Courtney ne vient pas, alors ? demande-t-elle.

La question est légitime.

— Il n'a rien dit. Je pense que non. Elle doit être en déplacement cette semaine. Alors, qu'est-ce que tu en dis ?

— Bon, d'accord. Mais on boit pas.

— Jamie, si tu ne veux pas…

— Non, non, coupe-t-elle. Je veux bien. Et ce soir,

ça va. De toute façon, on a déjà quelque chose de prévu tout à l'heure. Ollie peut venir.

– Qu'est-ce qu'il y a de prévu ? Je n'étais pas au courant.

– Raine nous a invitées à une fête au Rooftop Bar et Garreth Todd va y être.

– Qui est Garreth Todd ?

– Chère ignorante, c'est la coqueluche du moment à Hollywood. Et on va nous le présenter.

– Alan Rickman ou Sean Connery, OK. Mais Garreth Todd, je m'en fous un peu.

– De toutes façons, tu viens. C'est notre soirée, n'oublie pas.

Je jette un coup d'œil à la télé. J'avais hâte de passer à la version avion de *Die Hard*, mais je dois avouer que son projet est alléchant. Je ne suis jamais allée à une fête à Hollywood, et ce n'est pas parce que j'ignore tout des acteurs en vogue que je suis insensible au glamour et aux paillettes. Sauf que des stars, cela implique des paparazzi, et ça, c'est nettement moins amusant.

– Il n'y aura pas la presse ? Je ne suis vraiment pas d'humeur à les subir.

– Non, Raine m'a expliqué comment ça marche. Ils rôderont sûrement devant l'entrée, mais comme tu n'es pas attendue il suffit que tu portes une casquette et que tu gardes la tête baissée. Ollie et moi, on t'encadrera. C'est hyper simple. Et dès qu'on sera dedans, les seuls photographes présents seront ceux de l'agence de RP qui s'occupe de Garreth. Ce sera donc une soirée sans charognards. Promis juré.

Mon téléphone sonne et je me rends compte que c'est Ollie : il avait raccroché et commence à perdre patience.

— Désolée, lui dis-je.

Je lui explique cette histoire de fête et de Garreth Todd. Contrairement à moi, il ne vit pas dans une bulle ; il sait très bien qui est ce mec, et il a très envie de venir à la soirée. J'avais vu juste concernant Courtney, sauf qu'elle n'est pas en déplacement professionnel, mais à San Francisco avec sa mère pour voir des robes de mariée.

Même si je suis un peu tendue à l'idée qu'on sorte tous les trois pour la première fois depuis que Jamie et lui ont déconné, je suis quand même très contente. Ce sont mes deux meilleurs amis, après tout. Et ils me manquent, c'est vrai.

Je m'apprête à appeler Damien pour lui dire que mes projets ont changé. S'il n'est pas plongé dans ses rapports, il pourrait se joindre à nous. Mais mon doigt hésite au-dessus de son nom. Damien ne veut pas voir Ollie. Je me dis qu'il ne sera pas ravi d'apprendre qu'Ollie est de la partie. Et puis, après tout, je ne lui ai pas menti, je suis effectivement avec Jamie. Il y a simplement une personne en plus.

Je repose mon téléphone, puis je file dans ma chambre choisir une tenue. Mon enthousiasme a un peu fondu. Mais je ne fais rien de mal. Alors, pourquoi me sentir à ce point coupable ?

*
* *

Une femme en Bikini me frôle avec un plateau de verres de champagne de toutes les couleurs. D'après ce que je vois, le champagne a été coloré pour être assorti à la piscine qui change de couleur toutes les trente secondes. Si on m'avait demandé d'imaginer la soirée hollywoodienne la plus ostentatoire possible, je ne crois pas que j'aurais réussi à approcher de la réalité. Les serveurs portent de minuscules maillots de bain dorés qui ne laissent plus rien à l'imagination, et des ailes d'ange décoratives sur le dos qui ne facilitent pas leurs déplacements dans la foule. Nous sommes sur le toit de l'un des plus hauts buildings du centre de Los Angeles, et le message tacite est évident : nous, les invités, occupons une place si élevée dans les cieux que seuls les anges peuvent nous servir.

Jamie surgit à côté de moi et me colle un verre de champagne rouge vif dans la main. Elle porte une jupe rouge extrêmement courte, avec un chemisier en dentelle noire sur un soutien-gorge rouge. Comme toujours, elle est éblouissante. Moi, je porte une jupe sarong noire et un débardeur assorti, la seule couleur que je me sois autorisée étant un foulard rose autour du cou. En comparaison des accoutrements que je vois autour de nous, Jamie et moi sommes pleines de retenue.

— Génial, non ? fait-elle.

— C'est exactement ainsi que je m'imaginais une fête hollywoodienne, j'ironise.

Ollie éclate de rire et Jamie nous fait une grimace.

— Ne sois pas cynique, dit-elle. D'après ce que m'a dit Raine, c'est l'une des soirées de l'été la plus sélect qui soit. (Elle désigne vaguement l'endroit d'où elle vient.) Steve a dit qu'il faisait des pieds et des mains pour obtenir une invitation depuis des mois.

— Steve est là ? (Je me hausse sur la pointe des pieds et je scrute la foule.) Et Anderson ?

Steve est la première personne que Jamie ait rencontrée quand elle m'a abandonnée à la fac pour filer à

Los Angeles comme actrice en quête de gloire, fortune et famine. Je l'ai connu lors de mes nombreuses visites à l'époque, mais je ne l'ai pas revu depuis que je me suis installée ici.

– Il est là aussi. Je lui ai dit que nous serions près des poufs, dit Jamie. (Ce sont de bizarres matelas rouges à eau, non loin de nous.) Ils font le tour des popotes.

Je ne suis pas étonnée. Steve est scénariste, même si aucun de ses films n'a jamais été produit. Selon Jamie, ce n'est pas inhabituel à Hollywood. Son compagnon, Anderson, est agent immobilier. J'adore Steve, mais je n'arrive pas à tenir dix minutes sans perdre le fil de la conversation – sauf quand il a pitié de moi et me parle de classiques.

– C'est vraiment hyperostentatoire, dit Ollie, mais c'est cool. Regarde où on est, quand même !

Je dois l'admettre, l'endroit est stupéfiant. La nuit est claire et nous avons l'impression de flotter parmi les gratte-ciel. Je distingue au loin les montagnes, silhouettes noires semées de points lumineux qui se découpent sur un ciel gris d'ardoise. De l'autre côté du toit, un DJ passe de la musique et les invités profitent de l'immense piste de danse. Les anges en vadrouille servent verre sur verre, mais nous avons aussi un bar près de la piscine. Et, au cas où nous oublierions que c'est une fête hollywoodienne, des bandes-annonces de films – où doit sans doute jouer Garreth Todd – sont projetées sur un écran haut comme deux étages.

– OK, dis-je, vous avez gagné. C'est plutôt cool. (Je prends un cocktail et termine mon champagne.) Alors, il est où ton mec ?

Jamie se dévisse le cou et scrute la foule.

— Sauf s'il est tombé du toit, il est quelque part par là. Attendons Steve et Anderson, et puis on fera le tour pour le chercher.

— Alors, ça commence à être sérieux avec ce type ? lui demande Ollie. C'est vrai qu'après un type comme moi, c'est difficile d'imaginer que tu puisses désirer quelqu'un d'autre.

Il la taquine, mais il me semble percevoir une pointe d'orgueil blessé. J'espère que c'est seulement le fruit de mon imagination. Pour son bien, celui de Jamie, et surtout celui de Courtney.

— Ouais, fait Jamie avec un sourire. Ça commence… C'est pas gagné, mais c'est bien parti.

— Tant mieux, fait sèchement Ollie.

J'essaie de trouver quelque chose de tranchant à dire, mais rien ne me vient.

— En revanche, question sérieux…

Jamie ne finit pas sa phrase, mais son regard se pose sur moi et elle hausse les sourcils d'un air entendu.

— Une dame ne dévoile jamais rien, dis-je innocemment.

— C'est beaucoup trop tôt, dit Ollie. Et…

Il s'interrompt.

— Et quoi ? je demande vivement.

— Tout cela m'inquiète. Stark m'inquiète.

— Bon Dieu ! s'exclame Jamie. Jamais tu t'arrêtes, avec ça ?

Je suis ravie qu'elle intervienne. Je pensais qu'on éviterait le sujet Ollie-Damien ce soir, mais apparemment deux verres de champagne vert lui ont délié la langue.

— C'est pour ça que je l'aime, dit Ollie en passant un bras autour des épaules de Jamie. Elle dit ce qu'elle pense et elle ne s'en laisse pas conter.

– Et alors ? Courtney ne te le dit pas, quand tu te conduis comme un con ?

C'est mal venu de ma part de jouer la carte Courtney, et je le sais. Mais je suis énervée. En plus, je suis supposée être sous peu le témoin d'Ollie à son mariage, et même si je n'ai encore jamais tenu ce rôle, je suis tout à fait sûre que l'une des tâches consiste à taper sur les doigts du marié quand il se comporte comme un imbécile.

– Non, répond sérieusement Ollie. Jamais. (Il s'assied au bord du matelas d'eau. Il vacille et oscille, mais parvient à se retenir à l'un des montants.) Elle attend que les conneries s'empilent, et elle me plaque.

Je m'assieds à côté de lui, sans prêter attention aux bruits de vaguelettes du matelas.

– Je croyais que tu avais renoncé à empiler les conneries.

Ollie et Courtney rompent et se réconcilient depuis des années. C'est la première fois qu'il arrive au stade des fiançailles officielles. J'apprécie vraiment Courtney, et j'espère que ça va marcher. Mais plus le temps passe, plus je crains qu'Ollie ne fiche de nouveau tout en l'air. Ou, plus exactement, qu'il ait déjà tout fichu en l'air.

– Je suis comme Pigpen dans *Peanuts*, dit Ollie. La merde me suit partout. Tout le monde ne peut pas avoir l'existence idyllique de certain milliardaire de notre connaissance.

– Bon sang, Ollie !

– Pardon, pardon, je suis vraiment un con.

– Oui, tu peux le dire. Écoute, je suis désolée que tu n'apprécies pas Damien, mais il compte pour moi. Et si je compte pour toi, il faut que tu trouves un moyen pour que ça ne te pose pas de problème.

– C'est tout le problème, dit Ollie. C'est *toi* qui comptes pour moi. Et Stark, je peux m'en accommoder. Je peux même ignorer toutes les saloperies que je pourrais déterrer sur lui. Ce n'est pas lui le problème... enfin, le problème principal. C'est ce qui l'entoure.

– De quoi tu parles ?

– Arrête, Nikki, tu t'es pratiquement déguisée pour venir ici ce soir, dit-il en faisant allusion à la casquette que j'ai mise sur la suggestion de Jamie. Tu veux mener ce genre d'existence ? Tu es capable de la supporter ? ajoute-t-il en frôlant ma cuisse avant d'entrelacer ses doigts aux miens. Je me fais du souci pour toi, c'est tout.

J'ai la gorge serrée et je baisse les yeux, préférant éviter son regard. Je sais que son inquiétude est sincère – Ollie a vu mes cicatrices, et il m'a aussi vue craquer. Mais surtout, c'est lui qui m'a aidée à me reconstruire.

– Damien s'inquiète de la même chose, j'admets à mi-voix. Mais je peux le supporter. Je le supporte, et je le veux parce que Damien en vaut la peine.

– Qui aurait cru que j'aurais quelque chose en commun avec Damien Stark ? (J'éclate de rire et il sourit.) Sérieusement, continue-t-il, j'ai peut-être des problèmes avec Stark, mais je sais aussi qu'il tient à toi.

– C'est vrai, dis-je.

Notre séquence émotion est interrompue par l'arrivée de Steve et d'Anderson, accompagnés de deux hommes absolument canons.

– Dieu merci ! dit Jamie. Vous tombez à pic.

Moi qui cherchais désespérément à changer de sujet, je suis bien d'accord et je me laisse étreindre, embrasser et complimenter par Steve et Anderson pendant qu'Ollie leur serre la main en faisant la tête. J'identifie le type qui enlace Jamie comme étant Bryan Raine, et je n'ai aucune difficulté à en déduire que le dernier membre de cette équipe de secours est Garreth Todd : j'ai vu sa tête sur l'écran toute la soirée.

— Bonjour, dit-il en s'avançant vers moi un peu trop près. Nous ne nous connaissons pas, il me semble.

— Nikki, dis-je.

J'ai remis mon masque. Je n'ai plus l'humeur à la fête, et pour le moment je n'ai qu'une envie : expédier les politesses et ficher le camp.

— J'espère que vous vous amusez bien, dit-il en s'approchant encore plus.

Je recule et me cogne à Ollie. Il me retient d'une main sur l'épaule, et ce simple contact me donne envie de pleurer. C'était comme ça, il y a encore peu. Ollie me soutenait chaque fois que je menaçais de m'effondrer.

— Nous avons choisi un thème céleste, dit Todd. Vous avez remarqué ?

— C'est très coloré, dis-je.

— Mais c'est loin de briller autant que vous.

Il n'est plus qu'à quelques centimètres de moi, et je suis prise en sandwich entre Ollie et lui. Je fondrais sûrement si Damien me faisait ce compliment. Dans la bouche de Garreth Todd, cela m'irrite, tout simplement.

J'espère que Jamie va intervenir, mais elle est trop occupée par Raine pour venir à mon secours. Je suis seule, et je ne connais qu'une manière infaillible de retourner la situation.

— Vous m'avez bien eue, mon chou, dis-je avec mon plus beau sourire et un accent texan à couper au couteau. Vous savez comment je m'appelle, mais moi j'ai pas la moindre idée de qui vous êtes.

– Oh ! (Il recule, sans doute qu'il lui faut de l'air.) Je suis Garreth Todd.

– Enchantée. Et vous faites quoi, dans la vie ?

Derrière moi, je sens qu'Ollie est près d'exploser de rire. Heureusement, Jamie ne nous prête aucune attention.

– Je croyais qu'on devait aller danser, dit Ollie en me prenant tendrement la main.

– Bien sûr, dis-je en me laissant entraîner. Ça m'a fait plaisir de parler avec vous, monsieur Todd.

– Tu sais que tu viens de snober une star de cinéma, dit Ollie en m'entraînant.

– Ah bon ? je fais en papillonnant des cils. C'était une star de cinéma ?

– Jamie va t'étriper, dit-il sans relever.

– Je sais. (Pour Jamie, quiconque peut l'aider à gravir l'échelle sociale doit être traité avec la plus grande déférence.) Avoue qu'il le méritait.

– Je n'avoue rien, sourit-il. On danse ?

C'est soit cela, soit nous rentrons, et pour le moment, je suis heureuse qu'un climat détendu règne entre nous.

– Bien sûr, dis-je en le suivant sur la piste.

La musique assourdissante qui force sur les basses me fait tout oublier. Mais je regrette quand même de ne pas danser ce slow avec Damien plutôt qu'avec Ollie.

Mon souhait doit être si intense, d'ailleurs, que mon imagination le fait apparaître. Sa haute silhouette fend la foule, lèvres pincées, visage sans expression, regard orageux. C'est seulement quand tous les yeux se tournent vers lui, attirés par son aura, que je m'en rends compte : c'est bien Damien Stark, dans les lumières multicolores, qui se dirige droit sur Ollie et moi.

Chapitre 10

— Allez-vous-en, dit Damien à Ollie, d'une voix plus glaciale et impérieuse que jamais.

Ollie s'apprête à répondre, mais je croise son regard et hoche la tête. Il fronce les sourcils, puis décoche à Damien un regard méprisant qui me noue l'estomac. Damien ne le remarque pas. Il fait à peine attention à Ollie, et son regard ne m'a pas quittée un instant.

— Damien…

— Non.

Il m'attire brutalement contre lui et m'enveloppe de ses bras. Il tremble presque de colère et je colle ma joue contre sa poitrine, heureuse de bénéficier de ce bref répit avant que la tempête se déchaîne. La musique est toujours aussi assourdissante, et les pulsations des basses font vibrer la terrasse sous nos pieds. Puis, à ma grande surprise, la musique ralentit, comme pour s'accorder à notre posture. Je lève les yeux, curieuse, et je vois qu'une petite foule s'est rassemblée autour de nous. Damien Stark est au moins aussi célèbre que Garreth Todd, et nous venons de lui voler la vedette.

Comme nous ne faisons rien d'autre qu'osciller, enlacés, l'intérêt décroît rapidement. Les gens s'en vont ou se mettent eux aussi à danser, et j'ai moins l'impression d'être une bête de foire.

Damien me garde dans ses bras durant deux chansons, et même si je serais heureuse de rester ainsi toute ma vie, j'ai atteint le stade où je ne peux plus supporter le suspense.

– Dis quelque chose, je le supplie.

Il reste muet, et une terreur glacée s'empare de moi. Au moment où je m'apprête à réitérer ma prière, il parle, d'une voix si douce et si basse que je dois tendre l'oreille, et je ne suis même pas sûre d'avoir bien saisi.

– Je suis désolé.

– Comment ?

Je recule pour le regarder, tellement je suis certaine d'avoir mal compris.

– Je suis désolé, répète-t-il.

Nous avons cessé de nous balancer, et nous sommes immobiles au milieu de la piste.

– C'est une ruse ? Car je te connais bien, Damien Stark, et ce n'est pas du repentir que j'ai vu dans ton regard quand tu as fendu la foule. Plutôt une effrayante fureur mégalo. Et puis, j'ajoute avec une petite mouc, c'est moi qui suis désolée.

Son expression ne change pas, mais une étincelle d'amusement traverse fugacement son regard.

– Pour commencer, je n'ai pas fendu la foule. Je me suis approché, très calmement d'ailleurs, étant donné les circonstances. (Je déglutis. Je savais bien qu'il était fâché.) Ensuite, continue-t-il, je crois qu'un mégalomane est quelqu'un qui se fait des illusions sur son pouvoir. Fais-moi confiance, dit-il (et là, je vois l'allégresse danser dans ses yeux), je ne me fais aucune illusion sur l'étendue de mon pouvoir. Et enfin, tu as peut-être des raisons d'être désolée, mais j'en ai plus que toi.

– Je… Oh.

Je ne sais absolument pas quoi dire. Cette conversation ne prend pas le tour que j'escomptais. Mais c'est juste, j'ai des raisons d'être désolée.

– J'aurais dû te dire que Jamie et moi nous sortions avec Ollie.

– Alors, tu le savais, quand on s'est parlé ?

– Non. Raine a appelé plus tard pour annoncer la soirée à Jamie. Puis Ollie a appelé et il a demandé à se joindre à nous. J'ai pris mon téléphone pour t'appeler, puis je ne l'ai pas fait, conclus-je en haussant les épaules.

– Parce que tu savais que je serais furieux.

– Oui, et c'est pour ça que je suis désolée.

– Alors, nous avons ça en commun. (Je le dévisage d'un air interrogateur.) Je ne veux pas être le connard qui t'empêche de voir tes amis, explique-t-il. Ni que tu penses que tu dois me cacher des choses pour pouvoir les voir. Et je suis désolé que tu aies eu précisément cette impression.

Nikki la bien élevée s'apprête à protester, mais je me rends compte qu'il a raison. J'acquiesce.

– Je ne veux pas être un obstacle entre toi et tes amis, Nikki. Mais, bon sang, je ne peux pas saquer ce con.

Ce n'est pas vraiment nouveau, mais je réfléchis tout de même avant de répondre.

– Je comprends. Il n'a pas vraiment gagné ta confiance. Mais je le connais depuis toujours, et c'est l'un de mes amis les plus proches.

– Il t'a vue nue, Nikki. Il a touché tes cicatrices.

– Tu n'es quand même pas jaloux ? je demande, interloquée.

J'hallucine… J'ai déjà dit à Damien qu'Ollie et moi n'avions jamais couché ensemble. Ce n'est pas le genre de relation que nous avons.

– Évidemment, que je suis jaloux. Je suis jaloux de quiconque te réconforte. Te prend dans ses bras et te fait oublier tes peines.

– Je ne te connaissais même pas, à l'époque, je chuchote.

– Et je suis jaloux de ce temps qu'il a passé avec toi à ma place.

– Tu n'es pas juste.

– Je sais… C'est vrai, en effet. Mais ça ne change rien. Vous êtes bien plus que de simples amis. Du moins plus depuis qu'il t'a aidée à te sortir de cet enfer avec ce salaud de Kurt. (Je ferme les yeux à l'évocation de celui qui m'a tellement fait souffrir, des années auparavant, qu'Ollie a littéralement dû me remettre sur pied.) Ollie est amoureux de toi, Nikki. C'est d'ailleurs la seule raison pour laquelle je le respecte. Il a un goût excellent en matière de femmes.

Je n'ai pas envie d'entendre ça. Ollie n'a jamais été que mon ami, même si nous sommes très proches, du moins jusqu'à récemment. Je n'aime pas la tournure que prend cette conversation. Mais, surtout, je ne veux pas me rendre brusquement compte que j'ai été sottement aveugle.

Je pense à Courtney, et je suis un peu écœurée.

– Il est fiancé, Damien.

L'argument est faiblard, car je ne peux m'empêcher de penser à Jamie. La fidélité n'est pas le fort d'Ollie.

– Je sais bien. Peut-être même qu'il aime aussi sa fiancée. Mais je sais qu'il t'aime. Et un de ces jours, cela va causer un très gros problème entre lui et moi.

— Ne me la joue pas western. (Je m'efforce de plaisanter.) Même si, avec tout ton argent, ce serait plutôt le duel au fleuret au Manoir Stark que le règlement de compte à OK Corral. Mais prends garde, Damien, Ollie a grandi au Texas, c'est un bon tireur.

— Je suis meilleur, répond Damien très sérieusement.

— Je suis vraiment heureuse que tu sois là.

— Et moi aussi. Quel plaisir de te serrer enfin contre moi. Toute cette journée a été si éprouvante.

Je tressaille en repensant aux paparazzi qui se sont jetés sur moi devant le bureau avec leurs allégations fantaisistes d'espionnage industriel.

— Désolée.

— Tu n'y es pour rien, dit-il en me caressant doucement la joue. Pas toi. Mais il y a des trucs… (Il pousse un soupir exaspéré qui me surprend.) Des tapisseries que j'ai soigneusement tissées au cours de ces années, et qui commencent à se défaire. Il n'y a pas de place dans ma vie pour l'imprévu. Tu ne l'as peut-être pas remarqué, mais j'ai besoin de tout contrôler.

— Je suis stupéfaite de l'apprendre, monsieur Stark. Vraiment.

— En fait, répond-il sans relever mon sarcasme, je suppose que tu as dû tomber dans cette catégorie. Je voulais que tu sois chez moi. Tu n'as pas voulu. Ça ne m'a pas plu.

Je le prends par la taille.

— Si cela te perturbe à ce point, attache-moi, pour que je reste en permanence à ton côté.

Je le sens se raidir contre moi, et je suis heureuse de me cramponner à lui. Je chancelle. Comme c'est simple de sombrer dans les bras de Damien. Même quand nous

nous querellons, les feux de la passion ne s'éteignent pas, et il est trop facile de se laisser attirer et consumer.

Et comme toujours, cet inlassable besoin de le toucher, de le sentir, de vérifier qu'il existe et qu'il est à moi.

– Eh bien, mademoiselle Fairchild, glisse-t-il, voilà que vous avez de vilaines pensées.

– Absolument, je susurre.

– Je devrais peut-être vous prendre au mot. (Il tire sur le bout de mon foulard rose dont l'étoffe soyeuse me frôle délicatement la peau.) Vous attacher, poursuit-il en enroulant une extrémité autour de mon poignet. Vous garder auprès de moi. (Il tire brusquement sur le foulard, et je trébuche vers lui. Il me rattrape et se baisse, ses lèvres frôlant mon oreille.) Mais en attendant, je crois que vous auriez besoin d'être proprement fessée.

– Je préférerais être baisée, réponds-je.

Son gémissement me confirme que j'ai gagné ce round.

– Oh, bon Dieu, Nikki, tu me rends fou !

– Non. Tu me rends folle. Et je t'en supplie, Damien, ne tarde pas.

– Partons ! dit-il brusquement.

Je ne peux qu'acquiescer en silence.

– Où allons-nous ? je demande alors que nous prenons l'ascenseur.

Deux autres couples descendent en même temps que nous, et seuls les bouts de nos doigts se touchent. Mais c'est si intime que j'ai l'impression d'être nue devant eux.

– À l'appartement, répond-il sèchement.

Dieu merci. S'il avait voulu faire tout le chemin jusqu'à Malibu, je serais devenue folle. Quand bien même, je ne suis pas sûre de pouvoir tenir. À cet instant, les portes s'ouvrent et nous sommes assaillis par des flashs, une haie de micros et un concert de questions. Je me cramponne à Damien et me serre tout contre lui.

– Monsieur Stark !

– Damien !

– Nikki ! Par ici !

– Une déclaration à propos de votre refus de prononcer un discours à l'inauguration du Richter Tennis Center ?

– Pourquoi cette décision, monsieur Stark ?

Je ne lâche pas Damien et garde la tête baissée pendant que nous filons vers la rue. Je me dis d'abord qu'il n'y a que les journalistes et paparazzi déjà présents à mon arrivée. Mais là je découvre ceux des chaînes TMZ et E !, les camionnettes de CNN et même le *Wall Street Journal* !

Quelqu'un a dû remarquer l'arrivée de Damien, et la nouvelle s'est répandue comme une traînée de poudre.

Je me cramponne de plus belle à lui, priant pour que sa voiture ne soit pas loin. L'appartement n'est peut-être qu'à cinq cents mètres, mais pas question de marcher avec ces charognards à nos trousses.

– Et les rumeurs provenant d'Allemagne, monsieur Stark ? s'écrie une voix.

La main de Damien se crispe sur la mienne pendant que nous avançons sans un mot et d'un pas décidé vers le voiturier.

– Nikki, Damien Stark doit-il ne plus être considéré comme célibataire ?

— Damien ! En quoi la nouvelle d'une possible mise en examen en Allemagne pourrait-elle affecter vos affaires dans l'Union européenne ?

J'ai la tête qui tourne. Une mise en examen ? Je me force à ne pas lever les yeux vers Damien et à regarder droit devant moi d'un air absent. Je ne dois surtout pas montrer à ces vautours que je ne comprends rien à ce qu'ils racontent. La société Stark International aurait-elle des problèmes ? Est-ce ce que Damien a voulu évoquer en me parlant de tapisserie qui se défait ?

— Nikki ! Monsieur Stark ! Allemagne ! Mise en examen ! (Les voix se mélangent dans une affreuse cacophonie.) Richter ! Inauguration ! Damien ! Damien ! Damien !

Damien a dû appeler Edward sans que je m'en rende compte, car Edward stoppe la limousine devant le voiturier et en descend.

— Non, l'arrête Damien, je m'en occupe.

Alors qu'Edward se rassied au volant, Damien me pousse et ouvre la portière arrière en s'interposant entre moi et le déluge de questions.

J'ai déjà la tête dans la voiture quand il me lâche et se retourne face à la foule. Le silence se fait. Damien a pour politique de ne jamais faire aucune déclaration à la presse... aussi les paparazzi sont-ils au moins aussi ébahis que moi.

— Je n'assisterai pas à la cérémonie d'inauguration du Richter Tennis Center, annonce Damien de la voix ferme et claire qu'il utilise en réunion. Si je soutiens totalement la construction et le fonctionnement d'un tel centre, je ne peux en conscience pas soutenir qu'il soit édifié en hommage à un homme que je ne respecte pas.

Quant à vos autres questions, ni Mlle Fairchild ni moi-même n'avons quoi que ce soit à déclarer.

Un concert de voix confuses s'élève aussitôt pour hurler d'autres questions, demander à Damien qu'il se tourne pour une photo, que je m'écarte de la portière. Damien les ignore et se tourne vers moi. Je réalise soudain que je suis restée figée, à moitié penchée pour entrer dans la voiture.

Une autre voix s'élève alors au-dessus du vacarme, cette fois de l'autre côté de la rue.

– Damien Jeremiah Stark !

Je jette un coup d'œil à Damien, mais son expression fermée ne révèle rien. Je me redresse et regarde par-dessus le toit de la limousine. Les journalistes visent désormais un vieil homme qui traverse Flower Street.

– Monte dans la voiture, m'ordonne sèchement Damien.

– Nous devons parler ! crie l'homme.

Je suis pétrifiée.

– Monte, me presse Damien d'une voix plus douce.

J'obéis, mais je regarde l'homme par la vitre, puis de nouveau Damien.

– Qui est-ce ?

Il croise mon regard, mâchoires serrées, l'expression dure.

– Mon père.

Chapitre 11

Damien se glisse à côté de moi sur la banquette et ferme la portière.

— Allez ! dit-il à Edward, qui hoche la tête et commence à rouler.

Les journalistes se massent devant la voiture et mitraillent le père de Damien qui tambourine à la vitre en criant.

Je saisis la main de Damien tout en regardant le visage du vieil homme.

— Damien, laisse-le monter. Ces journalistes ne vont en faire qu'une bouchée. (Silence.) Damien, tu dois savoir pourquoi il est là.

Damien est tendu. Il respire profondément pour retrouver son calme, j'aimerais savoir ce qu'il pense. Il finit par dégager sa main de la mienne et acquiesce.

— Arrêtez, dit-il à Edward. Déverrouillez les portières. Et dès qu'il sera monté, roulez sur ces fichus piranhas, s'il le faut.

Un instant plus tard, le vieil homme est à l'intérieur et Edward vire sur la gauche en accélérant. Je retiens mon souffle. Mieux vaut éviter qu'un journaliste se fasse écrabouiller, et qu'Edward s'attire en prime des ennuis.

Bientôt la voie est dégagée, et la limousine descend Flower Street sans encombre.

– Allez jusqu'au prochain carrefour, dit Damien. (Il regarde son père, installé sur la banquette en face de la nôtre.) Que veux-tu ?

Au lieu de lui répondre, le vieil homme me fixe.

– Vous devez être Nikki, dit-il. J'ai vu votre photo dans les journaux avec mon fils. Je m'appelle Jeremiah, mais vous pouvez m'appeler Jerry.

– Que pouvons-nous faire pour vous, monsieur Stark ? je demande.

– « Nous ? », souligne-t-il d'un air narquois en nous regardant tous les deux. « Nous », répète-t-il avant de s'esclaffer.

Je serre la main de Damien dans la mienne. Je n'aimais déjà pas cet homme avant de le connaître, je l'aime encore moins à présent.

– Mademoiselle Fairchild t'a posé une question, dit Damien. Que pouvons-nous faire pour toi ?

Je sens la colère l'envahir et ne lâche pas sa main. Je suis sûre que l'homme assis nonchalamment en face de moi a abusé de son fils ou a été le complice de ces horreurs, et je ne sais pas si je me cramponne à Damien pour le soutenir ou pour l'empêcher de bondir sur son père.

– Damien… tente Jerry en secouant la tête d'un air abattu.

D'emblée, je l'ai trouvé visqueux et peu digne de confiance. Mais en y regardant de plus près, je me rends compte qu'il est en fait séduisant, malgré un peu trop d'onctuosité. Comme un homme qui a découvert le luxe tardivement dans la vie, et passé le reste de son temps à essayer de rattraper le temps perdu.

– Je répète. Que pouvons-nous faire pour toi ?

Jerry se radosse, une déplaisante expression calculatrice se peint sur son visage. Je comprends comment cet homme, malgré ses origines ouvrières et ses faibles revenus, a réussi à hisser son fils dans les hauts circuits du tennis international.

– Ce que tu peux faire pour moi ? Pour *moi* ? Rien du tout, à présent. Il ne s'agit pas de moi, mais de toi. Et tu as réussi à merder en beauté.

– Ah bon ? réplique froidement Damien. Permets-moi de t'expliquer la situation. Tu n'es dans cette voiture que parce que Madame a insisté. Tu veux mériter le droit d'y rester ? Parle et sois clair. Sinon, descends.

– Tu veux de la clarté ? Qu'est-ce que tu dis de ça ? Tu te comportes comme un imbécile, Damien Stark, et je suis peut-être des tas de choses, mais certainement pas le père d'un imbécile. Arrange-toi pour que tes attachés de presse de haut vol rattrapent la connerie que tu viens de débiter. Rédige un discours qui remplira d'aise les anges. Et ramène tes fesses à cette inauguration vendredi, avec ton sourire le plus photogénique, fais un bon gros chèque si nécessaire. Parce qu'il le faut, mon fils. Pas la peine d'en rajouter, tu as besoin d'être sacrément impeccable.

– Ne m'appelle pas « mon fils ».

– Bon Dieu, Damien !

Je regarde les deux hommes, essayant de comprendre ce qui se passe. Pourquoi le refus de Damien d'assister à l'inauguration et sa déclaration à la presse signifient-ils tant pour son père ? Damien n'a pas directement mis en cause Richter, et encore moins laissé entendre que son propre père était impliqué. Jeremiah craindrait-il que ce soit la prochaine étape ? Qu'une fois le pot aux roses dévoilé, toute la vérité éclatera ? Je n'en sais rien, et je ne peux rien faire de plus que me cramponner à la main de Damien.

Sans daigner répondre aux critiques de son père, il fixe le vieil homme en plissant les paupières comme si son visage était une sorte d'équation à laquelle manquait une variable cruciale. Quand il parle enfin, je ne comprends pas de quoi il s'agit :

– Dans quelle mesure es-tu responsable ?

– Je ne sais pas de quoi tu parles, grogne Jerry en se redressant, avec le regard écarquillé d'un enfant qu'on gronde.

Même moi, je peux voir qu'il ment.

– Que ce soit bien clair, dit Damien. Ton opinion et ton aide ne m'intéressent pas. À présent, descends. Edward, arrêtez-vous.

Nous avons fait le tour de trois pâtés de maisons et nous sommes à présent à Pershing Square, à deux carrefours de notre point de départ.

– Je ne suis même pas garé par ici.

– Ce n'est pas mon problème, réplique Damien. Dehors !

Edward est déjà sorti et lui ouvre la portière. Jerry hésite puis nous dévisage, l'un après l'autre.

– Elle est au courant ? Je ne lui dirais pas, Damien, ajoute-t-il d'un ton mauvais. À ta place, si tu veux qu'elle reste, je ne lui dirais rien du tout.

Il descend et Edward claque immédiatement la portière, comme s'il voulait autant que son patron que Jerry disparaisse de sa vue.

– Je suis désolé, soupire Damien.

– Eh bien, je t'ai présenté ma mère et tu m'as présenté ton père. Je pense que ça veut dire que nous sortons vraiment ensemble. (Je tente vainement de plaisanter.) Hé ! tout va bien…

– Il n'y a pas grand-chose de cette journée qui entre dans cette catégorie.

– Je n'en suis pas si sûre. J'ai plutôt aimé danser avec toi.

– Oui, dit-il. Moi aussi. Approche.

Je suis déjà à côté de lui, mais je me rapproche plus encore. Son bras passe sur mon épaule et il me caresse distraitement du bout des doigts. Je retire mes chaussures, je me blottis sur la banquette. J'aimerais rester ainsi éternellement bien au chaud contre lui. Mais de nombreuses questions m'agitent. De quoi parle le père de Damien ? En quoi cela lui importe-t-il que Damien soutienne ou non le centre de tennis ? Mais je ne veux rien demander, je voudrais qu'il m'en parle de lui-même parce qu'il estime que je dois savoir.

Si j'étais à ta place, et si tu veux qu'elle reste, je ne lui dirais rien du tout.

Je frissonne. Je ne vois rien d'assez horrible pour me forcer à quitter Damien. Mais est-ce parce qu'il n'existe rien de ce genre, ou simplement parce que mon imagination n'est pas assez fertile ?

Damien me garde calmement contre lui pendant tout le trajet jusqu'à Stark Tower. Il reste imperturbable pendant qu'Edward se gare dans le parking souterrain. Et pendant que nous traversons le hall et montons au cinquante-septième étage, qui abrite son bureau privé d'un côté, et son appartement de l'autre.

Mais quand les portes de l'appartement s'ouvrent, cette façade calme se fissure. Une lueur désespérée traverse son regard quand il empoigne mon foulard autour de mon cou.

— C'est toi qui me parlais de t'attacher ? demande-t-il d'un ton brusque.

— Oui, je réponds.

Je sais qu'il en a besoin. Il doit laisser libre cours à la passion qui est sur le point de nous emporter. Il a besoin d'oublier ce qui vient de se passer, les paparazzi, son père, Ollie, et jusqu'à mon refus de venir le retrouver ici ce soir. Il a besoin d'être aux commandes, et à cet instant je ne demande rien de plus que de lui obéir.

— Oui, dis-je d'une voix rauque. Oui, s'il te plaît.

Il me repousse contre le mur. Je me mets à haleter et les battements de mon cœur s'accélèrent. D'une main il tient toujours mon foulard, tandis que de l'autre il me caresse lentement la poitrine, le ventre, puis la hanche. Le contact de ses doigts me fait fondre. J'entrouvre les lèvres, je me consume. Si je n'étais pas déjà adossée à ce mur et retenue par Damien, je glisserais à terre, tant je suis incapable de me soutenir seule, prête à défaillir.

Glissant la main sous ma jupe, il écarte d'un doigt ma petite culotte déjà trempée. Un frisson me parcourt, annonciateur de l'explosion à venir.

— Eh bien, mademoiselle Fairchild, dit-il. Je crois vraiment que vous avez envie de moi.

Je me mords la lèvre sans répondre. Il n'a pas besoin de mots. Il sait déjà qu'il a raison. Avec lenteur, une insoutenable lenteur, il commence à me dévêtir. La jupe. La minuscule culotte. Le petit haut qu'il fait passer par-dessus ma tête. Tout tombe à terre, jusqu'au foulard. En voyant cette tache rose sur l'étoffe, je soupire.

— Quelque chose ne va pas ?

— Je croyais que vous deviez m'attacher.

– Peut-être que j'ai changé d'avis.

– Ah ?

– On se plaint, mademoiselle Fairchild ?

– Jamais de vous, monsieur Stark.

– Bonne réponse. Pour cela, vous serez récompensée, dit-il avec un regard carnassier. Venez avec moi.

Je le suis dans la chambre. Il étale une couverture sur le sol, avant d'ouvrir l'une des malles en cuir dont il sort deux longueurs de corde qu'il fait lentement glisser dans ses mains. J'écarquille les yeux. Nous sommes bien loin de l'écharpe de soie rose.

– Qu'allez-vous faire ?

Damien ne répond pas. D'un signe de tête, il me demande de m'allonger sur le sol. Je n'hésite qu'un instant, puis j'obéis, la tête au pied du lit.

– Les mains au-dessus de la tête, exige-t-il.

Je tends les bras, aussi excitée que curieuse, et il attache mes poignets ensemble avec le plus court des morceaux de corde. Puis il attache mes mains au pied central de son immense lit.

– Je vais te faire plaisir, Nikki, promet-il en me caressant le bras du bout du doigt.

Il commence par le poignet, puis taquine la chair tendre de l'intérieur du coude pour remonter par-dessous. Je me mords la lèvre en me tortillant. La sensation est exquise. Légère comme une plume, presque un chatouillis, mais désespérément, follement érotique.

– Tu vois comme tu te tortilles déjà ? me taquine-t-il.

Il réunit mes pieds plante contre plante, avant de les lier avec la seconde corde. J'essaie vainement de bouger. Je suis étrangement réduite à l'impuissance, c'est aussi troublant qu'excitant.

— Vous ne bougerez plus, ordonne-t-il en écartant doucement mes genoux et en remontant mes pieds. On ne se dérobe plus. On ne se cache plus.

Les genoux écartés, à quelques centimètres seulement du sol, ma posture est celle du papillon — que je pratique au yoga. Je ne suis pas particulièrement sportive, mais ma mère m'a fait faire du yoga et de la danse suffisamment longtemps pour que je sois souple. Damien n'a donc aucun mal à me faire prendre cette position.

Les reins cambrés, l'intérieur de mes cuisses étiré, le sexe complètement exposé. La position est indéniablement érotique. Je ne peux effectivement aller nulle part. Et en tout cas, pas quand il aura terminé ce qu'il a entrepris. Je suis entièrement à sa merci, et c'est évidemment le but. Ces cordes sur mon corps peuvent compenser ce qu'il a perdu ce soir.

Mais il ne s'agit pas seulement de ce dont Damien a besoin. Moi aussi, j'en ai envie. Je veux m'abandonner à lui. Je veux soumettre mon plaisir à ses ordres. Je veux flotter, attachée à lui.

Son regard croise le mien. Quand il glisse sur mon corps, il est si ardent que c'est un miracle s'il ne laisse pas de marques de brûlure sur ma peau. Saisissant l'extrémité de la longue corde pour attacher mes pieds, il l'enroule progressivement autour de mon mollet et de la cuisse gauche.

— Je t'offre à la fois plaisir, douleur et beauté, proclame-t-il. Je veux te voir ainsi, ouverte pour moi, les jambes pliées, le corps comme un diamant étincelant et scintillant pour moi.

Il resserre la corde afin qu'elle marque ma chair et contraigne mes jambes à garder l'angle adéquat. Puis il l'attache. Je suis à présent à demi ligotée, et au comble de mon désir.

— Tu es comme le tableau, dit-il. Un splendide spectacle érotique. Mais un tableau n'est pas de chair, sa beauté ne peut éprouver aucun plaisir.

Il referme ses lèvres sur mes seins qu'il titille, je sens un frisson électrique me parcourir de mon téton jusqu'à mon sexe, qui se crispe, exigeant son attention... mais Damien n'est pas pressé. Il continue de sucer et d'agacer, mordillant le téton et dessinant l'aréole de sa langue. Il a raison : je voudrais me dérober, échapper ne serait-ce qu'un instant à cet assaut aussi suave qu'insoutenable. Mais je suis prise au piège et le supplice continue, m'entraînant de plus en plus haut, jusqu'à ce que je n'aie plus d'autre choix que de tomber.

Au moment où je vais crier s'il ne cesse pas, sa bouche descend de baiser en baiser jusqu'à mon nombril. Il le taquine brièvement, puis il se redresse et se met en devoir de me lier l'autre jambe. Mais avant il caresse délicatement mon sexe. Je suis parcourue d'un frisson brûlant. J'ai envie qu'il continue, qu'il y colle sa bouche ou glisse ses doigts en moi. Je veux que ce frisson se transforme en véritable explosion. C'est ce dont j'ai envie, et il le sait pertinemment.

Mais il n'en fait rien.

— Tu es trempée, ma chérie, dit-il en s'occupant de l'autre jambe. Chaque frisson, chaque signe ruisselant de ton excitation est une évidence. Dis-moi que tu aimes cela, Nikki. Dis-moi que tu aimes être ouverte et offerte.

Il finit de m'attacher puis, tout en parlant, laisse glisser son doigt le long de ma jambe. Mon corps tremble, je suis agitée de frissons. Je peux à peine respirer, encore moins parler. Pourtant, je voudrais lui dire tout ce qui bouillonne en moi. Lui confier l'exquise joie de lui céder. De me soumettre à son plaisir en étant certaine qu'il veillera au mien. Je voudrais lui dire qu'aucun mot ne peut décrire l'intensité de mon excitation. Je voudrais lui ouvrir mon cœur, mais tout ce que je parviens à articuler, c'est :

– Oui.

Il a fini de m'attacher, et les cordes sont serrées. Elles mordent ma chair, à la limite de la douleur. Je ferme les yeux pour l'absorber en me demandant distraitement si d'autres femmes ont besoin de temps pour s'habituer à cela. Pas moi. Je me laisse aller, et je savoure. Après la soirée que nous avons passée, c'est ce dont j'ai besoin. J'ai besoin de tout ce que Damien est prêt à me donner. Je veux connaître la douleur et le plaisir, et toute la gamme des sensations qui les relie.

Lentement, méthodiquement, Damien pose les mains sur mes épaules, puis il descend le long de mes seins, de mes flancs, jusqu'au tréfonds de mes cuisses. Je me mords les lèvres pour résister à cette sensation douloureusement suave, mais il a raison : attachée comme je le suis, je ne peux m'échapper, et le plaisir qui m'envahit toujours plus me torture.

Quand il cesse enfin de me toucher, je reprends mon souffle *in extremis*, les yeux écarquillés, tandis que Damien se lève à mes pieds. Avec une lenteur insupportable, il ôte ses vêtements. Son sexe énorme se dresse, ma respiration se fait plus saccadée tandis que le désir monte dans mon sexe offert. Lentement, il s'approche et s'agenouille au-dessus de mes pieds. Délicatement, il a posé les pouces à l'intérieur de mes cuisses et remonte. Je frissonne, mon corps prêt à exploser sous ses caresses brûlantes ; mais il ne me touche toujours pas là où je l'attends avec le plus d'impatience, et je suis comme suspendue au-dessus d'un précipice.

— Vous êtes cruel, monsieur Stark.

— Vraiment ?

Il se penche, et ces mains, que je voudrais désespérément sentir entre mes cuisses, viennent se refermer sur mes seins. Je pousse un cri quand il me pince les tétons, faisant déferler en moi de nouvelles vagues brûlantes de désir. Je ferme les yeux en me jurant que s'il recommence je vais vraiment jouir, tout en le suppliant silencieusement de continuer.

Bien sûr, il n'en fait rien et je reste, titubant au bord de cette falaise imaginaire, prête à tomber dans cet abîme mais incapable d'y parvenir seule.

— Cruel ? chuchote-t-il. Ou bien suis-je d'une immense générosité avec vous ?

— Cruel, je répète fermement avec un sourire, en le voyant rire.

Il abandonne mes seins et enserre mes flancs. Je sens mes côtes fragiles sous ses mains puissantes, qui me rappellent à quel point je suis sa proie en cet instant. Ligotée. Impuissante. Livrée à ses tourments et à son bon vouloir.

Tendrement, il embrasse ma cicatrice au-dessus du pubis et les poils de sa barbe naissante râpent ma peau.

— Dites-moi ce que vous voulez. Je veux vous l'entendre dire.

— Vous, parviens-je à articuler d'une voix éraillée. Je vous veux en moi.

— Eh bien, mademoiselle Fairchild, murmure-t-il, la bouche enfouie entre mes cuisses, d'une voix si sourde que je l'entends à peine. Êtes-vous en train de me dire que vous voulez que je vous baise ?

– Mon Dieu, oui.

– J'aime votre réponse, dit-il en posant la main sur mon sexe affamé. (Sa paume est chaude, mais pas autant que la mienne.) Mais je ne crois pas que vous soyez prête.

Je pourrais mourir de frustration.

– Monsieur Stark, dis-je avec sévérité, si vous ne vous rendez pas compte que je suis prête, je crains que vous ne soyez pas un amant aussi talentueux que je l'aurais cru.

– Au contraire, murmure-t-il. Je suis exceptionnel. Vous devez simplement vous montrer plus patiente, et je vous le prouverai lentement, méthodiquement, complètement.

Je ne réponds pas. Chaque sensation de mon corps, chaque soupçon de désir est venu se loger entre mes cuisses. Je me sens lourde, gorgée de sang, et désespérée. J'ai besoin de lui en moi. S'il ne me prend pas sous peu, je vais imploser.

– Damien, je t'en prie…

– Ceci ?

Il glisse deux doigts en moi et je pousse un cri alors que je me resserre avidement autour de lui. Mes hanches s'arc-boutent sans que je m'en rende compte. Et c'est une sensation étrange et fascinante, avec mes jambes ainsi ouvertes, car il a raison, je ne peux rien dissimuler de mon désir.

– Oui, parviens-je à dire. Mais il m'en faut plus. Vous…

Il introduit un autre doigt et commence un délicieux va-et-vient. La tête renversée en arrière, je laisse le plaisir monter. Je suis près de jouir, et mes muscles se tendent pour l'attirer en moi plus profondément. Puis, finalement, il me donne ce que je désire vraiment. Il remonte sur moi en se soutenant d'une main, tandis que l'autre se glisse sous mes fesses pour me soulever légèrement. C'est étrange, car je ne peux l'aider. Mes genoux et mes pieds ne m'appartiennent plus, mais cela n'a aucune importance, car Damien me pénètre, et d'un coup de reins s'enfonce profondément en moi en m'attirant à lui par les hanches.

Ses mouvements sont fermes et réguliers, et le fourmillement électrique bourdonne en moi. Soudain, il accélère son rythme et je pousse un cri, le corps secoué par un orgasme aussi puissant qu'inattendu. Damien ne s'arrête pas. Ses coups de boutoir sont de plus en plus forts et rapides ; il explose à son tour. Et j'explose à nouveau avec lui.

– Oh, chérie… gémit-il en retombant sur moi.

– C'était incroyable, dis-je, surprise d'être capable de prononcer trois mots.

– Ça va ? demande-t-il en se soulevant sur un coude.

– Mmm… Plus que ça. Mais un peu ankylosée.

Avec un gloussement, il me donne un petit baiser et me demande d'attendre. Un instant plus tard, il m'essuie avec délicatesse, puis me détache et masse les endroits où la corde a marqué la chair, m'étirant délicatement.

Il me soulève dans ses bras et m'emporte dans le lit, puis il vient se glisser derrière moi en m'enlaçant. Je soupire, m'abandonnant au plaisir de me faire servir. Je me sens gâtée et adorée. Surtout, je me sens en sécurité.

Nous restons silencieux un moment, mais, alors que je repense à la soirée, je ne peux retenir plus longtemps ma question.

– Damien ?

– Oui ? répond-il d'une voix ensommeillée.

– De quoi parlait ton père ? Pourquoi faudrait-il que tu sois sacrément impeccable ?

Il reste si longtemps silencieux que je retiens mon souffle.

– Il cherche à m'agacer, dit-il enfin.

Ce n'est pas vrai, et je suis sûre que Damien voit bien que je m'en rends compte.

– Damien…

Il me tourne vers lui, et quelque chose dans son regard me dit que j'y suis presque. Si j'insiste, il me le dira. Je suis sur le qui-vive, car l'important, ce n'est pas tant de connaître la vérité mais que Damien la partage avec moi.

– Comment as-tu su où me trouver ce soir ? je demande.

Il reste de marbre. Puis je perçois dans son regard la lueur d'un sourire qui ne descend pas jusqu'à ses lèvres. Prenant mon visage entre ses mains, il me contemple avec une telle adoration que j'en reste sans voix.

– Tu ne le vois donc pas, Nikki ? Où que tu ailles, je te retrouverai toujours.

Chapitre 12

Mes jambes sont délicieusement endolories quand je me réveille le samedi matin. Je roule sur le côté pour me coller à Damien, mais il n'est plus là. Je songe à rester au lit. Après tout, à un moment ou un autre, il lui faudra bien revenir, mais l'envie de café l'emporte et je vais à la cuisine. L'homme me connaît bien, car le mot qu'il a laissé est scotché sur la cafetière.

« Quelques imprévus. Suis au bureau. Cette nuit était géniale. Toi nue et attachée, ouverte pour moi, c'est une image gravée dans mon esprit. Je vais sûrement avoir du mal à me concentrer. Je vais peut-être devoir te donner la fessée plus tard, pour te punir de m'avoir tant distrait... »

Je souris et glisse le mot dans mon sac. Je file prendre une douche et me change avant de franchir la porte du fond qui communique avec le bureau de Damien. Au bout du dédale de couloir, je suis accueillie par le sourire de Mlle Peters à l'accueil.

— Bonjour. Il est au téléphone avec M. Maynard. Voulez-vous patienter ?

— Ce n'est pas grave. Il est manifestement occupé.

Je pense aux journalistes qui ont parlé de mise en examen. Si Charles est là, c'est que des manœuvres légales doivent se déployer dans l'une des divisions de Stark International.

Edward n'a pas encore pris son service, mais Mlle Peter met à ma disposition une autre voiture. Quand je rentre chez moi, il n'y a que le chat pour m'accueillir. Jamie doit être avec Raine.

Je n'ai pas été souvent seule ces derniers temps, et il m'est agréable de me retrouver chez moi parmi mes objets familiers. Surtout quand un aussi grand nombre d'entre eux me rappellent Damien.

Le Monet qu'il m'a offert – les meules de foin au couchant – est stupéfiant, et Dieu merci ! bien assuré. Cela dit, le garder chez moi me cause quelque inquiétude, même si j'ai envie de l'avoir dans la chambre où je dors… Enfin, celle où je dors seule, en tout cas.

Je m'installe devant mon ordinateur et commence à faire défiler mes photos. Je devrais travailler, mais j'ai si peu de temps à consacrer au cadeau que je prépare à Damien – un scrapbook, un album rempli de souvenirs du temps que nous avons passé ensemble. Un cliché du Monet. Des dizaines de photos de couchers de soleil et des tonnes d'images de nous. Autant je déteste les paparazzi, autant je dois admettre qu'ils ont saisi quelques très jolis instantanés sur le vif.

Je trie les photos et rédige les légendes pendant quelques heures, puis je fais un peu de ménage dans l'appartement, avant de prendre une douche pour la soirée. Assez bizarrement, faire le ménage consiste également à faire le lit qui trône dans notre salon.

Pendant que je passe l'aspirateur, me parviennent d'à côté des grognements et des gémissements assez forts pour couvrir le bruit. Je ferme les yeux en priant inté-rieurement pour que Jamie ne couche pas avec Douglas, notre bruyant baiseur en série de voisin. Combien je voudrais que cela n'ait jamais existé, surtout depuis qu'il laisse clairement entendre qu'il aimerait bien remettre le couvert !

Quand Jamie rentre à l'appartement, la dernière par-tenaire de Douglas est partie depuis longtemps, et j'asti-que la cuisine.

— Bravo ! lance-t-elle. Vous êtes engagée.

Je hausse les sourcils. Pour Jamie, faire le ménage, c'est tout laisser s'accumuler, puis passer toute une jour-née à répéter qu'elle déteste faire le ménage. Cela me rend folle.

— Il reste de quoi se faire à dîner ? demande-t-elle.

— Des canapés, et de quoi boire.

— Tu veux aller prendre un déjeuner tardif ?

— OK. Edward viendra nous prendre à 18 heures. Nous devrons donc rentrer pour nous changer.

— Avec la limousine ? fait-elle, soudain intéressée.

— Je ne sais pas, dis-je en lui lançant une éponge. Mais si tu vas nettoyer la salle de bains, j'envoie un texto à Damien pour lui dire que c'est ce que nous souhaitons.

Et tandis qu'elle file accomplir sa mission, je me dis que c'est ainsi qu'il faut gérer sa colocataire.

— Fabuleuse architecture, Batman, dit Jamie tandis que nous sommes accueillies par l'un des extras engagés pour la soirée.

J'entre à sa suite et stoppe net. Apparemment, Damien a aussi engagé des petits lutins, car l'immense pièce qui était encore vide hier est à présent meublée avec recherche. Le dallage de marbre d'un blanc resplendissant forme un écrin idéal, dans toute la maison, pour des meubles tout aussi blancs. Les seules couleurs sont apportées par les œuvres d'art éclatantes accrochées partout aux murs. La paroi vitrée du fond coulisse, permettant l'accès au balcon du troisième étage, ouvrant la pièce jusqu'au deck et à la piscine. Ce séjour cathédrale, d'une hauteur de quatre étages, est surmonté d'un toit vitré qui donne à la pièce une allure d'atrium.

Les deux principaux centres d'intérêt, la piscine extérieure et l'immense escalier de marbre, se complètent comme si chacun appelait le visiteur à l'exploration, laissant entrevoir toutes sortes de délices.

— Cette maison est fabuleuse, continue Jamie dans un chuchotement si peu discret qu'on doit l'entendre jusqu'au dernier étage.

— C'est vrai, dis-je, gagnée par une sorte de fierté de propriétaire. (J'ai beau n'être pour rien dans la conception ou la décoration des lieux, je ne peux nier que je m'y sens chez moi.) Tu veux visiter ?

— Un verre d'abord. La visite ensuite.

— Alors, viens.

Je l'entraîne dans l'escalier vers le troisième étage. Au passage, on peut accéder au deuxième – ouvert sur un balcon et sur une mezzanine – soit par l'escalier de la cuisine, soit par un petit ascenseur de service. Ce qui rend cet endroit unique, c'est qu'il sert de bibliothèque.

— Oh la la ! s'exclame Jamie en le découvrant.

— Stupéfiant, hein ? Les ouvriers ont fini les rayonnages il y a quelques jours seulement. Je ne sais absolument pas où Damien avait stocké tous ces livres.

Depuis l'escalier, c'est comme si nous étions entourées de rayonnages en merisier, remplis du sol au plafond par toutes sortes de livres, des premières éditions rares jusqu'à des poches de science-fiction cornés que Damien a maintes fois lus et relus.

Comme dans le reste de la maison, une cloison vitrée donne sur l'océan. Mais c'est un verre filtrant qui empêche les rayons d'endommager les livres. Au centre trônent quatre profonds fauteuils en cuir chocolat, dont je sais que le contact sur la peau nue est délicieux.

Même en temps normal, la bibliothèque serait impressionnante. Mais ce soir, elle est simplement magique. Damien a dû faire travailler une équipe toute la journée : la rampe en fer forgé scintille de lumières blanches, sources d'une lueur délicate et charmante ; et lorsque nous montons l'escalier, leurs palpitations donnent l'illusion d'entrer au paradis par une haie d'étoiles.

Je suis heureuse d'avoir apporté mon Leica, même si l'étui de l'appareil n'est guère assorti à la splendide robe bleue que Damien m'a offerte. Je m'arrête pour prendre une photo de Jamie sur fond de lumières.

Je range l'appareil dans son étui, et nous continuons jusqu'au troisième. Jamie pousse un cri, et moi aussi.

Car la première chose que je vois, c'est moi, nue, fièrement dressée et attachée au vu de tous.

– Pas mal comme accueil pour les visiteurs, hein, la Texane ? sourit Evelyn. (Elle se précipite, pour me serrer dans ses bras comme personne ne le fait à Los Angeles : elle n'est pas du genre à faire des bisous dans le vide.) Tu es aussi ravissante sur ce tableau qu'en vrai, ajoute-t-elle. (Puis elle me lâche et se tourne vers Jamie.) Et tu dois être Jamie.

– Oui, confirme mon amie.

– Eh bien, alors tourne-toi un peu, que je te regarde.

Jamais je n'ai vu Jamie intimidée, mais je crois qu'elle est un peu décontenancée par Evelyn, car elle s'exécute sans rechigner, arborant la robe fourreau rouge qu'elle a achetée pour la soirée.

– Beau cul, beaux nichons. Et la tête et les cheveux sont parfaits.

– Ah bon ? Il y a quelque chose qui cloche avec mes jambes ? demande Jamie, pince-sans-rire.

Evelyn éclate de rire.

– Je l'aime bien, elle, me dit-elle. La Texane m'a dit que tu étais actrice ?

– J'essaie.

– Eh bien, si tu sais vraiment jouer, tu as la carrosserie requise pour réussir dans le milieu. Et entre nous, l'équipement est même suffisant pour que tu réussisses sans avoir à te soucier de ces ennuyeuses questions de talent.

– Je sais jouer, proteste Jamie.

– Viens me voir tout à l'heure. On discutera. Je ne suis peut-être plus dans le métier, mais ça ne veut pas dire que je n'ai plus de relations.

– Avec plaisir. (Si Jamie sourit davantage, elle va se déchirer un muscle du visage.) Merci, ce serait génial.

Evelyn se tourne pour héler une serveuse. Jamie en profite pour me faire un « waouh » muet. « Je sais », je réponds de la même manière.

Quand la serveuse arrive avec un plateau chargé de vin et de champagne, Evelyn nous tend un verre à chacune.

– Allez, les filles, pas la peine de rester toute la soirée sur le palier.

Elle indique la pièce, à présent sobrement meublée dans le même style que le rez-de-chaussée. Étant donné le soin que Damien a mis à décorer la bibliothèque, ces meubles ne doivent être là que pour la soirée, probablement loués à une entreprise spécialisée dans l'aménagement temporaire de propriétés avant la vente.

Entre les tables, fauteuils et canapés, se dressent des chevalets présentant les tableaux de Blaine. Contrairement à mon portrait, ces toiles sont à vendre. L'artiste en personne met en place un petit nu sur tapis d'Orient. Evelyn lève son verre pour lui faire signe, mais Blaine ne la remarque pas.

— Viens, dit-elle en prenant le bras de Jamie. Je vais te présenter la vedette de la soirée. Nikki, si tu cherches Damien, il se change. Et tu sais, on dirait que les grands esprits se rencontrent, c'est lui qui a aidé Giselle à rapporter les tableaux de Palm Springs. Edward en a pris quelques-uns dans la limousine hier, quand j'ai fini.

— Oh !

Ces paroles me surprennent, car Damien ne m'a pas dit qu'il avait vu Giselle, et je sens une légère irritation me gagner. Je me force à l'ignorer. Je suis trop sensible, car Giselle est soudain et inexplicablement dans mon orbite, avec cette histoire de Palm Springs et l'étrange déclaration de Tanner. Et du coup, d'anciennes jalousies pointent leur vilain museau. Mais je ne suis pas ce genre de fille, je les repousse.

Pendant qu'Evelyn guide Jamie vers Blaine, je prends la direction de la cuisine jusqu'au dressing, dans l'idée d'y laisser l'étui de mon appareil.

Alors que je passe la courroie du Leica à mon bras et que je range l'étui dans l'un des placards, je vois

Damien dans le couloir conduisant aux chambres. Il a revêtu un pantalon noir et une veste noire sans col, par-dessus l'une de ses chemises blanches amidonnées que j'adore. Son col ouvert sur cette veste lui donne l'air d'un rebelle au pouvoir irrésistible. Il est si sexy que j'ai peine à le croire réel, et encore plus qu'il soit à moi. Il ne peut être qu'un fantasme de mon imagination. Un rêve. Un songe parfait dont je ne souhaite pas me réveiller.

Il parle à voix basse dans son téléphone et je ne saisis que quelques mots. Mais à son intonation, je devine la gravité du sujet et son trouble.

Je repense à la scène de la veille et me demande si de nouveaux ennuis sont à prévoir. Peut-être s'agit-il de son père. Ou bien cela a-t-il un rapport avec les problèmes légaux de Stark International en Allemagne ?

Puis, avec une grimace, il coupe la communication et glisse le téléphone dans sa poche. Un bref instant, je peux lire l'irritation sur son visage, puis disparaître, comme s'il avait soumis l'univers et que celui-ci n'avait d'autre choix que de se plier à sa volonté. Damien Stark est homme à obtenir tout ce qu'il désire, quoi que ce soit. Et quand il regarde dans ma direction, je vois dans ses yeux que ce qu'il désire en cet instant, c'est moi.

Son sourire est plus affectueux que n'importe quel baiser. C'est comme si quelque chose se libérait en moi, et je me jette dans ses bras tendus. Il me serre contre lui, et mes derniers lambeaux de jalousie s'évanouissent à son contact.

Momentanément rassasiée − comme si je pouvais jamais l'être de lui −, je recule, un sourire aux lèvres.

− Tu m'as manqué.

– Pas autant qu'à moi.

– Tout va bien ?

– Bien sûr, répond-il en me regardant avec curiosité. Pourquoi ?

– Ta conversation téléphonique…

Brièvement, l'irritation marque son visage.

– Ce n'est rien. Un incendie que je pensais avoir maîtrisé, et qui se révèle plus explosif que prévu. Mais pas de quoi s'inquiéter. (Il me relève le menton pour plonger son regard dans le mien avec un lent et délicieux sourire qui m'arrache un soupir.) Tu es magnifique, dit-il enfin.

– Merci pour la robe, je minaude en tournant sur moi-même pour la lui faire admirer. Et pour le lit. (Comme je le regarde droit dans les yeux, je ne peux pas manquer l'ombre qui passe sur son visage.) Damien ? Qu'y a-t-il ?

Il hésite, rembruni, puis sourit.

– Je suis juste ravi de savoir que cela t'a fait plaisir.

– Évidemment que oui.

Inquiète, je le scrute. Son œil noir m'attire comme un aimant, et l'ambré me baigne dans sa chaude et affectueuse lumière. Je n'y vois plus aucune hésitation mais ne suis pas tranquillisée pour autant. Que veut-il donc me dire qui soit trop difficile pour qu'il y parvienne ? Il se tait. Je m'apprête à le questionner, mais me ravise. Ce n'est pas le bon moment.

– Nous devrions rejoindre les invités, m'entends-je dire.

– Dans un instant.

Il m'attire contre lui. Mes seins s'écrasent contre sa poitrine, mon menton se nichant parfaitement au creux de son épaule. Je pousse un long soupir et m'enivre de son parfum musqué et épicé.

— Comment se fait-il que tu me manques autant quand je ne t'ai pas auprès de moi ? me demande-t-il.

— Je ne sais pas. Mais je pourrais te retourner la question.

— Oh, Nikki… murmure-t-il avant de coller ses lèvres aux miennes.

Je fonds contre lui et je sens que je m'ouvre. J'ai envie de lui. Maintenant. Ici. Sur la satanée cuisinière s'il le faut, mais je veux savoir que cet homme est à moi. Je veux le posséder. Je veux le baiser.

Je suis plus frustrée que jamais, consciente que c'est impossible. Pas maintenant, pas avec tous nos amis dans la pièce voisine à quelques pas de nous. À contrecœur, je mets fin à ce baiser et lui tends la main.

— Faisons-nous des manières, mademoiselle Fairchild ?

— En effet, monsieur Stark.

En riant, il dépose au creux de ma main un baiser qui fait trembler mes genoux et se dresser mes tétons frémissants. Il m'adresse un petit sourire goguenard.

— Moi aussi, mademoiselle Fairchild.

— J'ignore de quoi tu parles, mais je dirai que tu es éblouissant, comme d'habitude. Nous y allons ? j'ajoute en indiquant la porte.

Nous quittons la cuisine pour retrouver nos trois invités sur le balcon. Evelyn raconte à Jamie des anecdotes de l'époque où elle était agent de cinéma et de télévision, et Blaine fait mine d'être dépité en nous voyant arriver.

— Elles sont perdues pour nous, ironise-t-il. Quand elle commence à parler de Hollywood, elle ne s'arrête plus. Et je crois qu'elle a trouvé un public à sa mesure…

— En effet, je confirme en levant mon Leica pour shooter deux femmes absorbées dans une conversation animée. Jamie peut discuter classiques de télévision et de cinéma pendant des journées entières, et elle parle des séries du moment avec la même flamme.

— En d'autres termes, elles vont avoir de quoi mutuellement s'occuper toute la soirée, conclut l'artiste.

— Pas « toute ». J'ai besoin de parler à Evelyn, moi aussi.

J'ai dit cela d'un ton léger, mais je suis très sérieuse. Alors que nous nous sommes parlé seulement la veille à mon bureau, j'ai l'impression que cela fait des années. Evelyn est au courant de ce qui se trame autour de Damien. Elle prétend que je n'ai pas à m'en soucier. Mais je suis inquiète, et j'ai bien l'intention d'obtenir des réponses.

— Pour le moment, tu nous présenterais tes tableaux ?

— Certainement.

Nous suivons Blaine, qui nous promène de chevalet en chevalet pour nous expliquer son concept. Tous les tableaux partagent la même chronologie et la même thématique.. Tous immortalisent des modèles entravés, et bien que les scènes ne frôlent jamais le mauvais goût, quelques-unes représentent une intimité à laquelle je ne me serais jamais prêtée. Certaines me rappellent même la posture que Damien m'a fait prendre la veille.

L'une attire particulièrement mon regard. Le modèle est allongé sur une chaise longue, les jambes de part et d'autre des accoudoirs, attachées par deux rubans noirs. Un autre ruban maintient un bras au-dessus de sa tête. Sa main libre, glissée entre ses cuisses, révèle tout de ses caresses. Ses tétons sont dressés et ses aréoles aussi, les muscles de son ventre tendus. Son visage, bien que partiellement détourné, ne dissimule rien de son excitation.

Je ne prends pas la peine de demander à Blaine quelle était son intention, je ne le sais que trop bien. Quand on est attachée et impuissante, on éprouve une excitation sensuelle à s'abandonner en toute confiance, à renoncer à toute pudeur face à son amant.

Le contact de la main de Damien sur mon dos me fait tressaillir : j'imagine que je me caresse sous son regard. Je me redresse, ma peau est devenue soudain trop sensible et brûlante. Une légère sueur perle sur mon front et j'avance d'un pas : mieux vaut que je rompe tout contact physique avec Damien, sinon je vais le supplier de me prendre sur-le-champ. Dans mon mouvement, je surprends son regard.

« Oui », articule-t-il muettement avec un sourire rempli de promesses si coquines que je vacille. Franchement, c'est un miracle si je ne m'effondre pas.

Dieu merci, Blaine est tellement absorbé par la visite qu'il ne remarque pas notre manège. Nous allons de toile en toile, Blaine désignant les détails de composition ou de couleur et racontant des anecdotes sur les modèles et la manière dont il les a connus. La plupart cherchaient simplement à se faire un peu d'argent. Certaines ont posé gratuitement parce qu'elles voulaient connaître cette expérience. À chaque portrait, Damien pose sa main sur mon dos, et je me sens de plus en plus gagnée par le désir.

Mes tétons, de plus en plus durs et sensibles, apparaissent sous la mousseline de ma robe à chacun de mes pas. Mon sexe gonflé réclame d'être touché. Je suis grisée de désir et je ne peux rien y faire.

C'est une torture, mais plus délicieuse que jamais.

Lorsque Evelyn appelle Blaine depuis le balcon entre deux toiles, je ne peux réprimer un soupir de soulagement.

Damien me saisit par la taille.

— On dirait le soir où nous nous sommes connus, mademoiselle Fairchild. Vous et moi, entourés d'œuvres d'art érotiques, incapables de penser à autre chose qu'à nous baiser.

— Nous nous sommes connus six ans avant cela, monsieur Stark, je murmure, haletante.

— En effet, dit-il, ses lèvres tout contre mon oreille. À l'époque déjà, je voulais vous baiser.

— Obtenez-vous toujours ce que vous voulez ? je le taquine.

— Oui, dit-il en se collant derrière moi, si bien que je sens son désir. Je croyais pourtant que vous le saviez.

— Enfin, monsieur Stark… Vous m'aviez expliqué qu'il était impoli de bander quand on recevait des invités, me semble-t-il.

— Exact. Peut-être devrions-nous nous éclipser dans un boudoir. Je connais une manière plutôt agréable d'éviter un tel faux pas.

— Continuez, dis-je. Vous réussirez peut-être à me tenter. (Sa main glisse sur ma jupe et je pense sentir l'étoffe remonter lentement sur ma cuisse.) Arrêtez, je souffle en repoussant sa main.

M'écartant un peu, je m'immobilise en voyant Giselle arriver de la cuisine, de l'autre côté de la pièce. Que fait-elle là de si bonne heure ? Elle ne sait pourtant pas que je suis le modèle du tableau ! D'accord, elle est la propriétaire de la galerie. Et ce n'est certainement pas la première fois qu'elle voit un nu exposé. Elle ne sait probablement pas que c'est moi. Cela faisait partie du marché, et Damien est un homme de parole.

J'ai presque réussi à m'en convaincre. Au même instant, Bruce apparaît derrière elle et je reste pétrifiée, mortifiée.

Je suis nue sur ce portrait accroché au mur que mon patron est en train de regarder.

— Vous êtes très tendue, me taquine Damien. Vous le savez, je connais bien des manières de vous détendre.

Il ne les a pas encore remarqués, donc ne sait pas pourquoi je me suis figée ainsi. Il ne voit pas mon visage, ni la perplexité qu'il pourrait lire dans mes yeux.

Sont-ils au courant ? Comment l'ont-ils su ?

Son pouce frôle la mousseline.

— Dites-moi, mademoiselle Fairchild, murmure-t-il, que découvrirais-je si je glissais une main sous votre jupe ? Portez-vous une culotte, ce soir ?

— Pourquoi Giselle et Bruce arrivent-ils si tôt ?

Il se raidit.

— Quoi ?

Je me dégage de son étreinte et me tourne vers lui.

— Ils ne savent pas que c'est moi sur ce portrait, n'est-ce pas ?

Il ne me regarde pas, mais j'en déduis qu'il les a repérés. Il se contente de serrer les dents.

— Ils ne sont pas censés être là, dit-il calmement.

— Non. Parce qu'ils ne savent rien, n'est-ce pas ? (Je me plante devant lui. Je me sens étrangement agitée, comme sur le point de chanceler si personne ne me retient.) Damien ? Tu ne le leur as pas dit ?

Un instant, son visage se durcit. Je vois apparaître l'homme d'affaires, le négociateur. L'homme qu'Ollie a qualifié de « dangereux ». L'homme qui, selon Evelyn, est expert dans l'art du secret. Puis son expression se radoucit, comme s'il ne voyait plus que moi.

– Si, mais, Nikki…

Je n'ai pas besoin d'en entendre plus.

– Oh, mon Dieu ! Comment as-tu pu…

Je porte la main à ma bouche. Je vacille à présent, et en effet personne ne me retient. La colère bouillonne en moi. Une colère mêlée de peine et d'humiliation. Mon anonymat était le point capital de notre accord. Je suis nue. Mais pas seulement offerte, si bien que quiconque voit cette œuvre voit mes cicatrices – donc voit aussi mes démons.

Comment Damien a-t-il pu se montrer si cavalier ? Il m'a vue paniquer lors de la première séance de pose avec Blaine. C'est lui qui m'a apaisée, lui qui, ai-je cru, me comprenait.

À présent, c'est comme s'il m'avait giflée.

Je baisse les paupières pour retenir mes larmes. Je me concentre sur la fureur qui me transperce comme une lame, pour armer ma force. Je veux blesser Damien au moins autant qu'il m'a blessée. C'est une profonde entaille, d'autant plus que c'est la dernière personne que j'imaginais capable de me faire du mal.

– Nikki, je t'en prie, me dit-il avec plus de douceur que jamais.

– Non. (Je lève la main et secoue la tête en ravalant un sanglot.) Et pour ta gouverne, j'ajoute froidement, évidemment que je porte une petite culotte ! On ne joue plus, mets-toi ça en tête. Les règles ne sont plus en vigueur.

Je peux voir dans ses yeux qu'il est blessé. Un bref instant, je regrette mon mensonge. Je suis saisie d'une envie irrépressible de me perdre dans ses bras. De l'étreindre et de le consoler, de le laisser me réconforter.

Mais je n'en fais rien. Je ne peux pas. J'ai besoin d'être seule et, sans un mot de plus, la tête haute, je le plante là. Mais cette sortie ne m'apporte aucun soulagement. Notre jeu est peut-être terminé, mais je ne veux pas qu'il en soit de même de ma relation avec Damien.

Je pense à ce lit dont j'ai redouté l'arrivée comme un mauvais présage. À Giselle, à Bruce, et à la confiance qui a volé en éclats. Je pense aux secrets que Damien me dissimule toujours. Au fond de lui, cet homme reste pour moi un tel mystère ! Tout cela me hante. Et oui, je l'avoue, j'ai peur. Pas des fantômes de son passé, mais que nous n'ayons peut-être pas d'avenir.

Chapitre 13

— Nikki !

J'essaie de m'échapper vers la bibliothèque du deuxième étage, et Bruce est la dernière personne que j'aie envie de croiser à cet instant. Enfin, presque la dernière. Car, pour l'instant, j'ai encore moins envie de voir Damien.

En revanche, impossible de continuer vers l'ascenseur de service sans passer pour incroyablement grossière. Je m'arrête donc, et attends qu'il me rattrape. J'essaie de mettre mon masque de la Nikki en société, mais, franchement, je n'en ai pas la force. Et je suis sûre que le sourire dont je gratifie mon patron est bien pâle.

— Je voulais vous remercier du beau boulot que vous avez fait chez Suncoat hier, commence-t-il.

— Oh ! (Je ne m'attendais pas à parler boulot.) Merci. J'ai été honorée que vous me confiiez une mission aussi délicate dès le premier jour.

Par-dessus son épaule, je vois mon double peint qui nous contemple. Je me demande si, après m'avoir vue m'exhiber nue, je suis descendue d'un cran — ou de douze — dans l'estime professionnelle de Bruce.

— Délicate à cause du travail, ou de votre collègue ?

— Un peu des deux, dis-je.

— Je vous avais promis que nous bavarderions, reprend-il. Est-ce le bon moment ?

Non, bien entendu. Mais je suis curieuse. Pour le moment, je ne perçois qu'un intérêt professionnel. Peut-être est-ce seulement à Giselle que Damien a dit que j'étais la fille du tableau, et que Bruce l'ignore. Après tout, il n'y a pas au-dessus de ma tête une enseigne au néon qui proclame que c'est moi.

— Bien sûr, dis-je en me détendant un peu. C'est parfait. (Il m'entraîne vers les sièges disposés devant la cheminée. Au passage, je croise le regarde de Damien, qui est sorti sur le balcon retrouver Evelyn et Giselle. Je me détourne et souris à Bruce en m'asseyant.)

— Alors, pourquoi Tanner est-il le fauve ? je demande.

Il reprend son souffle, puis :

— Écoutez, dit-il, avant que nous abordions tout cela, je pense que je vous dois des excuses.

— À cause de Tanner ? Cela n'a pas été si pénible…

Je mens.

— Non, de ce soir. Giselle m'a révélé que vous étiez le modèle du tableau. (Je suis trop abasourdie pour répondre. Tant pis pour ma brillante théorie selon laquelle Bruce ne se doutait de rien.) En toute sincérité, je n'en ai pas fait grand cas, mais une fois arrivé ici, je me suis rendu compte que vous ignoriez que j'étais au courant.

— Ce n'est rien…

J'essaie de mentir, mais c'est loin d'être rien.

— Si, si. Giselle aurait mieux fait de se taire. Je ne pense pas qu'elle l'ait fait intentionnellement, mais parfois elle ne réfléchit pas. (Il me regarde, mais je ne réponds pas. C'est toujours loin d'être rien, mais je suis incapable de répéter le mensonge.) Je tenais à en parler avec vous, parce que je ne voulais pas que vous pensiez que cela affecterait notre relation de travail.

– Bien sûr que non. Comment pourrait-il en être autrement ?

Il doit avoir compris que je ne suis pas sincère, car il ne prend même pas la peine de répondre. Il change même complètement de sujet.

– Damien vous a-t-il parlé de ma sœur ?

– Euh, non…

– Vous ne croiserez pas femme plus brillante. Elle résout mentalement des équations mathématiques dont je trouve tout juste la solution avec une calculette. Elle enseigne au MIT.

– Jessica Tolley-Brown ?

– Vous la connaissez ?

– De réputation, dis-je, m'efforçant de dissimuler mon vif intérêt. J'ai failli entrer dans un programme de doctorat au MIT pour étudier auprès d'elle. Mais que… ?

– Savez-vous comment elle a financé ses études ?

– Non. Avec une bourse, j'imagine ?

– En grande partie. Mais ma sœur a des goûts de luxe, et elle a arrondi ses fins de mois en jouant les modèles.

– Oh !

Il me semble voir où il veut en venir.

– Je n'ai aucun problème avec le corps féminin, continue-t-il. Et je n'en estime pas moins l'intellect d'une femme si elle pose nue. Étant donné les photos qu'a faites ma sœur, et le fait qu'elle me bat à plate couture dans n'importe quel domaine intellectuel, ce serait bien hypocrite de ma part, vous ne croyez pas ?

— Oui, sans doute. (Je suis toujours gênée, mais il a réussi à m'apaiser un peu.) Merci de m'avoir emmenée à l'écart pour me le dire. C'est… eh bien, j'apprécie.

— Tant mieux. (Il se donne une claque sur les genoux.) Quant à Tanner, encore une fois, je suis désolé. J'imagine qu'il vous a donné du fil à retordre. Il ne cache pas qu'il convoitait votre poste. À présent, il n'en a plus aucun.

— Comment ?

Je suis stupéfaite.

— Je l'ai supporté longtemps, probablement trop, mais il était avec moi quand j'ai lancé Innovative, et il est resté alors même que je n'ai pas pu le payer plusieurs mois d'affilée. (Il fronce les sourcils, puis arrache un fil qui dépasse d'une couture de sa veste, le dépose sur la petite table entre nous et poursuit sur sa lancée.) J'ai toujours pensé qu'il avait à cœur l'intérêt de la boîte, mais ce matin j'ai appris que c'était une petite merde sournoise.

— Ah ?

Je ne sais pas quoi répondre ; comme rien ne me paraît convenir, j'attends.

— Damien a passé quelques petits coups de fil quand je lui ai raconté ce qui s'était passé hier, et il a eu confirmation que Tanner est celui qui a tuyauté la presse sur votre arrivée à Innovative. C'est déjà assez grave de vous obliger à supporter cette épreuve, mais en plus il est à l'origine de cette histoire d'espionnage industriel.

— Oh, non… je murmure. Quel imbécile !

— Oui, vraiment, renchérit Bruce. Et maintenant, c'est un imbécile au chômage. Ne reprochez pas à Damien de s'en être mêlé.

– Je ne lui reprocherai rien.

Tout ce que Damien a fait a été de découvrir la vérité. Bruce a raison, Tanner a bousillé Innovative, et m'a grillée par la même occasion. Et Damien nous a protégés tous les deux. L'étau glacé qui m'enserrait le cœur commence à se relâcher.

– Tanner semblait penser que vous m'aviez donné le poste pour faire plaisir à votre épouse, dis-je sans réfléchir.

Bruce me jette un regard aigu, et je ne peux m'empêcher de me demander dans quel nouveau pétrin je viens de me fourrer.

– Ah bon ? fait-il. C'est étrange.

– C'est ce que j'ai pensé. Qu'a-t-il voulu dire ?

Bruce fait la grimace.

– Aucune idée, répond-il en évitant mon regard.

– Oh ! eh bien, Tanner faisait probablement son Tanner…

– Ce doit être cela. (Il se lève.) Nous devrions retrouver les autres. Je crois que le reste des invités commence à affluer.

Il a raison. Pendant notre conversation, un flot régulier de gens a commencé à envahir la maison. J'en reconnais quelques-uns, d'une soirée du même genre qu'Evelyn a donnée quelques semaines plus tôt. Il y a même un photographe de presse crédité par Damien, qui mitraille pour une probable double page dans l'édition du dimanche.

Je trouve Jamie en grande conversation avec Rip Carrington et Lyle Tarpin, deux stars de sitcom qu'Evelyn a dû inviter. Comme Jamie est en admiration devant eux, je sais que, quoi qu'il arrive, cette soirée restera au sommet de son palmarès.

Et dans le mien ? Elle ne finira pas si haut. Bruce a apaisé ma gêne, mais je suis toujours irritée que Giselle connaisse mon secret. Je suis troublée, et interloquée par l'étrange commentaire de Tanner, et plus encore par l'étrange réaction de Bruce.

Ce dernier a disparu dans la foule, mais je suis restée près de la cheminée. Je me penche, ramasse le fil posé sur la table basse et le tortille entre mes doigts, tout en regardant cette pièce jusque-là chaleureuse et familière, qui est devenue un endroit froid et lisse où je ne me sens pas très à l'aise, surtout sans la présence de Damien.

Je le cherche dans la foule, mais ne vois que des inconnus. À présent, le troisième étage est plein de personnes resplendissantes. Toutes semblent si lisses et si impeccables que je me demande si certaines se sentent intérieurement aussi à vif que moi en ce moment. Je ne cesse de triturer le fil qui gigote comme un serpent entre mes doigts. Il m'occupe les mains, pourtant ce n'est pas pour ça que je l'ai ramassé. Je devrais le reposer sur la table et m'en aller, mais je ne bouge pas. Si je l'ai ramassé sur le plateau laqué blanc de la table, ce n'est pas sans raison.

Lentement, méthodiquement, j'enroule le fil autour du bout de mon doigt. Je le serre, et la peau blanchit immédiatement, tandis que ma phalange devient rouge puis violacée. À chaque tour, la douleur augmente. Et à chaque tour, je me ressaisis un peu plus.

Je suis comme une poupée mécanique, à qui chaque tour de clé donne conscience de sa douleur et d'elle-même. Je vais continuer de l'enrouler autant que je le supporterai, et quand le fil sera sur point de se casser, j'arrêterai et laisserai Nikki la jolie fêtarde entrer en scène, et se promener parmi les invités en souriant et en riant, concentrée sur cet unique point rouge sombre de douleur qui lui permettra de trouver son chemin.

Non. Bon sang, non !

J'interromps mon mouvement si brusquement que je trébuche et renverse la petite table. Un jeune homme en blouson violet qui se trouve non loin de là s'avance comme pour m'aider, mais je me détourne en me cramponnant au fil, trop bouleversée pour le dérouler calmement. Je tire dessus, le cœur battant à tout rompre, et quand il quitte enfin mon doigt pour tomber à terre, je m'en éloigne comme d'un scorpion venimeux prêt à frapper.

Je passe devant le type en violet et m'appuie contre le manteau de la cheminée. Les pierres s'enfoncent durement dans mon dos, mais je m'en fiche, j'ai besoin d'un soutien. Tant que je n'aurai pas retrouvé Damien, il faudra bien que je me contente du mur.

— Vous vous sentez bien ? demande le type en violet.

— Oui, ça va.

Un mensonge…

Il reste à côté de moi, mais je ne fais presque pas attention à lui. Je continue de chercher Damien du regard, et le soulagement qui me submerge quand je le repère est tel que je dois me cramponner. Il est sur le côté, à l'écart du gros de la foule, près du couloir menant aux chambres, avec son avocat Charles Maynard qui a l'air épuisé.

Comme Damien me tourne le dos, je ne peux voir son expression. Une main dans sa poche, il tient un verre de vin dans l'autre. Une attitude nonchalante, mais je perçois la tension dans ses épaules et me demande s'il pense à moi autant que moi à lui en cet instant.

Damien.

Comme s'il avait entendu ma pensée, il se tourne et son regard se pose immédiatement sur moi. Je vois tout sur son visage. Inquiétude. Passion. Désir. Je crois qu'il a fait l'effort de me laisser en paix. Mais je ne veux plus de cette séparation et je m'avance vers lui.

Je vois Maynard le prendre par l'épaule et lui dire en haussant la voix :

— … coutez pas. C'est de l'Allemagne que nous…

Damien se retourne vers son avocat et je m'immobilise, comme si le lien entre nous avait été rompu. Je songe à poursuivre mon chemin, mais je me ravise. Après tout, puisque c'est moi qui suis fâchée contre lui, pourquoi me précipiter pour le retrouver ?

Je baisse les yeux vers mon index. Les traces du fil sont encore visibles, et l'extrémité encore un peu violacée. Cette douleur a comblé un besoin. Elle m'a permis de me ressaisir et de balayer ma colère, ma peur et mon humiliation. Elle m'a donné force et concentration, et je me demande à nouveau si c'est aussi ce que m'apporte Damien. Constitue-t-il une nouvelle sorte de douleur ?

L'idée me donne le frisson, et je veux à tout prix la chasser de mon esprit. Une serveuse passe devant moi, je lui fais signe d'approcher. Là, j'ai besoin d'un verre.

Je l'ai vidé et je viens d'en prendre un autre, quand Jamie surgit.

— Ce qu'ils sont drôles, ces deux-là ! Ils m'ont dit ce qui allait se passer dans l'épisode de la semaine prochaine. (Elle me prend par le coude.) Si tu oublies de me rappeler de programmer l'enregistrement, jamais je ne te pardonnerai.

– Ce serait mérité.

– Tu fais des photos, hein ? Je veux les publier sur Facebook. Pardon, ajoute-t-elle aussitôt. Je sais que tu évites les réseaux sociaux.

C'est vrai. Je n'ai jamais beaucoup utilisé Facebook, mais quand toutes les rumeurs et spéculations sur Damien et moi ont éclaté, j'ai supprimé les applications des réseaux sociaux sur mon téléphone. Et je fais ce que je peux pour éviter tout ce qui s'apparente à un tabloïd. Quant aux photos que les paparazzi prennent de nous, je fais confiance à Jamie pour les dénicher et les découper pour me les envoyer par mail… sans le texte d'accompagnement.

– Ce n'est pas grave. Oui, j'en ai pris quelques-unes, dis-je en mentant.

– Ça va ? demande t elle d'un air soupçonneux.

Je m'apprête à lui faire mon plus beau sourire pour affirmer que ça va, évidemment. Pourquoi en serait-il autrement ? Mais c'est Jamie en face de moi, et même si je le pouvais, je ne voudrais pas lui mentir.

– La soirée a été étrange, j'admets.

– Tu veux qu'on en parle ?

– Sûrement pas.

– Où est ton amoureux ? Ou bien c'est ça, le sujet tabou ?

– Il joue les maîtres de maison.

Je le cherche du regard, et vois qu'il n'est plus avec Charles mais entouré d'un petit groupe d'invités.

– Alors, c'est qui ? demande Jamie en indiquant le groupe du menton.

Je vois que les gens se sont écartés, révélant une femme svelte et brune au côté de Damien. Je me crispe désagréablement.

– Giselle. La propriétaire de la galerie qui vend les œuvres de Blaine.

– Ah ! et comme elle joue les maîtresses de maison, pas étonnant que tu sois d'une humeur de chien.

– Je ne suis pas d'une humeur de chien.

En réalité, si. Bien que je me rende compte maintenant seulement que Giselle tient le rôle de maîtresse de maison, c'est à présent tout en haut de ma liste d'offenses et d'agacements.

Super, Jamie. Merci bien.

– Je sais comment soigner ton humeur de pas chien, me rassure-t-elle en me tirant par le bras. Rip et Lyle sont vraiment drôles. Tu vas les adorer. Et si ce n'est pas le cas, fais au moins semblant, OK ?

Je la toise d'un air furieux, car elle sait pertinemment que s'il y a bien une chose dont je suis capable, c'est de faire bonne figure dans une soirée.

Je ne prends pas la peine de lui rappeler que j'ai déjà été présentée à Rip et Lyle et n'ai rien compris à ce qu'ils racontaient, puisqu'ils ne parlent que de Hollywood. Cette fois, cependant, je les vois au travers du regard de Jamie, et elle a raison : ils sont vraiment amusants.

Armée de mon plus beau masque de fêtarde, je suis Jamie de groupe en groupe. Souriante et enjouée, je n'ai aucun mal à me glisser dans les conversations, à sortir mon Leica et à demander aux gens de sourire, de rire ou de se rapprocher les uns des autres.

Comme c'est facile de reprendre les anciennes habitudes ! De me remémorer les instructions de ma mère. « Une dame se maîtrise toujours. Il ne faut jamais montrer que tu as été blessée. Sinon, tout le monde connaît tes faiblesses. »

Ma mère était glaciale et calculatrice, mais je me raccroche à ses conseils. Autant j'ai tourné le dos à l'époque où je vivais chez elle et où je courais les concours de beauté, autant je ne peux nier qu'il est réconfortant de se réfugier dans ce qui m'est familier. Car ma mère a raison. On ne peut pas vous faire de mal quand on ne vous voit pas. Et pour l'instant, tout ce que je suis disposée à montrer, c'est un masque.

Cependant, tandis que je vais d'invité en invité, je sens le regard de Damien sur moi. Qui m'observe. Me brûle. Me rend consciente de chaque infime mouvement. Le frôlement de ma robe sur ma peau. Le contact de mes chaussures sur la plante de mes pieds.

Il est dépité, peut-être même fâché contre moi, mais son désir n'en demeure pas moins palpable. Tout comme le mien, d'ailleurs. Mes peurs et mes frustrations peuvent attendre. Pour l'instant, tout ce que je désire, c'est Damien.

Je décide d'aller les retrouver tous auprès de la toile, quand Evelyn arrive près de moi.

– Je ne sais pas si c'est Damien ou Giselle à qui je dois tordre le cou pour n'avoir offert que du vin et du champagne, me dit-elle. Allez, la Texane, tu dois savoir où est la réserve secrète ?

– Il se trouve que oui.

Ce n'est peut-être pas très élégant d'entraîner Evelyn dans la cuisine, mais à dire vrai un petit bourbon ne me ferait pas de mal non plus.

Nous contournons les extras qui s'affairent là à préparer verres et plateaux de canapés, et nous nous réfugions à la table du petit déjeuner.

– Allez, crache, la Texane ! ordonne-t-elle dès que nous sommes assises et que je nous ai servi un verre. Qu'est-ce qui te tracasse ?

– Je perds la main, dis-je, dépitée. Avant, je savais mieux cacher mes états d'âme.

– Ou bien c'est d'avoir mis un masque souriant qui t'a trahie. (Je réfléchis à cette dernière remarque, et je juge qu'en plus de tout le reste, Evelyn est décidément une femme très sage.) Allez, raconte tout à Tatie Evelyn.

– À toi ? souris-je. Il me semble me rappeler que je voulais que toi, tu me dises quelque chose.

– Mais non, dit-elle en vidant son verre d'un trait et en me le présentant pour que je le remplisse à nouveau. C'étaient des paroles en l'air. Ne m'écoute pas.

– J'écoute, au contraire. Et je ne te crois pas. Qu'est-ce qui se trame, dont je ne suis pas au courant ?

Elle fait une moue exaspérée.

– Je déteste quand je vois arriver une catastrophe et que je ne peux rien pour l'éviter.

– Carl ?

– Carl peut aller se faire foutre, balaie-t-elle d'un geste. Non, Damien a réussi à garder ses affaires privées pendant presque vingt ans. Mais plus pour longtemps, et je ne crois pas qu'il s'en rende compte.

– Il n'y a pas grand-chose qui lui échappe, dis-je parce que c'est vrai et parce que je lui suis loyale. Mais de quoi tu me parles ? Il a déjà géré les dégâts du scandale Padgett. Alors qu'est-ce que... (Soudain, je comprends ce dont il s'agit.) Le centre de tennis.

– Qu'est-ce qu'il t'a raconté ?

– À peu près ce qu'il a déclaré à la presse. Que Richter était une ordure et qu'il n'ira pas à l'inauguration.

Il ne m'a pas dit pourquoi, j'ajoute sans la quitter des yeux. Mais j'ai des soupçons.

— As-tu dit à Damien ce que tu crois ?

— Oui. Mais il ne m'a pas dit si j'avais vu juste.

Je guette tout changement d'expression sur le visage d'Evelyn. Je sais qu'elle représentait Damien à l'époque, avant et après le décès de Richter. Si quelqu'un sait si Richter a abusé de Damien quand il était gosse, c'est bien elle.

Elle reste de marbre.

— Mais il ne t'a pas détrompée, n'est-ce pas ? (Elle n'attend pas que je lui réponde et plonge son regard dans le mien.) Il est vraiment fou amoureux de toi, la Texane, et je ne pourrais pas être plus heureuse pour vous deux. Je ne crois pas avoir jamais vu ce garçon d'aussi bonne humeur. Mais, bon sang ! j'aimerais tellement qu'il pointe son nez à l'inauguration. Je pourrais lui flanquer des coups de pieds au cul pour s'être donné en spectacle hier soir. Il mérite mieux que d'avoir toute la presse à ses basques.

— C'est vraiment si important que ça ? (Je ne comprends pas pourquoi le communiqué de presse de Damien était une si mauvaise idée pour son père et Evelyn.) Peut-être n'était-ce pas du meilleur goût d'informer le monde entier qu'il n'aimait pas Richter, mais il se contente de ne pas aller à une cérémonie, rien de plus. À voir comment on le traque, on pourrait croire qu'il a décliné une invitation de la reine après l'avoir insultée.

— Je dis simplement que, parfois, il faut jouer le jeu pour éviter les drames. Et maintenant, je crains que la tempête ne nous arrive dessus.

— Quelle tempête ?

Je suis interloquée.

– Demande à Damien. Moi, j'espère me tromper, mais je parie que j'ai raison.

J'ai envie de répondre que je vais lui parler et essayer de le convaincre de retirer sa déclaration et d'assister à la cérémonie. Mais ce n'est pas vrai. Jamais je ne lui demanderai de changer d'avis. La mémoire de Richter ne mérite pas le moindre soutien de la part de Damien, et si une catastrophe s'abat sur lui, je serai à ses côtés pour l'aider à se battre.

– Mais ce n'est pas ce qui te soucie ce soir ! lance Evelyn après avoir vidé son verre. Allez, la Texane… Je vous ai observés tous les deux, et la plupart du temps vous n'étiez pas ensemble.

Je plaque sur mon visage un sourire de commande, mais je sais qu'il doit lui paraître aussi faux qu'à moi.

– En ce qui concerne cette soirée, je ne suis qu'une invitée. Ce sont Damien et Giselle qui reçoivent.

– Mmm-mmm…

Elle se renverse sur sa chaise, puis elle pousse du bout du doigt le verre à whiskey vers moi. Je le remplis encore. Je remplirais bien le mien aussi, mais, vu le regard d'Evelyn, je crois que je vais avoir besoin de garder l'esprit clair.

Sans prêter attention à son verre, elle se penche en avant, appuyée sur les coudes, et me fixe jusqu'à me mettre mal à l'aise.

– Qu'est-ce qu'il y a ? je finis par demander.

– Rien du tout. Juste que j'aurais juré que tu avais les yeux bleus, pas verts.

– Je suis un peu déconcertée par Giselle. Partout où je me trouve, il est question d'elle, ces derniers temps, et ça me ronge. (Je suis stupéfaite que les mots sortent aussi facilement. Je suis bien plus à l'aise derrière le masque que je porte habituellement, sauf avec Damien, Jamie et Ollie. Avec Evelyn, en revanche, c'est beaucoup trop facile de bavarder, et je me surprends à révéler des choses que je dissimulerais habituellement. Cela devrait sans doute me mettre mal à l'aise en sa présence, me faire craindre qu'un jour elle en voie trop. Mais ce n'est pas le cas, et j'en suis heureuse.) Damien ne m'a pas dit qu'il avait aidé Giselle à rapporter les tableaux, je continue. Et je sais que ce n'est pas une raison pour être jalouse. Mais…

— Mais là, tout de suite, c'est elle qui est à son côté et pas toi ?

— Peut-être. Mais ce n'est pas très bienvenu de ma part de lui en vouloir, puisque je serais auprès de lui si je ne n'étais pas partie fâchée. Damien ne veut pas me forcer.

— Ah, une querelle d'amoureux… Ce n'est pas grave, la Texane. Le drame monte toujours d'un cran au deuxième acte. Quelle horreur a-t-il commise pour t'infliger des bleus au cœur comme ça ?

Ses paroles résonnent en moi, car c'est exactement ce qu'il m'a fait, des bleus au cœur.

— Il a dit à Giselle que ce tableau était mon portrait. Et elle l'a répété à Bruce.

— Je vois.

Quelque chose dans l'intonation d'Evelyn me met la puce à l'oreille.

— Quoi ? Tu penses que j'aurais dû laisser passer ? Je me suis répété que ce n'était pas important, peut-être d'ailleurs que ça ne l'est pas. Mais Damien…

— … N'a pas tenu parole. Oui, bien sûr que cela ne peut que te contrarier. Je serais furieuse, moi aussi. Mais dans le cas présent, je crois qu'il faut que tu lui pardonnes.

Je ne peux retenir un demi-sourire ironique.

– Je le ferai. Je ne peux, honnêtement, imaginer rester fâchée contre Damien. Mais pas tout de suite. Je me sens un peu fragile.

– Tu dois lui pardonner, poursuit-elle, comme si elle ne m'avait pas entendue, parce que ce n'est pas lui qui n'a pas tenu parole. C'est Blaine.

– Quoi ?

Je me répète mentalement ses paroles, mais je ne comprends toujours pas.

– C'est Blaine qui l'a dit à Giselle, dit Evelyn sans plus d'émotion. Il ne l'a pas fait exprès. Après, il était atterré. Ils parlaient d'autorisations d'exposition pour les modèles à la galerie, et la conversation est venue sur le portrait. Il ne se rappelle même pas ce qu'il a dit exactement. Tu sais comment il est, quand il commence à bavarder. Sans même s'en rendre compte, c'est sorti. Il m'a tout raconté quand il est rentré à la maison. Il n'en a pas dormi de la nuit, et il a fallu que j'insiste pour qu'il n'appelle pas Damien sur-le-champ, mais il était 2 heures du matin et je lui ai dit que cela pouvait attendre. Le pauvre s'est rendu malade jusqu'à ce qu'il ait Damien au téléphone à 5 heures !

– C'était quand ? je demande, stupéfaite.

– Il y a quatre jours.

– Mais… j'ai demandé à Damien si c'était lui qui l'avait dit à Giselle, et il m'a répondu que oui. Il mentait pour protéger Blaine ? Pourquoi ?

– Ma chérie, ce n'est pas à cause de Damien que Blaine s'est rendu malade, mais pour toi. À cause d'une gaffe, il t'a fait du mal et il tenait vraiment à te le dire.

Il a demandé à Damien quelle serait la meilleure façon de te l'annoncer, et Damien lui a dit de n'en rien faire. Qu'il parlerait à Giselle et veillerait à ce qu'elle n'aille pas plus loin, et que, si nécessaire, il en endosserait la responsabilité.

— Mais pourquoi ?

— Tu as déjà répondu à la question, la Texane.

Je ne comprends toujours pas. Puis, soudain, je me remémore mes propres paroles. *Je ne peux honnêtement pas imaginer rester fâchée contre Damien.*

— Il protège Blaine, dis-je, plus pour moi-même que pour Evelyn, afin que ça ne compromette pas notre amitié.

Je porte brusquement une main à mes lèvres en retenant mes larmes.

— Tu veux que je prévienne Blaine que tu es au courant ?

— Non, non ! Je ne veux pas qu'il craigne que cela me tracasse ou que je suis fâchée contre lui. Je lui en parlerai peut-être un jour, mais pas maintenant.

— Je ne savais pas trop si je devais garder le secret ou non, me confie-t-elle. Mais je suis contente de ne pas l'avoir fait.

— Moi aussi.

— En toute franchise, j'étais carrément surprise de voir Giselle ici. Blaine lui a bien dit qu'il n'avait pas fait exprès de lui révéler l'identité de son modèle. Elle devait pourtant savoir que sa venue t'embarrasserait et mettrait Damien hors de lui. Difficile de croire qu'elle se donne autant de mal pour énerver son meilleur client.

— Tu m'étonnes !

Je viens enfin de comprendre ce que voulait dire Tanner. Pour lui, Damien est le meilleur client de

Giselle : il est donc logique que Bruce m'ait engagée pour faire plaisir à sa femme. Pour que le meilleur client de sa femme soit content, et que la galerie continue de gagner de l'argent.

— Peut-être que je me suis trompée, réfléchit Evelyn. Peut-être que ce n'est pas Giselle qui est jalouse.

— De moi ? Pourquoi ?

— Tu es avec Damien. Et pas elle. Enfin, plus elle.

C'est la soirée des révélations.

— Damien et Giselle sont sortis ensemble ?

— Il y a des années de ça. Ils sont restés ensemble pendant quelques mois, avant que Bruce et elle se marient. C'est une histoire intéressante, d'ailleurs.

— Damien et Giselle ?

Je ne suis pas sûre de vouloir entendre cette histoire.

— Giselle et Bruce, corrige Evelyn. Mais ce sera pour une autre fois. (Elle vide son verre et le repose bruyamment.) Prête à retourner dans la cohue ?

— Non, dis-je tout en me levant.

Car ce ne sont pas tous ces gens que je veux, à cet instant. C'est Damien.

Chapitre 14

Je laisse passer un peu de temps après le départ d'Evelyn puis fais rapidement le tour de la soirée. Quelques personnes me sourient ou me saluent d'un signe de tête, s'écartant comme pour m'inviter dans leur conversation. Mais je passe outre. Je n'ai de temps pour personne hormis Damien, et je fends la foule armée d'une singulière détermination.

Quand je l'aperçois enfin, je m'arrête net. Au centre d'un petit groupe, il écoute parler une grosse dame brune frisottée, et se retourne comme s'il sentait mon regard. Les convives ne sont plus pour moi que des taches de couleur floucs, et la conversation à peine plus qu'un bourdonnement. Il n'y a plus que nous deux dans cette pièce et je reste hypnotisée, parcourue de fourmillements, la bouche sèche. Comme si cet homme m'avait ensorcelée et que je l'acceptais de mon plein gré.

Je veux savourer la chaleur qui nous enivre. J'ai eu si froid aujourd'hui, je me sens battue par des vents âpres et des marées glacées. Je veux rester ici, perdue dans le temps. Perdue en Damien.

Mais je ne peux pas. Comme il y a des choses que je dois faire et dire, je me force à bouger. Un seul pas en avant, et le monde qui m'entoure se ranime – les gens, les couples qui bavardent, les verres qui tintent. Mais mes yeux n'ont pas quitté le visage de Damien, et dans mon sourire il y a une excuse, un pardon. Et une invite.

Puis, le cœur tambourinant dans ma poitrine, je fais volte-face et m'éloigne.

Au prix d'un effort surhumain, je parviens à ne pas regarder derrière moi. Je retourne dans la cuisine, puis j'emprunte le petit couloir menant à l'ascenseur de service et descends dans la bibliothèque, à l'étage du dessous qui n'a pas été ouvert aux invités. C'est l'espace privé de Damien, et, bien que je me sente mal à l'aise, je sais que c'est là ma place aussi. Je sors de l'ascenseur en souriant pour entrer dans la petite alcôve qui abrite le bureau et l'ordinateur. L'endroit est invisible pour quiconque monte l'escalier, et je n'y vois pas non plus ces lumières étincelantes et magiques. Et des étincelles de magie, c'est précisément ce dont j'ai besoin à cette heure.

Je longe les rayonnages faiblement éclairés jusqu'à la mezzanine ouverte. Sous cet angle, les lumières clignotant sur la balustrade font leur effet. Avec mon Leica, je cadre au plus serré, pour ne garder que des points diffus frangés d'un prisme de couleurs éclatantes. Je prends cliché sur cliché, et bientôt me perds dans le monde que je capture dans mon objectif. Les lignes parfaites de cette maison que j'adore… La couverture usée d'un roman de Philip K. Dick que Damien a laissé sur une table, et même les invités du cocktail ; du moins le peu que j'en vois, car ils semblent flotter au-dessus de moi. De là où je suis, je ne distingue pas les paroles.

Et je ne vois que les têtes et les épaules des rares qui s'approchent de la rambarde.

Je ne peux pas non plus voir mon portrait, et pour le moment j'en suis heureuse. Je suis soulagée que Damien n'ait pas trahi ma confiance, mais je me sens encore exposée, à vif.

Soudain, je sais qu'il est derrière moi avant même qu'il me parle. Peut-être ai-je inconsciemment entendu ses pas. Ou senti le parfum de son eau de toilette ? Sans doute sommes-nous tellement en accord l'un avec l'autre, simplement, qu'il nous est impossible d'être proches sans que mon corps réclame le contact de sa main.

— J'espère que cela signifie que tu n'es plus fâchée contre moi, dit-il.

Adossée à la balustrade, je lui tourne le dos. Un sourire se dessine sur mes lèvres.

— Je devrais ?

J'entends le bruissement de ses vêtements. Il est là, juste derrière moi, et l'atmosphère se fait plus dense.

— Je suis vraiment désolé, dit-il. Je ne voulais pas que Giselle soit au courant. Et je ne pensais pas qu'elle le dirait à Bruce.

Je ferme les yeux en pensant à Blaine et au secret que Damien a gardé.

— Vous êtes un homme d'une exceptionnelle bonté, Damien Stark, dis-je.

Il reste immobile derrière moi.

— Non, pas du tout. Mais de temps en temps, je fais une bonne action. (Il glisse une main sur mon épaule nue et je retiens mon souffle.) Evelyn t'a tout dit ?

— Oui.

Il entend sûrement le désir dans ma voix. Ses mains se referment autour de ma taille et il m'attire contre lui pour enfouir ses lèvres dans ma chevelure.

— J'aurais préféré qu'elle ne le fasse pas. Je ne voulais pas que tu te fâches contre Blaine.

— Je ne lui en veux pas. Ç'aurait peut-être été le cas si j'avais su dès le début que c'était lui, mais tu as évité cela. (Je me retourne et relève la tête.) Je viens de te le dire, tu es plein de bonté.

— Je suis tout de même désolé. Et je le suis encore plus que Giselle soit venue tout au début de la soirée. Elle n'y était pas invitée, et je sais que cela t'a embarrassée.

— Je m'en remettrai, dis-je. (Puis, pensant qu'Evelyn a peut-être vu clair dans les motivations de Giselle, j'ajoute…) Pourquoi ne m'as-tu jamais dit que vous étiez sortis ensemble ?

— Tu ne me l'as jamais demandé, répond-il, manifestement stupéfait de la question.

— Tu savais que je m'interrogeais, dis-je. Cette nuit-là. La première. (Il réfléchit un instant, puis ses lèvres s'incurvent comme si ma question l'amusait.) Bon sang, Damien ! dis-je en lui donnant une petite tape sur le bras.

— Giselle et moi sommes sortis ensemble quelquefois, mais c'était bien avant qu'elle et Bruce se marient. Et si je me rappelle bien, au moment où il a été question de Giselle, je m'employais à te séduire. Je n'ai pas estimé que te faire la liste de mes anciennes conquêtes convenait à l'atmosphère que j'essayais d'instaurer.

Je suis forcée de sourire. Le souvenir de cette escapade dans la limousine de Damien est plus que délicieux.

– Par la suite, ajoute Damien, le sujet ne s'est jamais représenté. Et il n'y avait aucune raison. Une seule femme m'intéresse, dit-il avec une telle ferveur que je me sens toute chose. Ça va mieux ? demande-t-il en me relevant le menton.

– Oui. (Je m'en veux plus que je ne lui en veux.) Je n'aime pas jouer les harpies jalouses, dis-je. Mais brusquement, il n'y avait plus que Giselle. Le tableau, le retour de Palm Springs, ce que Tanner a dit, et puis, finalement, découvrir que vous étiez sortis ensemble.

– J'ignore ce que Tanner a dit, et le rapport que tout cela a avec Palm Springs… mais je t'assure qu'en ce qui concerne le tableau, Giselle m'a réitéré sa promesse de ne dire à personne que tu en étais le modèle. Elle est parfois étourdie, mais elle tient parole.

– Tu lui as parlé ce soir ?

– Oui.

– Ah ! je suis contente de l'apprendre. Et je ne crois pas non plus que Bruce en parlera à quiconque.

– Veux-tu que je lui parle ? Je ne lui ai encore rien dit.

– Non, je lui fais confiance.

– Et ce Tanner ?

Alors je lui explique que Tanner était convaincu que j'avais été engagée pour faire plaisir à Giselle, et je vois la colère flamboyer dans le regard de Damien.

– Il a déjà été viré, Dieu merci. Mais ne va rien faire de plus.

– Qu'est-ce que je ferais ?

– Oh, je n'en sais rien, dis-je en pensant à mon ancien petit ami Kurt. Lâcher les yakusas. Louer un satellite de défense pour le pulvériser au laser depuis l'espace. Franchement, qu'est-ce que tu ne serais pas capable de faire ?

— J'aime assez l'idée du rayon laser.

— Promets-moi.

— Je promets. Il n'est plus ni chez Innovative, ni près de toi. Chapitre clos.

— Très bien, dis-je, même si l'évocation de Tanner vaporisé au laser ne me bouleverserait guère.

— Et Palm Springs ? demande-t-il. J'ai toujours trouvé que c'était un endroit tout à fait idéal pour se détendre. Je voudrais bien savoir comment un endroit aussi agréable a pu arriver sur ta liste d'indices suspects.

— Tu te moques de moi ?

— Juste un peu.

— Tu aurais pu me dire que tu avais ramené Giselle en limousine.

— Oh, fait-il en hochant solennellement la tête. Oui, je vois ce que tu veux dire. J'aurais dû. Je l'aurais fait volontiers... si je l'avais ramenée en limousine.

Il se moque de moi, évidemment, mais je m'en moque, parce que je suis surprise par ses dénégations.

— Mais tu es revenu en limousine. J'ai pensé que c'était parce que tu les ramenais, elle et les tableaux. Mais si ce n'était pas le cas, pourquoi tu n'es pas revenu en hélicoptère ? Ce n'était pas ce que tu avais prévu ?

— Si. Mais mes réunions se sont terminées plus tôt que prévu, et comme tu l'as si souvent fait remarquer, j'ai un univers à gouverner. Il est difficile de diriger ses affaires depuis un hélicoptère. Le bruit empêche de dicter, et j'ai remarqué que les clients étrangers se froissent quand ils croient que je leur crie après. Sans compter qu'il est beaucoup plus facile de s'arrêter comme on veut dans un véhicule terrestre et que, voyant que j'avais du temps, j'ai fait étape à Fullerton et à Pasadena.

– Et où voulez-vous en venir, monsieur Stark ? je demande en croisant les bras.

– À ceci : quand je me suis rendu compte que mon emploi du temps allait se libérer, j'ai appelé mon bureau pour qu'on m'envoie la limousine. Mon assistante m'a dit que Giselle avait téléphoné, espérant que je pourrais lui proposer une entreprise de transport à Palm Springs qui puisse livrer les tableaux pour l'exposition chez moi. Apparemment, elle avait décidé d'en prendre plus qu'elle ne pouvait en charger dans sa voiture.

– Et comme tu étais là, tu as proposé de les rapporter toi-même.

– Les tableaux, acquiesce-t-il. Pas la femme. Comme tu l'as souligné, je suis parfois d'une grande bonté.

– Oui, cela t'arrive, dis-je en riant.

– La prochaine fois que tu veux savoir si je transporte une autre femme dans ma limousine, je te suggère de décrocher ton téléphone et de me le demander.

– D'accord. Je suis vraiment désolée. Je ne savais plus à quel saint me vouer.

Je secoue la tête, exaspérée par mon propre comportement.

– C'est pareil pour moi.

Je repense à l'orage dans ses yeux, aux problèmes judiciaires qui couvent…

– Tu veux bien me dire pourquoi ? je demande doucement.

Il me regarde si longtemps que je crains qu'il ne réponde pas.

– Je ne veux pas que cela s'arrête entre nous.

– Oh ! (Ce n'est pas la réponse que j'attendais, mais

je ne peux nier que le soulagement me submerge.) Moi non plus.

– Vraiment ? chuchote-t-il

Il me dévisage, et je lis dans ses yeux la même vulnérabilité mélancolique qu'hier au soir.

– Damien, voyons, bien sûr que non ! (Je reprends mon souffle, cherchant comment lui exprimer ce que je ressens.) Tout semble aller de travers, ce soir, comme si rien n'était comme cela doit être. Même cette maison. J'ai tellement l'habitude de venir ici. De prendre la pose sur le balcon pour Blaine, en sachant que tu nous regardes et qu'après son départ il ne restera plus que toi et moi sur ce lit. (Je lui adresse un sourire ému.) J'ai été touchée que tu me l'offres, mais cela avait des airs de cadeau d'adieu. Comme si nous fermions une porte.

– Ce n'était qu'un cadeau, pour que tu l'aies, que tu t'y étendes et que tu penses à nous. Mais ce soir, c'est moi qui ai cru que tu voulais fermer cette porte. Qu'est-ce que tu m'as dit ? Plus de règles, on ne joue plus ?

– J'étais en colère.

– Je ne supporte pas l'idée de t'avoir fait de la peine ou de t'avoir fâchée.

– Tu n'as rien fait de tel. Pas à proprement parler.

– Ah bon ? je me demande…

Il fronce les sourcils et me scrute, sans que je sache ce qu'il cherche sur mon visage.

– Damien ?

– Je t'ai observée ce soir. (Il mesure ses paroles. Je ne réponds pas, je reste là, sans trop savoir où il veut en venir.) Je n'ai pas pu m'en empêcher, continue-t-il. Quand tu es quelque part, je n'ai d'autre choix que de te regarder. Tu m'attires. Tu m'ensorcelles. Et je me laisse faire de mon plein gré. (Un sourire éclaire son regard, sans parvenir toutefois à masquer l'inquiétude que j'y lis.) Je t'ai observée avec Jamie. Je t'ai vue discuter avec Bruce, j'ai entendu ton rire quand tu bavardais avec ces deux stars de télé grotesques. J'ai vu combien tu étais peinée quand tu t'es éclipsée avec Evelyn. Chacun de tes sourires, chacune de tes moues, chacun de tes rires et chaque peine étaient pour moi comme autant de blessures, Nikki, parce que ce n'était pas avec moi que tu les partageais. (Je serre les dents sans répondre.) Mais c'est ça qui m'a blessé le plus, poursuit-il en s'emparant de ma main gauche.

Je cligne des paupières. Une larme solitaire s'échappe et roule lentement sur ma joue.

– Tu m'as vue ?

Mon doigt a repris sa couleur normale, et il ne reste plus de marque. Malgré tout, j'ai encore le souvenir cuisant de la douleur. Une douleur que Damien apaise en cet instant d'un délicat baiser.

– Tu veux bien me dire pourquoi ?

J'ai envie de baisser la tête, mais je me force à le regarder en face. Avec Damien, je ne me sens ni faible ni brisée. Mais j'ai honte, car il m'a demandé de venir à lui si le besoin de souffrir encore me prenait. Et c'est la seconde fois que je ne tiens pas ma promesse. Contrairement à mes cheveux, mon doigt, au moins, a survécu à ma violence.

– Je te l'ai dit. Ma journée a été un enfer.

– Très bien. Alors, raconte-moi tout.

Son ton détaché m'apaise.

– Cette soirée… Voir Giselle jouer les maîtresses de maison, au milieu de meubles inconnus. (Maintenant que je formule tout cela, je me rends compte que c'est aussi ce qui m'a troublée.) Je ne reconnais même pas le troisième étage. Cette pièce, cette maison ont été les nôtres pendant si longtemps. Mais ce soir, elles ne sont pas à nous.

Et je n'ai pas été à toi.

Je ne prononce pas cette dernière phrase à voix haute, je la garde pour moi. Je me contente de hausser les épaules, un peu gênée, car je viens de confier tant de choses. Je me sens vulnérable et fragile ; je n'aime pas cela. J'attends donc de lui une parole qui me calme.

Il lui faut un moment pour répondre, et il me surprend.

– Viens avec moi, me susurre-t-il, un sourire énigmatique aux lèvres.

Il me prend la main et m'entraîne jusqu'à un coin de lecture. L'endroit le plus discret de la mezzanine, dont il est impossible de voir le troisième étage. Il y fait sombre, car seules les lumières de la balustrade l'éclairent.

– Que fais-tu ? je lui demande quand il m'attire vers le mur et appuie sur un interrupteur.

Immédiatement, la vitrine devant nous s'éclaire d'une douce lumière. Elle ne recèle que deux objets, malle aux trésors qui n'en contiendrait que deux. Des exemplaires élimés de deux livres de Ray Bradbury, *Fahrenheit 451* et *Les Chroniques martiennes*. Je suis un peu perplexe, mais je ne doute pas que Damien ait une bonne raison pour agir ainsi.

– Bradbury est l'un de mes écrivains préférés, commence-t-il.

– Je sais.

Il m'a déjà raconté qu'il adorait la science-fiction quand il était gosse. D'une certaine manière, c'était son arme contre son père, son entraîneur et sa vie. Je comprends : comment ne le pourrais-je, moi qui avais mes propres armes ?

– Il vivait à Los Angeles. Un jour j'ai entendu dire qu'il allait dédicacer des livres dans un magasin de la Valley. J'ai supplié mon père de m'y emmener, mais il avait prévu une séance avec mon entraîneur, et ni l'un ni l'autre ne voulaient m'accorder cette faveur.

– Qu'est-ce que tu as fait ?

– J'y suis allé quand même, répond-il avec un grand sourire.

– Quel âge avais-tu ?

– Onze ans.

– Mais comment as-tu fait ? Tu habitais à Inglewood, non ?

– J'ai dit à mon père que j'allais au tennis, j'ai sauté sur mon vélo et je suis parti pour Studio City.

– À onze ans ? À Los Angeles ? C'est un miracle qu'il ne te soit rien arrivé.

– Fais-moi confiance, ironise-t-il. Le voyage a été beaucoup moins douloureux que la réaction de mon père, quand il a appris ce que j'avais fait.

– Mais c'est incroyablement loin. Tu as pédalé tout ce chemin ?

– Cela ne fait que vingt-six kilomètres. Mais avec les côtes et la circulation, il m'a fallu plus longtemps que je ne le pensais. En voyant que j'allais être en retard, j'ai fait du stop.

Mon cœur se serre en repensant à ma mère, qui me recommandait d'éviter les inconnus et de ne jamais, jamais prendre personne en stop. Je suis terrifiée pour le garçonnet qu'il était, qui a pris d'énormes risques quand son père qu'il entretenait était un salaud au point de ne pas même lui accorder cette petite faveur qui l'aurait rendu si heureux.

— Il était moins une, mais je suis arrivé à temps.

Évidemment, je sais qu'il s'en est sorti indemne, mais je suis quand même soulagée, pour l'enfant qu'il était.

— Et tu as eu ces livres, dis-je en désignant la vitrine.

— Malheureusement, non. Je suis arrivé à l'heure pour la séance de dédicace, mais il ne restait plus aucun exemplaire. J'ai donc demandé à Bradbury de me dédicacer un marque-page, faute de mieux. Lorsque je lui ai raconté mon aventure, il m'a dit qu'il pouvait faire mieux que ça. Son chauffeur a chargé mon vélo dans le coffre de sa voiture, et nous a conduits chez lui. Nous avons passé trois heures à bavarder dans son salon, puis il m'a laissé choisir deux livres dans sa bibliothèque, il me les a dédicacés et m'a fait reconduire chez moi.

Je suis ridiculement émue aux larmes par cette histoire.

— Et ton père ?

— Je ne le lui ai jamais dit. Il était furieux, mais je lui ai seulement avoué que j'étais parti faire du vélo le long de la plage. Il me l'a fait payer, ajoute-t-il sombrement, mais j'avais les livres. Je les ai toujours.

— Je vois cela. Bradbury semble charmant.

— Il l'était.

— C'est une merveilleuse histoire, dis-je. (Je suis sincère. C'est ce genre d'anecdote personnelle que j'ai envie qu'il me confie. Je veux capter des fragments de Damien en moi.) Mais je ne sais pas trop pourquoi tu me la racontes là, maintenant.

— Parce que chaque chose dans cette maison a une signification pour moi. Pas le décor que j'ai acheté pour la soirée, mais les vrais objets. Il n'y en a pas encore beaucoup, mais ils me sont tous chers. Les œuvres d'art. Chaque bibelot. Même les meubles. (Il me regarde, et je lis sa passion dans ses yeux. Pas sexuelle, plus profonde.) Tu ne fais pas exception, Nikki. Je t'ai amenée dans cette maison parce que je veux que tu y sois, tout comme je voulais ton portrait.

– Qu'est-ce que tu dis ?

– Je ne crois pas que tu aurais pu me rendre plus heureux qu'en m'avouant que tu étais jalouse de voir Giselle jouer les maîtresses de maison ce soir. Mais soyons clairs. Elle n'est pas la maîtresse de maison, et elle ne le sera jamais. Tu comprends ?

J'acquiesce gauchement. J'ai le souffle coupé. Je suis bouleversée. Et je meurs d'envie qu'il me prenne dans ses bras. L'air crépite tandis qu'il s'approche. Il est proche, tout proche, mais il ne me touche pas. Pas encore. Comme s'il nous punissait tous les deux. Comme s'il nous rappelait pourquoi nous ne devions jamais être séparés, parce que nos retrouvailles sont tout simplement une déflagration.

– Damien…

Lentement, il me caresse le bras du bout des doigts. Je me mords les lèvres et ferme les yeux.

– Non. Regarde-moi.

J'obéis, et mon regard plonge dans le sien, pendant que ses doigts descendent jusqu'à ma main sur ma cuisse, juste au-dessus de l'ourlet de ma robe. Sa main recouvre entièrement la mienne. Lentement, il remonte nos mains jointes pour qu'elles retroussent ma jupe à la naissance de mes fesses.

– Ta place est ici. Où que je sois, c'est ta place. Tu es à moi. Dis-le.

– Je suis à toi.

J'ai le souffle court, tandis qu'il lâche ma main et commence à faire remonter la sienne avec une insoutenable lenteur.

– J'ai envie de toi.

Sa voix rauque éveille le désir en moi. Mon sexe se crispe et il me faut un immense effort pour ne pas retrousser ma jupe d'un coup jusqu'à la taille.

– J'ai envie de toi maintenant.

– Oh, mon Dieu, oui ! Damien, je t'en prie…

Sans ménagement, il me pousse en arrière et je me cale dans l'encoignure. Je me tiens à la vitrine à côté de moi, tandis que sa bouche s'empare de la mienne. Son baiser est sauvage et fiévreux. J'ai une telle soif de lui que je bois avidement tout ce qu'il peut me donner.

Ses doigts continuent leur ascension pendant que ma langue lutte avec la sienne et que je mordille ses lèvres. Alors, sa main caresse mon sexe impatient et je pousse un cri que seules ses lèvres posées sur les miennes parviennent à étouffer.

– Pas de culotte, dit-il en enfonçant un doigt au plus profond de moi. Tu as dit…

– J'ai menti, dis-je. Tais-toi et embrasse-moi.

– Vous embrasser ? Mademoiselle Fairchild, je vais faire bien davantage.

– Le cocktail ?

– Rien à foutre du cocktail, gronde-t-il.

– Si quelqu'un descend…

– Personne ne viendra.

– Mais si…

– Nikki ?

– Oui ?

– Tais-toi.

C'est un ordre auquel je ne peux désobéir, car il referme sa bouche sur la mienne et je m'ouvre à lui, je veux le savourer et m'abandonner à lui. D'un geste brusque, il soulève ma cuisse. Je plie le genou et enroule ma jambe autour de la sienne. Ma jupe remonte et il la retrousse encore, si bien que je suis complètement découverte. Il interrompt notre baiser le temps de contempler mon sexe offert, et pousse un gémissement sourd et presque douloureux. Je ne peux pas le toucher, j'ai besoin de mes mains pour me soutenir entre le mur et la vitrine. Pourtant, je suis dévorée par le désir de sentir sa bite puissante dans ma main. La caresser, savoir combien il a envie de moi, être certaine que son désir est aussi irrésistible que le mien. Sa main glisse sur moi. Je tremble, je suis trempée, et le simple contact de ses doigts me rend folle.

– Damien, s'il te plaît…

– S'il te plaît, quoi ?

– S'il te plaît, s'il te plaît, prends-moi.

– Comme le voudra madame, s'amuse-t-il en enfonçant un doigt en moi avec délicatesse.

Je ferme les yeux, la tête renversée en arrière, tandis qu'il ouvre sa braguette. Je sens son érection contre ma jambe. Puis l'extrémité de son sexe qui me caresse et m'agace. Ses mains empoignent mes fesses, me soulèvent légèrement, et me relâchent pour que je l'accueille et qu'il s'enfonce en moi. De plus en plus profond, jusqu'à ce que nous soyons saisis par la fièvre et qu'il s'abatte sur moi de tout son poids. Cela ne me suffit pas, j'en veux plus, et le bruit sourd de mon corps contre le mur doit ébranler la maison. Comment les invités peuvent-ils ne rien entendre, quand le vacarme de notre passion éclate à mes oreilles ?

J'étouffe un cri, cramponnée à la vitrine, tandis qu'un torrent d'étincelles se concentre en moi et menace d'exploser. Je suis tout près de jouir, si près et…

Je m'apprête à hurler, quand je sens sa main se poser sur ma bouche. Je renverse la tête en arrière et ravale mon cri en l'enserrant de tout mon être pour l'engloutir au plus profond de moi. J'ouvre les yeux. Il me regarde, ses yeux scrutent mon visage avec une telle passion que je pourrais jouir d'un simple regard.

— Damien… je murmure dans un souffle.

Son prénom est comme un détonateur. Le plaisir s'empare de lui, je le sens se raidir contre moi, son corps se crispe et sa chaleur se répand en moi.

Dans un long soupir, il se laisse retomber sur moi.

— Nikki…

— Je sais…

Ses lèvres frôlent les miennes dans un tendre baiser, qui contraste avec la sauvagerie de ces derniers instants et vient les couronner à la perfection.

Il s'écarte de moi. Mes cuisses collent, et même si je suis consciente que je devrais les essuyer, je ne veux surtout pas perdre la sensation de sa présence sur ma peau.

— Et voilà, dit-il en me nettoyant avec un mouchoir, avant de rajuster ma robe. Tu es comme neuve.

— Mieux que cela, même.

Il me caresse les cheveux, suit la ligne de mon oreille, puis frôle ma lèvre de son pouce. Comme pour se prouver que je suis réelle.

— Je n'ai pas aimé l'ambiance d'aujourd'hui, lâche-t-il finalement. En te voyant ainsi. En te sachant fâchée contre moi.

— Moi non plus, je n'ai pas aimé.

– C'est la preuve que faire l'amour quand on se réconcilie peut être génial. J'étais sincère, Nikki, ajoute-t-il en prenant ma main. Je ne veux pas que cela finisse entre nous.

Je contemple ces traits réguliers, ce regard droit et exigeant.

– Je sais. Moi non plus, je ne veux pas.

Je suis décontenancée.

Il me caresse la joue et enroule une mèche de mes cheveux autour de son index.

– Non. Que les choses soient claires. Je ne veux pas que notre arrangement prenne fin, tu es à moi, et il y a des règles. Et je veux que notre jeu continue.

Chapitre 15

Notre jeu.

Je recule devant la force de ces mots inattendus. Il tend le bras et, bien que je prenne sa main sans hésiter, je secoue la tête. Moins pour protester que parce que je suis désarçonnée.

– Je… je ne comprends pas.

– Je crois que si. Et tu en as envie aussi. Avoue, Nikki… As-tu laissé ta culotte chez toi parce que tu aimes la sensation de ne pas en porter, ou parce que tu aimes savoir que tu es prête à m'accueillir ? Que je peux te toucher, te prendre, où et quand je le désire ?

Je déglutis avec peine, car il a raison. Plus encore, je comprends la mélancolie que j'ai vue dans ses yeux jeudi soir, et cette lueur impérieuse quand il m'a possédée après minuit.

Il a raison. Je lui appartiens. Comment peut-il en être autrement, alors qu'il est désormais dans mon cœur ?

Mais ce qu'il demande ?

Il me scrute du regard implacable qu'il a quand il évalue une transaction d'affaires ou un rapport financier. Mais je suis une femme, et mes émotions n'ont rien d'une courbe de la Bourse. Il le sait aussi, bien sûr, et sous ce masque d'intellect dur et logique, je vois qu'au fond il est vulnérable.

C'est ce qu'il désire. Peut-être même ce dont il a besoin. Et c'est à moi qu'il a confié tout le pouvoir de cet instant. Mon cœur se serre, car en vérité j'en ai envie aussi. N'est-ce pas pour cette raison que je me suis sentie perdue toute la soirée ? J'ai découvert une nouvelle facette de moi-même en jouant à notre jeu ; et même si j'étais « à lui », je me suis sentie plus libre que jamais. Plus maîtresse de moi-même et de mes émotions. Plus équilibrée, me dis-je en caressant du pouce le doigt autour duquel j'ai enroulé ce fil tout à l'heure.

Je me tiens toujours à la vitrine et baisse les yeux sur les deux livres de Bradbury. Je ne peux m'empêcher de frissonner en repensant à l'histoire que m'a racontée Damien. Je l'imagine, jeune et plein de force, pédalant sur sa bicyclette pour échapper à son père, aller à la rencontre de son héros, un homme qui a façonné des univers avec son encre et son imagination. Des univers inventés, mais assez réels pour un garçon qui avait besoin d'évasion.

Que fait-il à présent ? Forge-t-il une réalité faite d'artifices et de faux-semblants pour m'attirer dans cet imaginaire avec lui ? Mais ce n'est pas le fantasme que je veux, avec Damien, c'est la réalité. Les moments où Damien me laisse entrer dans son passé et entrevoir un peu de son cœur, comme l'anecdote de Bradbury.

Ma poitrine se serre tandis que mon regard va de la vitrine à ses yeux, tout aussi transparents. Il attend ma réponse. J'ai envie de fondre contre lui et de murmurer « Oui, oui, bien sûr ». Mais je reste paralysée par la peur de me retrouver entraînée dans quelque chose qui n'est pas réel et ne le sera jamais.

— Pourquoi ? Avant, tu disais que tu me désirais. Mais tu m'as, à présent, avec ou sans le jeu. (Je lève la jambe et lui montre le bracelet de cheville en émeraudes.) Je le porte toujours, Damien. Tu sais que je ne le quitterai pas. Alors, pourquoi ? Qu'est-ce que ça change ?

Il incline la tête vers la vitrine.

— Tu dis que tu veux que je m'ouvre davantage, répond-il. (Je m'émerveille de voir qu'il sait toujours ce que je pense.) Je le veux aussi. Je ne veux pas qu'il y ait de secrets entre nous, Nikki.

— Tu m'as parlé du centre de tennis.

— Je ne t'ai pas tout dit. (Je ne réagis pas, car je sais qu'il dit la vérité.) J'ai besoin de paramètres, Nikki. Surtout en ce moment. J'ai besoin de savoir… (Il marque une pause et se détourne, les dents serrées, cherchant ses mots.) De savoir que tu seras là avec moi, quoi qu'il arrive.

Il semble si vulnérable… Je rougis d'avoir ce pouvoir sur un homme comme lui, qui en même temps a tant de force.

— Parce que tu ne le sais pas déjà ? Moi, si.

Une lueur sombre passe dans son regard.

— Comment le peux-tu, quand tu ignores encore tant de choses ?

Il ne dit rien que je n'aie déjà envisagé, mais, fugacement j'ai peur. Quels sombres secrets Damien garde-t-il encore enfouis ?

Le fait est que je comprends mieux que quiconque combien il a besoin du jeu s'il compte tenter de s'ouvrir à moi. Même les plus intimes confidences représentent un grand pas pour lui. Mais les horreurs de son passé, comme le suicide de la jeune Sara Padgett, et la culpabilité qu'il a éprouvée ensuite, font partie des choses que Damien ne peut confier s'il n'a pas de filet de sécurité. La vérité se fait jour en moi. *Le jeu est son filet de sécurité.* Et une fois installé, n'est-il pas logique que le physique entre nous renforce aussi l'affectif ?

Je m'invente peut-être des excuses, et je ne peux nier que je désire ce qu'il me propose. Mais ce désir brûlant n'apaise pas la peur lancinante ancrée en moi.

Damien doit percevoir mon hésitation, car il tend sa main vers la mienne. Alors seulement je réalise que je m'acharne sur le doigt que j'ai maltraité plus tôt dans la soirée.

— Peux-tu me le dire ? demande-t-il doucement.

— J'ai peur, réussis-je enfin à souffler.

— De quoi ?

De toi, dis-je. (Je le regrette aussitôt à la vue de son regard étonné et meurtri.) Non, non, pas de ce point de vue-là. (Je me rapproche et prends son visage entre mes mains.) Tu es ce qui m'est arrivé de mieux dans toute ma vie.

— Ça paraît terrifiant.

Je souris, reconnaissante qu'il cherche à me mettre à l'aise.

— Parfois, j'ai peur de t'utiliser. (Je marque une pause, attendant qu'il plaisante, me dise qu'il serait ravi que je l'utilise comme ça me chante. Mais il reste silencieux, et je me rends compte qu'il comprend à quel point c'est difficile pour moi.) Comme une béquille.

Je pense aux cicatrices sur mes cuisses. Au fil que j'ai enroulé autour de mon doigt. Au poids du couteau dans ma main et à l'extase cuisante que j'ai éprouvée quand la lame a entaillé ma chair.

Mais, surtout, je vois combien j'avais besoin de tout cela, et les cicatrices que je porte sont le témoignage de ma faiblesse. Je baisse les yeux pour ne pas croiser le regard de l'homme qui m'a déjà tellement percée à jour.

– J'ai peur que tu ne sois un substitut à ma douleur.

– Je vois.

Aucune émotion dans ces mots. Ni colère ni peine. Rien.

Puis le silence. Je n'ose lever les yeux. J'ai si peur de ce que je vais lire sur son visage.

Quelques secondes seulement passent, mais elles sont lourdes du poids de tout le non-dit. Puis il glisse un index sous mon menton et me relève la tête, si bien que je n'ai d'autre alternative que de fermer les yeux ou le regarder si je veux lui échapper.

J'affronte son regard, et ravale immédiatement mes larmes. Je ne lis ni colère ni peine dans ses yeux, mais de l'adoration, peut-être même du respect.

– Damien ?

– Oh, ma chérie… (Il se rapproche, pas trop, pour me laisser un peu de liberté, mais suffisamment pour me donner de la force.) Dis-moi, dis-moi ce que la douleur est pour toi.

– Tu le sais, dis-je.

Je lui ai déjà expliqué tout cela.

– Réponds-moi.

– Elle me stabilise… je murmure, tandis qu'une larme roule sur ma joue. Elle m'équilibre. Elle me donne de la force.

– Je vois, dit-il en essuyant la larme de son pouce.

– Je suis désolée.

– Moi, non.

Un sourire se dessine au coin de ses lèvres et je me rends compte que ma peur s'envole. Que je suis, en fait, pleine d'espoir.

– J'ai honte, Nikki. Tu ne le vois pas ? (À mon expression, il doit être clair que non, car il poursuit.) Si je fais tout cela pour toi, si je t'apaise, t'équilibre et te donne de la force, alors c'est plus précieux pour moi que tout l'argent gagné par Stark International.

– Je…

Je ne sais pas quoi dire. Je n'avais encore jamais envisagé la situation sous cet angle.

– Mais, ma chérie, continue-t-il, ce n'est pas vrai. La force est en toi. La douleur est simplement ton moyen de la réveiller. Et moi, là-dedans ? Je me pique de croire que je suis un miroir pour toi. Que lorsque tu me regardes, tu vois le reflet de tout ce que tu es vraiment.

À présent, je ne retiens plus mes larmes ; il va chercher une boîte de mouchoirs en papier sur une table basse. Je me mouche et renifle, bouleversée, un peu ridicule mais merveilleusement heureuse.

– À t'entendre, on croirait que tu m'aimes.

Il ne répond pas, mais un sourire éclaire lentement ses yeux. Il se rapproche, me prend la tête dans une main et referme ses lèvres sur les miennes, dans un baiser suave et délicat, qui devient si profond et exigeant qu'il s'insinue dans tout mon être.

– Dis oui, ma chérie. Dis que tu es à moi.

– Pour combien de temps ? je demande, le souffle coupé.

Il ne répond pas. C'est inutile. Je lis la réponse dans ses yeux. Pour aussi longtemps qu'il le faudra. Aussi longtemps qu'il le voudra. Aussi longtemps que je consentirai à être à lui.

Il reste immobile devant moi. Tant de choses dépendent de ma réponse, pourtant il reste calme et détaché. Damien est un homme qui montre seulement ce qu'il veut montrer. Il y a tant de choses qu'il veut me dire, et tant d'autres que je veux encore partager avec lui.

J'hésite un instant, uniquement parce que je veux le contempler. Je veux graver la vision de cet homme qui a plus de force que quiconque, et pourtant prêt à se faire humble devant moi.

Comment ai-je pu penser qu'il partage trop peu ? Sans doute pas des faits précis. Mais Damien m'a ouvert son cœur.

– Oui, dis-je en tendant la main. Affaire conclue, monsieur Stark. (Un sourire malicieux envahit lentement son visage, et j'éclate de rire.) Oh, mon Dieu !

– Ma chérie, tu n'imagines pas… Viens, dit-il en m'entraînant.

Comme nous avons disparu d'une soirée qu'il donne dans sa propre maison, en partie en l'honneur d'un portrait de moi désormais accroché sur son mur, si nous empruntons l'ascenseur de service, c'est pour nous fondre discrètement parmi les invités.

La première personne que nous voyons dans la cuisine est Gregory, le distingué valet de chambre grisonnant.

– Mlle Fairchild et moi, nous sortons.

Je suis gagnée par la surprise. Gregory, lui, reste imperturbable.

– Nous partons ? je demande à mi-voix, quand Gregory s'est éloigné.

Damien m'entraîne.

– Oui, nous partons.

Je songe à protester. J'ai le sens des conventions dans le sang, sans compter les consignes plus strictes encore d'Elizabeth Fairchild. On ne s'éclipse pas de sa propre soirée. Il y a des règles, des convenances qu'il faut obser-ver, et des manières qu'il faut respecter. Ce que Damien a en tête peut attendre, et je devrais le lui rappeler. Je devrais taper du pied et exiger que nous restions nous occuper des invités.

Au contraire, je balance le manuel de savoir-vivre de ma mère et choisis de me taire.

Nous nous arrêtons encore trois fois. D'abord auprès de Giselle, qui a l'air stupéfaite mais ne proteste pas. J'arbore mon sourire artificiel pendant qu'elle parle avec Damien. Je ne suis plus fâchée contre elle, mais je n'ai pas non plus envie d'en faire ma meilleure amie. Ensuite, nous retrouvons Evelyn et Blaine et les féli-citons avant de prendre congé. Je m'apprête à serrer poliment la main de Blaine, quand nos regards se croisent… et nous éclatons de rire.

– Allez ! dit-il en m'attirant contre lui, et il me serre dans ses bras.

L'étreinte d'Evelyne est encore plus chaleureuse, et elle me chuchote :

– Contente de ne pas être la seule à avoir droit à un petit câlin ce soir.

– Petit ? je réponds en souriant.

Elle éclate de rire.

– Toi, la Texane, voilà pourquoi je t'aime bien, me taquine-t-elle en me relâchant. Et n'oublie pas, cette semaine, photos, vin, ragots, le tout, et pas forcément dans cet ordre.

– C'est noté.

Je réalise alors que mon Leica est resté en bas dans la bibliothèque.

– Laisse-le là, me rassure Damien quand je lui en parle. Tu n'en auras pas besoin.

– Je n'en suis pas si sûre, je réplique. Je ne vois pas plus beau spectacle que toi, nu devant la fenêtre.

– Imagineriez-vous qu'il sera question de nudité ce soir ?

– Je l'espère, monsieur Stark. Je l'espère de tout mon cœur.

Jamie est la dernière personne que nous cherchons. Installée à une table sur le balcon, elle est en grande conversation avec un type en chemise hawaïienne aux cheveux ébouriffés.

Oh, non Jamie. Pas un autre. Pas après m'avoir bassiné avec Raine.

– Salut, tous les deux, dit-elle en levant les yeux vers nous. Louis, je te présente ma coloc', Nikki. Je suppose que tu dois déjà connaître M. Stark.

Pendant que les deux hommes se saluent, Jamie m'interroge du regard. *Tout va bien ?*

Je hoche la tête. *Tout va très bien.*

Un coup d'œil vers Louis. *Tu es en train de le... ?*

Elle fronce le nez en secouant imperceptiblement la tête.

– Louis est réalisateur, souffle-t-elle. Nous parlions télévision. Sublime maison, ajoute-t-elle pour Damien. Fête encore plus sublime.

– Ravi que tu apprécies. Nikki et moi passions juste dire au revoir.

– Oh !

Elle me lance un regard entendu. Je réponds par mon sourire le plus innocent.

– Edward te ramènera chez toi quand tu voudras, ajoute Damien à l'attente de Jamie. Amuse-toi bien.

– Super… Merci !

Elle me serre dans ses bras, puis Damien et moi regagnons par la cuisine les pièces de service, pour que plus personne ne nous retienne.

– Où allons-nous, alors, monsieur Stark ? je demande en retrouvant l'air frais. Vous avez envie de faire un petit tour à pied ?

– En fait, j'ai envie d'un petit tour en voiture.

La plupart du temps, Damien se gare devant sa maison. Cependant, ce soir, l'allée a été investie par l'équipe d'un voiturier engagé pour gérer la circulation. Je suis Damien derrière la maison, surprise que nous ne nous arrêtions pas au garage.

– Où allons-nous ?

– Dans un endroit que tu ne connais pas encore.

– Mmm…

Je suis intriguée et, le prenant par la main, je regarde autour de moi. Nous sommes au nord de la maison, loin des lumières de la fête. L'obscurité n'est percée que par de petites lumières habilement dissimulées dans la végétation et la maçonnerie.

Il a raison. Malgré le temps que j'ai passé au troisième étage, je n'ai guère exploré le reste de la propriété. Évidemment, les jardins n'ont été achevés que récemment, et au-delà des parterres, allées et pelouses, la végétation est encore sauvage. Je vois cependant que

Damien a en partie fait dégager les buissons et installer des lampes pour éclairer les sentiers.

– C'est joli par ici, je reconnais en suivant le chemin de dalles qui serpentent depuis la maison.

– Oui, dit-il en me regardant.

– Gardez les yeux sur le chemin, monsieur Stark.

– Je préfère vous regarder.

Je souris alors qu'il m'enveloppe de ses bras et m'attire dans un baiser ardent. Le feu qu'il a allumé en moi tout à l'heure n'est pas tout à fait éteint, et à présent ses braises reprennent vie.

– Ici ? je chuchote en appuyant mon sexe contre sa cuisse et en gémissant doucement quand il répond à mon geste. Dehors. Sur ces pierres dures et froides ?

Si mes mots semblent exprimer ma réticence, mon ton indique tout le contraire. Là, je crois que rien ne me plairait davantage que de sentir ces pierres contre mes reins, et Damien en moi, dur et brûlant.

– Que voulez-vous exactement que je vous fasse, mademoiselle Fairchild ? demande-t-il d'un ton enjôleur. (Ses doigts caressent mon épaule et font glisser la fine bretelle sur mon bras.) Ceci ? fait-il en se baissant pour frôler de ses lèvres le haut de mon sein. (Je réprime un cri, haletante, mon téton durci gonflant l'étoffe diaphane.) Ou ceci, peut-être ? demande-t-il en remontant du bout des doigts le long de ma jambe, jusqu'à trouver la chair tendre.

– Peut-être.

– Ce serait délicieux, n'est-ce pas ? insiste-t-il en continuant son manège, contournant mon pubis pour atteindre l'autre jambe. Ici, sous les étoiles. Mes mains sur vous, et pour tout témoin la nuit qui nous environne. Ma langue sur votre poitrine, l'air frais caressant votre téton impatient. Un souffle de brise nocturne frôlant votre chatte brûlante. (Je me suspends à son cou pour ne pas défaillir sous ses paroles et ses caresses.) Est-ce ce que vous voulez ?

– Oui.

Il sourit, et je halète de plus belle tandis qu'il se penche sur moi. Ses lèvres glissent furtivement de ma bouche à ma tempe. Puis à mon oreille. Je sens son haleine brûlante, un mot à peine chuchoté :

– Non. (Inconsciemment, j'ai dû pousser un gémissement de protestation, car il glousse.) Non, me torture-t-il. J'ai autre chose en tête.

Délicatement, il ôte ma main de son cou, rajuste ma robe et m'entraîne sur le chemin. Je le suis, irritée, excitée et follement pressée. Quelques instants plus tard, il indique une portion de terrain plat entre deux éminences couvertes de taillis.

– J'ai envie de faire aménager un court de tennis là-bas.

Je lui jette un rapide regard, mais son expression est impénétrable.

– Vraiment ? je réponds, m'efforçant de rester nonchalante.

Cela fait longtemps qu'il n'a pas joué au tennis, je le sais. Et surtout, je sais pourquoi il a arrêté.

– Peut-être. Je n'ai pas décidé. Cela fait si longtemps, et j'ai peur…

Il achève sa phrase dans une grimace.

– Que ce ne soit pas amusant ? (Il ne répond pas, mais je lis son acquiescement dans son regard.) Eh bien, si tu en fais aménager un, tu pourras toujours m'apprendre à jouer, dis-je d'un ton léger. Ce sera distrayant, Et je t'assure que jouer avec moi sera très amusant.

– Amusant ? répète-t-il, une note taquine dans la voix. Je t'imagine en jupe de tennis. Amusant n'est pas le terme qui me vient à l'esprit.

– Et vos règles s'appliqueront à ce moment aussi, monsieur Stark ? Je ne sais pas si nous jouerons beaucoup au tennis si je dois porter ce genre de jupe sans petite culotte.

– Je crois que vous m'avez convaincu, mademoiselle Fairchild. Je demanderai des devis à des entreprises de construction dès demain matin.

– Très drôle.

– Vous riez, maintenant, dit-il. Mais attendez que je vous emmène derrière les grillages.

– Voilà que vous me suggérez des choses coquines ?

Il éclate de rire et me prend la main pour me faire presser le pas. Je suis d'humeur légère, heureuse que nous ayons fui la fête. La mauvaise ambiance du début de soirée s'est dissipée. Il n'y a plus que Damien et moi et l'immense ciel nocturne.

– Quoi ?

– Je n'ai rien dit.

– Tu souris.

– Peut-être que je suis heureuse.

– Vraiment ? demande-t-il en me dévisageant. Moi aussi.

– Damien…

Je me rapproche, avide d'un baiser, mais c'est son doigt que rencontrent mes lèvres.

– Ah, ah… Commence comme ça, et nous n'arriverons jamais à destination.

– Donc, nous allons quelque part ? Je commençais à croire que nous faisions simplement de la randonnée dans le comté de Ventura.

– En réalité, nous y sommes.

Nous sommes devant une colline couverte de végétation.

– Charmant, dis-je. Mais si tu as l'intention de me prendre dans les fleurs, je tiens à préciser que je me serais tout aussi bien contentée des dalles du sentier.

– J'en prends note pour plus tard. Mais nous ne sommes pas tout à fait arrivés à destination.

– Ah ?

Il ne répond pas explicitement à ma question. Il sort un trousseau de clés, appuie sur un petit bouton rouge, et une porte en bois dissimulée dans la végétation s'ouvre.

Une lumière filtre de l'intérieur, de plus en plus forte à mesure que la porte se soulève. Je me dis qu'il devrait y avoir une bande-son – *l'Hymne à la joie*, peut-être –, pour accompagner la révélation de cette pièce secrète.

Tout d'abord je ne discerne rien, éblouie par ce flot de lumière. Mais quand Damien m'entraîne vers la porte désormais grande ouverte, je comprends qu'il s'agit d'un garage. Un immense garage, pour être précis : depuis l'entrée de cette longue et étroite construction, je ne compte pas moins de quinze voitures de collection rutilantes et sagement alignées.

Les murs et le sol sont en béton blanc. Les lumières aussi sont d'un blanc aveuglant. Un bref instant, j'ai l'impression d'être morte et au paradis des voitures. Je me tourne vers Damien, ébahie.

– Tu plaisantes. Tu as à peine terminé la maison, et tu as déjà installé un garage de quinze places caché au cœur d'une colline ?

– Je ne voulais pas qu'un garage abîme le paysage. À vrai dire, il existait avant la construction de la maison.

Je l'ai fait construire il y a trois ans, pendant que mon architecte travaillait aux plans de la résidence. Et pour que ce soit bien clair, c'est un garage de vingt places.

— Autant de place sous la colline, et seulement vingt ? je réponds, arborant un air blasé. Et séparé de la maison ? Sérieusement, monsieur Stark, que faites-vous quand il pleut ?

— J'emprunte l'accès souterrain, dit-il en désignant une porte métallique où est inscrit en rouge le mot RÉSIDENCE.

—. Tu es vraiment un cliché à toi tout seul, dis-je en riant.

— Un cliché automobile.

Il semble grisé, comme un gamin qui joue un matin de Noël. Et sa bonne humeur me gagne.

— Quel genre de voiture ? je demande en m'arrêtant devant la plus proche de l'entrée.

Elle est ancienne et décapotable, et j'imagine une femme en robe des années vingt rouler en faisant des signes aux garçons.

— Une Gardner, dit-il. Mais voici ma vraie fierté. (Nous nous arrêtons deux box plus loin devant un modèle très ancien, si lustré qu'il semble refléter le décor alentour.) C'est une Baker Electric, annonce-t-il. Elle a appartenu à Thomas Edison.

— C'est vrai ? je demande, réellement impressionnée. Sa place n'est pas dans un musée ?

— Je la prête assez régulièrement. Mais je ne la cèderais pour rien au monde. Je ne vois pas l'intérêt de posséder des jouets extraordinaires si je ne peux pas en profiter. Tout comme je ne vois pas l'intérêt d'avoir de l'argent sans acquérir des choses intéressantes, sinon pour moi, du moins pour ceux qui me sont chers.

Je pense au Monet, à l'appareil photo, aux vêtements et à tous les autres cadeaux dont il m'a couverte.

– Heureusement pour les bénéficiaires de ta magnanimité, tu as un goût excellent.

– J'entends bien, mademoiselle Fairchild, dit-il en tendant la main. Venez, je vais vous montrer la voiture que nous empruntons ce soir.

Nous passons les véhicules en revue, et stoppons devant un coupé vert foncé dont le capot semble plus long que la voiture.

– Bon, dis-je en souriant. Dites-moi tout.

C'est comme si je lui avais donné la permission de chanter.

– Une Jaguar Type E, commence-t-il, avant de me détailler toutes les caractéristiques de cette magnifique voiture qui, m'assure-t-il, nous emmènera à destination avec autant d'élégance que de luxe.

– J'espère qu'il n'y aura pas d'interrogation écrite, car à part le nom et le fait que je suis tout à fait impressionnée, je n'ai rien enregistré d'autre.

– Cela suffira.

– L'as-tu restaurée ?

– Qu'est-ce qui te fait croire ça ?

– Edward m'a parlé de la Bentley. Je n'arrive pas à t'imaginer couvert de cambouis.

– C'est drôle, dit-il avec ardeur. Moi, je n'ai aucun mal à t'imaginer nue et couverte de graisse, étendue sur un lit et offerte à l'amour.

– Oh !

Il m'ouvre la portière en gloussant. La voiture est si basse qu'il est presque impossible d'y monter et d'en descendre décemment quand on porte une jupe. Ce détail n'échappe manifestement pas à Damien, qui passe la main sur l'arrière de ma cuisse et la glisse entre mes jambes. Je frissonne à son contact, et gémis tandis qu'il enfonce lentement deux doigts en moi. Je me cramponne à la portière, déséquilibrée, secouée de frissons. J'ai envie de serrer les cuisses, mais je ne peux pas. J'ai un pied dans la voiture, l'autre à l'extérieur, et si je change de position, je tombe. Mais il me faut bien l'avouer : je n'ai pas envie de changer.

— Oui, dit-il. C'est comme ça que je te veux. Brûlante, trempée, en feu pour moi. Je veux que tu sois à moi, Nikki. Partout, à tout instant, je veux que tu sois prête.

— Je le suis toujours pour toi, je chuchote, autant parce qu'il a envie de l'entendre que parce que c'est vrai.

— Je devrais te baiser maintenant, dit-il en donnant un mouvement de va-et-vient à ses doigts. (Mon sexe se crispe, l'attire en moi, j'en redemande, je le veux tout entier.) Je devrais t'allonger sur le capot de cette voiture, soulever ta jupe et te claquer délicieusement les fesses jusqu'à ce qu'elles soient rouges et gonflées. Puis je devrais enfoncer ma bite dans ta délicieuse chatte humide. C'est ce que tu veux, Nikki ? Tu peux me le dire. Dis-moi toutes les choses que tu veux que je te fasse, Nikki. Je veux entendre à quel point tu as envie que je te baise. (J'ai les yeux fermés, les seins lourds. Je suis ruisselante et comblée. Il a enfoncé trois, non, quatre doigts en moi, et mes hanches ondulent pour qu'il accélère et accentue encore ses mouvements.) Dis-le-moi, répète-t-il.

— Je veux que tu me baises, je le supplie. Je veux tes mains sur mes seins et ta bite tout au fond de moi. J'ai envie de toi, Damien. S'il te plaît, s'il te plaît, j'ai tellement envie de toi...

Libérant ses doigts de mon sexe en feu, il dessine lentement des cercles autour de mon clitoris pendant que sa paume frotte légèrement mon sexe. Je me sens excitée à tel point que, sans honte aucune, je me tortille pour laisser monter l'orgasme. Il est tout près, mais je veux jouir dans ses bras. Peu m'importe que ce soit dans son garage, en déséquilibre au-dessus d'une voiture. Tout ce que je veux, c'est Damien. Je veux qu'il me prenne et m'emporte.

— Merci, chuchote-t-il en retirant sa main.

— Damien, je gémis. Bon sang, Damien, s'il te plaît !

— Vous êtes frustrée, mademoiselle Fairchild ?

— Tu sais bien que oui.

— Bien. (Son intonation satisfaite me fait sourire malgré tout.) À présent, en voiture !

J'obéis et m'assieds en serrant les cuisses, dans l'espoir d'apaiser un peu mon désir. Il fait le tour de la voiture et s'assied à son tour puis me regarde, manifestement amusé.

— Écartez les jambes, mademoiselle Fairchild. Vous jouirez seulement lorsque je le déciderai.

Je lui jette un regard noir, mais m'exécute.

— Excusez-moi, mais je ne vous ai pas entendue.

— Oui, monsieur.

— C'est bien.

Tandis que je me perds dans une brume de frustration sexuelle, il sort la voiture du box. Je m'attends à ce qu'il gagne l'entrée, mais il s'élance dans la direction opposée. Cela me paraît étrange, car je ne vois qu'un mur. Lorsque nous en approchons dangereusement, il déclenche un bouton du tableau de bord et une partie de la paroi coulisse.

Brusquement, nous nous retrouvons dans un tunnel sombre, ponctué d'une enfilade de lampes qui s'allument l'une après l'autre à notre approche, nous donnant l'illusion de nous enfoncer dans l'infini. Je me sens comme une James Bond girl lancée dans une course folle.

– Où allons-nous ?

– Un peu de patience.

Devant nous, les lumières ont disparu, et soudain j'ai peur que quelque chose ne se soit enrayé dans son tunnel de milliardaire. Mais nous avons simplement atteint l'extrémité de la colline. Nous sommes sortis sur une route privée, appartenant bien sûr à Damien, puis en empruntons une autre qui serpente sur les hauteurs de Malibu et contourne les collines, jusqu'à nous mener enfin sur la Pacific Coast Highway.

– Tu ne comptes vraiment rien me dire ? je demande. (Je suis délicieusement sur les nerfs. La voiture est basse et puissante, et je sens sous mes fesses la vibration du moteur plus qu'excitante. Mes seins gonflés et mes tétons dressés sont douloureusement titillés par le contact de la mousseline de ma robe. Damien se tait, mais il me jette un regard oblique avec un sourire amusé.) Nous allons à Los Angeles ? Il est presque 23 heures.

– Je vais malheureusement vous faire veiller bien plus tard, mademoiselle Fairchild.

Je pourrais protester, mais ce serait du cinéma. Je me laisse donc aller sur le siège en cuir en regardant l'océan défiler sur ma droite. Puis, sentant le regard de Damien sur moi, je me retourne.

– Regardez la route, monsieur Stark.

– Je préfère vous regarder, dit-il, obéissant tout de même. (Il ajuste le rétroviseur.) Voilà qui est mieux, dit-il avec un sourire.

– Le spectacle vous plaît ?

J'ai les jambes écartées comme il me l'a demandé, et l'ourlet de ma jupe m'arrive à mi-cuisse.

– Je l'apprécierai encore plus dans un instant.

– Ah bon ? dis-je, soudain méfiante.

– J'ai vu combien vous appréciez l'œuvre de Blaine, dit-il d'un ton dégagé.

– Il a beaucoup de talent.

– La manière dont il sait représenter l'excitation, la honte, le désir sexuel. Certains tableaux de la galerie montrent une femme en plein orgasme. C'est tout à fait spectaculaire.

– Je ne les ai pas vus, ceux-là.

– Lequel as-tu préféré ce soir ?

– Je les aime tous.

– Vraiment ? Il m'a semblé déceler un intérêt particulier sur ton visage quand tu regardais la femme sur la chaise longue. Vois-tu duquel je parle ?

– Oui.

Mon pouls s'accélère. Je me rappelle la peinture... et j'ai hâte d'arriver là où Damien veut en venir.

– Qu'est-ce qu'elle faisait ? demande-t-il.

– Elle se caressait, je chuchote.

– Son amant sur le côté. Ses jambes écartées et attachées.

– Oui... (Je me force à répondre.)

– Enlève tes chaussures, dit-il. (Je me baisse pour défaire les petites boucles.) Remonte ta jupe jusqu'à la taille. Je veux que tu sois nue à même le cuir. Oh, bon Dieu, Nikki, oui… gémit-il pendant que je m'exécute.

Le cuir est lisse et frais sur ma peau chauffée à blanc. Les vibrations me semblent encore plus excitantes, et je suis de plus en plus déchaînée.

— Écarte les jambes, ma chérie, comme la femme du tableau.

Ses paroles sont aussi érotiques que ses caresses, et mon corps survolté peine à se contenir encore. Je suis consciente de chaque geste, du frôlement de l'air sur ma peau, du moindre battement de mon cœur, jusqu'à la dernière gouttelette de transpiration qui perle entre mes seins. Je m'efforce de respirer calmement, levant une jambe que je cale contre la portière et le tableau de bord. Ensuite, je soulève l'autre et coince ma cheville contre la boîte de vitesses. Je suis complètement ouverte, et quand je me baisse pour incliner le siège en arrière mes hanches se relèvent un peu. Je laisse échapper un petit cri étranglé. Tout mon corps fourmille, mais c'est de la lourde pulsation entre mes cuisses que je suis le plus consciente.

— Elle est étalée et supplie son amant en silence. Sa chatte est trempée, ses seins douloureux, ses tétons attendent d'être sucés.

— Damien, je t'en prie…

— Mais il ne la touche pas, continue-t-il, me faisant ravaler un gémissement de frustration. Il la laisse ainsi, une brise fraîche frôlant sa chatte douloureuse.

Il se penche pour régler la climatisation afin qu'un courant d'air froid souffle entre mes cuisses. Cette délicatesse décadente m'arrache un cri.

— S'il avait un peu de bonté, il la laisserait se caresser. Mais si tu regardes la peinture de près, tu vois que sa main est suspendue, qu'elle voudrait, mais qu'elle ne se touche pas. Tu l'as remarqué, Nikki ?

— Non. Je suis certaine qu'elle se caressait.

— Vraiment ? Voilà bien ce que c'est que l'art. Chacun y voit ce qu'il veut. Veux-tu que je te dise ce que j'y vois ? (Je hoche la tête.) Je vois l'homme qui n'est pas dans le tableau. La femme signifie tout pour lui. Et rien ne peut le satisfaire davantage que de lui donner du plaisir. Et pas seulement un petit coup vite fait et un orgasme à la sauvette, Nikki. Non, il veut façonner leur nirvana à eux. Additionner les plaisirs, jusqu'à ce que les frontières soient abolies, et qu'ils ne sachent plus ce qui est douleur et ce qui est délices.

Je m'humecte les lèvres. J'ai la bouche sèche. Je suis à fleur de peau. Je sens le mouvement de la voiture, mes seins à vif et douloureux sous le tissu léger.

— Il veut que sa maîtresse lui fasse confiance. Qu'elle s'abandonne à lui. Qu'elle le laisse orchestrer les plaisirs de son corps. Mais il lui laisse le choix ultime. Il lui laisse une main libre, et c'est cet instant que Blaine a immortalisé sur la toile. (Il se tourne et me jette un bref coup d'œil.) Se caresse-t-elle, ou bien lui fait-elle confiance ? (Sa voix est aussi chaude et douce que la caresse que je réclame.) Dis-le-moi, Nikki. Que fait la femme ?

— Elle lui fait confiance, je chuchote.

Puis je ferme les yeux et me laisse bercer par la voiture et la promesse de ce qui va suivre.

Chapitre 16

– Nous y sommes, annonce Damien après un trajet qui m'a paru interminable.

– C'est ici ? Je constate que nous prenons l'allée de l'hôtel Century Plaza.

– Descends ta jupe, ma chérie, dit-il. Sauf si tu veux régaler le voiturier.

Je me tortille pour me rajuster, et me penche en avant pour rattacher mes chaussures. Encore endolorie et tout excitée, j'ai du mal à revenir à la réalité.

– Nous allons prendre une chambre ? je demande, alléchée par cette perspective.

– Toi, oui, dit-il en s'arrêtant devant le voiturier en uniforme rouge qui se précipite vers Damien. Je dépose simplement madame, dit-il.

– Qu'est-ce que nous… dis-je, désarçonnée.

– Va à la réception, dit-il. Ne t'inquiète pas, il y a une réservation à ton nom. Et je te suggère de t'installer au bar. C'est un endroit très joli, et le barman prépare d'excellents cocktails.

Je suis encore dans la voiture, et le voiturier tient la portière ouverte. J'attends que Damien m'en dise davantage, mais il a sorti son téléphone et consulte ses textos. Je ne sais toujours pas très bien quel est le jeu, mais au moins j'ai compris que c'en était un.

— Oui, monsieur. (En descendant de la voiture, je me rends compte que j'ai oublié mon sac.) Un instant, dis-je en me penchant vers l'intérieur, m'assurant que le devant de la robe s'entrouvre suffisamment pour offrir à Damien le spectacle de mon corps nu dessous. Donne un pourboire au jeune homme, mon chéri, conclus-je en me redressant.

Sur ce, je tourne les talons et me dirige vers l'hôtel en veillant à bien rouler des hanches pour faire onduler ma jupe à chaque pas.

C'est la première fois que je viens dans cet hôtel, et je le trouve éblouissant. Il me faut un peu de temps pour m'orienter, mais je finis par trouver la réception et le bar du hall. J'adresse un grand sourire au monsieur soigné qui m'accueille.

— J'ai une réservation au nom de Nikki Fairchild.

Il tapote l'écran de l'ordinateur, puis relève la tête avec un sourire encore plus rayonnant que le mien.

— Je vois que vous êtes dans notre suite Penthouse. Puis-je faire porter vos bagages ?

— Merci, ce ne sera pas la peine.

Je ne précise pas que je n'en ai pas.

— Une clé ou deux ?

— Une.

Après tout, je suis une femme seule.

J'aimerais monter dans la chambre et m'étendre nue sur le lit, mais Damien m'a dit de prendre un verre. Je me demande ce qu'il a concocté pour la soirée. Et puis, un bon cocktail ne fait jamais de mal.

Mais, surtout, je ne veux pas lui donner le moindre prétexte pour me punir. Car je suis certaine que le châtiment serait l'abstinence, et ce n'est pas ce dont j'ai envie ce soir.

Il est tard, mais le bar est bondé. Très peu de femmes, et des hommes presque tous en costume. D'après leurs tenues d'hommes d'affaires, je me dis qu'il doit y avoir un séminaire, car toutes les tables sont prises. Je m'assieds sur un tabouret au bar comme me l'a demandé Damien, et je commande un Dirty Martini. En attendant, je jette un coup d'œil dans le hall, mais pour l'instant pas de Damien en vue.

Je ne sais trop à quoi m'attendre, et je réprime l'envie de sortir mon téléphone pour l'appeler. Je me répète que la patience est une vertu. Pas nécessairement l'une des miennes, mais une vertu tout de même.

— Vous avez l'air distrait. Puis-je faire quelque chose pour vous ?

La voix est celle d'un homme séduisant assis au comptoir, deux sièges plus loin. Je vois alors Damien qui croise mon regard, puis s'assied à une table voisine avec trois autres hommes.

— Non merci, ça ira, dis-je à l'homme.

Le barman pose le cocktail devant moi. J'en bois une gorgée, déroutée, me demandant ce qui m'attend. L'homme quitte son tabouret et vient s'installer sur celui à côté du mien, puis se penche vers moi. Je pourrais m'éloigner, mais je reste à ma place, raide, dans une posture sans équivoque. Apparemment, l'homme ne déchiffre pas le langage corporel.

— Vous êtes là pour le séminaire ? demande-t-il, son haleine empestant l'alcool.

— Non. Je cherche à m'isoler.

— Vous avez de la chance, enchaîne le type, qui ne comprend manifestement pas. Droit de l'assurance. Des heures et des heures de formation continue.

— Mmm… fais-je.

J'ai mis mon masque « poli » et « glacial », mais apparemment il ne l'a pas vu non plus. Il se penche un peu plus vers moi et il est maintenant dans une telle position qu'il doit se cramponner au comptoir pour ne pas glisser. Je me penche en arrière.

— Je connais de meilleures manières de finir la nuit, dit-il d'une voix lourde de sous-entendus. Nous sommes dans un hôtel. Faites le calcul.

— Je n'ai jamais été douée en calcul.

Je pourrais m'installer à une table, mais Damien m'a dit de rester au bar. Et quoi qu'il arrive, je respecte ses règles ce soir.

— Vous avez l'air doué pour un tas de choses, dit l'homme en fixant mes seins.

Je me retourne vers le bar, et vois le barman déposer un autre cocktail devant moi.

— De la part de monsieur, dit-il en indiquant Damien.

— Comme c'est charmant ! dis-je en adressant un sourire à Damien, ce qui semble irriter l'autre homme.

Damien se lève, dit quelques mots aux types avec qui il était assis et gagne le bar à grands pas. Il se place à côté de moi et, comme toujours quand il est près de moi, j'ai soudain une conscience aiguë de lui, de mon propre corps… de la rotation de la Terre.

— Merci pour le verre, dis-je avec un sourire. Monsieur…

Sa mâchoire se crispe quand je prononce le dernier mot, cela me fait sourire. Il ne s'y attendait pas.

– J'espère que vous aimez les Dirty Martini.

– Plus c'est fort, mieux c'est.

– Hé, vous pouvez pas aller voir ailleurs ? J'étais en train de parler à madame.

– Non, dit Damien en se tournant vers lui. Je ne crois pas. Je la veux.

Le type ouvre de grands yeux, puis se ressaisit.

– Madame désire rester seule.

Apparemment, monsieur a un tempérament chevaleresque.

– Vraiment ? (Damien me regarde, puis il demande, très lentement et très distinctement.) Vous êtes venue ici pour rester seule ? Ou pour vous faire baiser ?

– Je… (Je n'ai pas la moindre idée de ce que je suis censée répondre. Notre voisin est bouche bée.) Cela dépend de qui me baise, dis-je finalement.

– J'aime votre réponse, fait Damien. Comment vous appelez-vous ?

– Louise, dis-je, recourant à mon deuxième prénom.

– Ravi de faire votre connaissance, Louise, sourit Damien. Je voudrais que vous me suiviez.

Gênée, j'étouffe un cri… Mais je suis aussi incroyablement et indéniablement excitée.

– Je…

– Tout de suite.

Il tend sa main pour m'aider à descendre du tabouret. Je n'hésite qu'un instant avant de la saisir.

– Une autre fois, peut-être, dit-il avec un petit signe aimable au type des assurances qui le regarde comme s'il venait d'accomplir un tour de magie.

Au moins, nous le laissons plus impressionné que dépité. Je suis Damien, étourdie. J'ai envie de rire. De prendre sa main et de tourbillonner dans le hall. De le plaquer sans ménagement contre le mur pour l'embrasser à pleine bouche. J'ai envie de sentir ses mains sur moi. De le sentir en moi. Je veux qu'il me baise, exactement comme il l'a dit. Et je veux que ce soit maintenant.

Apparemment, Damien aussi. À peine les portes de l'ascenseur se sont-elles refermées qu'il me colle contre la paroi. Sa bouche s'écrase sur la mienne, il glisse sa main sous ma jupe et enfonce deux doigts en moi. J'ondule des hanches, avide.

– Mon Dieu, Louise, dit-il.

Nous éclatons de rire.

– J'ai eu peur que quelqu'un ne nous reconnaisse. C'est mon deuxième prénom.

– Je sais. Mais je crois qu'ils étaient tous un peu trop ivres pour remarquer quoi que ce soit. Et nous sommes trop loin de la ville.

– Il aurait pu y avoir des paparazzi dans les parages.

– Qu'ils aillent se faire voir ! crache-t-il.

– Je préférerais me faire voir par toi.

Il m'embrasse de plus belle.

– Ce type a été très déçu, dis-je quand nos lèvres se séparent.

– Je rétablissais simplement mes droits sur ce qui m'appartient. En lui faisant la faveur de lui offrir un petit fantasme qui l'occupera ce soir. (Il glisse sans peine un troisième doigt en moi, et je me mords la lèvre pour retenir un cri de plaisir.) Ne me dis pas que ça ne t'a pas plu.

– J'ai bien aimé, dis-je alors que les portes de l'ascenseur s'ouvrent. Beaucoup, même.

Il retire ses doigts, puis il me fait sortir d'une petite tape sur les fesses. Notre chambre est au bout du couloir, et je suis stupéfaite. La suite est pourvue d'un salon, d'une salle à manger et d'une chambre séparées. La porte se referme avec un bruit sourd derrière nous.

– Pour une femme qui aime être à moi, tu as admirablement bien flirté avec ce type.

Je contemple encore la pièce, mais à ces mots je fais volte-face, prête à me défendre… Je n'ai absolument pas flirté avec ce lourdingue. Mais je me ravise devant les yeux rieurs de Damien.

– Qu'est-ce que j'étais censée faire alors ? je demande d'un ton dégagé. Tu ne t'occupais pas de moi. Je ne faisais que bavarder.

– Il voulait autre chose. (Il me prend la main et m'entraîne dans la salle à manger, devant une grande table ronde. Il me retourne et se retrouve derrière moi, puis il glisse une main sous ma jupe, le long de ma cuisse.) Il faut que tu comprennes, tu m'appartiens entièrement. Tu es à moi, et je veux te donner du plaisir, dit-il en effleurant mon clitoris et en faisant jaillir en moi un torrent de frissons. Ou de la souffrance. (Il m'assène sans ménagement une claque sur les fesses ; je pousse un cri de douleur mêlé de plaisir.) Tu aimes ça ? murmure-t-il. (*Oh, mon Dieu, oui.* Je tends les fesses en arrière pour lui faciliter la tâche.) Écarte les jambes.

J'obéis, savourant d'avance la sensation de Damien en moi. J'entends le bruit de sa fermeture Éclair, puis le bruissement du pantalon qu'il enlève. Il garde sa chemise, et l'ourlet de coton amidonné frôle ma peau quand il se penche, m'arrachant un cri de plaisir. Une main revient entre mes cuisses, l'autre se referme sur mes seins. Quand je commence à me redresser, il m'ordonne de rester dans la même position, penchée et offerte.

— Tu veux que je te baise, n'est-ce pas ?

— Oui, dis-je dans un gémissement.

Heureusement, mes mains sont posées sur la table. Mes jambes seules ne suffiraient pas à me soutenir. Je ne suis plus que sensation, désir et énergie sexuelle. Et s'il ne me laisse pas jouir au plus vite, je vais m'évanouir de plaisir.

Il glisse deux doigts en moi, et je me crispe sur lui en gémissant. Je suis au bord de l'orgasme, tout près, et je me mords la lèvre dans l'attente de l'explosion ultime.

Qui n'arrive pas.

Je proteste quand il enlève ses doigts et pose chastement une main sur ma hanche.

— Tourne-toi, ma chérie, dit-il. Je veux voir ton visage.

J'obéis et lis dans son regard tout ce que les mots seraient impuissants à exprimer. Je fonds sous son désir brûlant. L'envie et la soif. J'en suis déchirée et n'ai plus qu'une certitude au monde, Damien.

— Embrasse-moi.

Il s'exécute. Son baiser, violent et avide, me meurtrit les lèvres. Il me repousse contre la robuste table, puis empoigne ma robe à l'encolure et l'arrache, découvrant mes seins. Je pousse un cri en me cambrant pour m'offrir à lui, et j'empoigne sa tête pour l'incliner vers mon téton, qu'il mordille juste assez pour m'arracher un râle. Je suis emportée par une vague de plaisir confinant à la douleur.

– Maintenant, dit-il.

Ce qui reste de ma robe est retroussé jusqu'à ma taille. La table s'enfonce dans mon dos, mais je m'en moque. J'écarte les jambes pour lui et je hurle quand il s'enfonce en moi. Cambrée, déchaînée, je vais à la rencontre de chaque coup de boutoir. Je suis à lui.

À Damien.

Il explose en moi en prononçant mon prénom. Puis, épuisé, il laisse glisser sa main à l'endroit où je ruisselle de son sperme. Je halète tandis qu'il me caresse en décrivant des cercles de plus en plus vite, jusqu'à ce que je crie et que mon corps s'arc-boute, déchiré par l'orgasme, avant de succomber à la béatitude de l'épuisement.

– Waouh, dis-je en me blottissant contre lui.

– En effet.

Nous restons ainsi un moment enlacés.

– Cette table est vraiment inconfortable, dis-je enfin. (Il éclate de rire.) Et nous devrions la nettoyer, aussi. Je ne suis pas sûre que ce sera du goût des femmes de chambre.

– Elles en ont vu d'autres. (Je me tourne vers lui d'un air interrogateur.) Très bien. Nous allons la nettoyer. Mais pour l'instant, je t'emmène te coucher.

Il tend sa main, et je le suis dans la chambre spacieuse, équipée d'un lit qui semble bien plus douillet que la table.

– Un matelas, dis-je. En voilà, une nouveauté.

– Viens par là.

Il m'attire vers le lit, et nous abandonnons le reste de nos vêtements avant de nous glisser sous les draps. Je me pelotonne contre lui et nous restons allongés ainsi pendant des heures, à bavarder tout en zappant de chaîne en chaîne devant des bribes de vieux films.

Ça aussi, c'est quelque chose que j'adore chez Damien, ce passage de la passion la plus frénétique à ces moments suaves où je me sens en sécurité et adorée. C'est aussi délicieux et gratifiant qu'un verre de porto après un bon repas.

– Je ne suis pas fatiguée, dis-je en voyant la pendule indiquer 4 heures. Si on n'était pas déjà le matin, je regretterais le lendemain d'avoir autant veillé.

– Tu le regretteras ?

– Pas un instant.

– Merci.

– De quoi ?

– D'avoir accepté de réaliser un fantasme.

– Enfin, monsieur Stark, dis-je en riant. Vous n'avez pas entendu ? Je suis à vos ordres.

– Et j'en suis fort aise, dit-il avec un petit baiser.

Un bref instant, nous restons allongés sans rien dire. Puis Damien reprend :

– Ce coup de fil dont tu m'as parlé plus tôt, c'était une mauvaise nouvelle. D'un ami.

– Ah ! Désolée… (Je me rappelle ce qu'a dit Charles Maynard.) L'ami est en Allemagne ?

– Pourquoi dis-tu cela ? demande-t-il, le regard aigu.

– La voix de Charles porte loin.

– Apparemment… Non, l'Allemagne, c'est tout à fait autre chose.

– Une mise en examen ? L'une des filiales de Stark International ou quelque chose de ce genre ?

– Quelque chose de ce genre, répond-il d'un air crispé.

– Tu es inquiet ?

— Non. Charles s'en occupe.

Je hoche la tête. Comme je ne sais rien des lois du commerce et de la finance internationale, je ne peux guère poursuivre sur ce chapitre.

— Tu ne veux pas me faire part de la mauvaise nouvelle ?

Pendant une seconde, je pense qu'il va refuser. Puis il répond, d'une voix assurée et égale, comme s'il s'efforçait de se contenir.

— C'est Sofia.

Je mets un moment avant de la situer.

— Ton amie d'enfance ? Celle dont a parlé Alaine ?

— Oui. Elle a eu quelques ennuis. Ce n'est pas la première fois, mais c'est agaçant. J'espère qu'elle va finir par s'assagir, mais elle accumule les écarts.

— J'en suis navrée. J'espère que ça va aller pour elle.

— Moi aussi, dit-il en m'embrassant le front.

J'attends qu'il m'en dise davantage, mais il ne poursuit pas. Cela ne me gêne pas. Je lui prends la main.

— Merci, lui dis-je.

— Je fais de mon mieux, répond-il.

— Je sais, dis-je en me collant contre lui. Et j'apprécie.

Apaisée, je ferme les yeux, tandis qu'il caresse ma peau nue. Les minutes s'égrènent. Je dors presque quand il reprend la parole, j'ai l'impression de l'entendre en rêve.

— Jamais je n'ai dormi nu, avant.

— Pourquoi ? je demande en me berçant d'images de Damien nu.

— Parce que quand nous étions en déplacement, Richter venait dans ma chambre. Comme par hasard j'avais toujours une chambre pour moi tout seul, alors que les autres garçons étaient à plusieurs.

J'ai rouvert les yeux, mais je ne le regarde toujours pas. J'ai peur qu'il cesse de parler, sinon.

– Qu'est-ce qui se passait ?

– Il entrait. Et il me touchait, dit-il d'une voix tendue. Il me menaçait et jurait que si j'en parlais, tout ce que j'avais me serait arraché. Que mon père n'aurait pas d'argent et que nous serions à la rue. Mais, surtout, que j'aurais la réputation d'un petit garçon qui raconte d'abominables mensonges.

– Quel salaud !

– Oui.

Je ne dis rien, attendant qu'il continue. Mais il reste silencieux. Ce n'est pas grave. Il m'a confié deux vérités, ce soir. Et je sais qu'il s'agit seulement d'une petite partie d'une confiance qui grandit entre nous.

– C'est bien ce que j'avais deviné, dis-je. Mais je crois que je me suis trompée concernant ton père.

– Comment ça ?

– Je croyais qu'il était au courant des abus de ton entraîneur. Mais dans la limousine, je me suis rendu compte que ce n'était pas le cas.

Pendant un moment, seul règne le silence. Puis Damien reprend d'une voix glaciale :

– Il était au courant.

– Quoi ? Mais… Pourquoi voudrait-il donc que tu assistes à l'inauguration de ce centre de tennis, s'il sait ce que ce type répugnant te faisait ?

– Je ne sais pas. (Il hésite, le visage crispé.) Non. Je sais, en fait. Le centre de tennis est la propriété d'une grosse entreprise du milieu sportif, basée en Allemagne.

Une entreprise puissante dont les dirigeants ont le bras long.

– Je ne comprends pas. Ton père a des liens avec cette entreprise ?

– Non. Et mon père se contrefiche que je soutienne un centre de tennis ou une animalerie. C'est simplement un échange de bons procédés. J'apporte la caution de mon nom à ce centre de tennis, et peut-être ces gens bien placés feront-ils agir leurs relations en Allemagne.

– La mise en examen dont on n'arrête pas de parler ?

– C'est ça. Charles est d'accord avec mon père, en fait. Il est furieux que j'aie fait cette déclaration en sortant de la soirée de Garreth Todd. Franchement, continue-t-il avec un sourire sans joie, j'aurais dû me taire. Je n'ai pas l'habitude d'agir brutalement, c'est pourtant ce que j'ai fait avec cette déclaration.

– Pourquoi l'as-tu faite, alors ?

– Parce que c'est la vérité. Parce que ce centre ne devrait pas porter son nom. Et parce que j'en ai marre que le monde entier s'imagine que j'admirais ce salaud.

– Alors, tu as agi comme il le fallait.

– Peut-être. Mais parfois, même bien agir a des conséquences déplaisantes.

– C'est si grave ? (L'inquiétude surgit en moi.) L'une de tes entreprises a donc tant d'ennuis ?

Il hésite.

– Il y a un risque que ce soit très grave, dit-il finalement. Mais je ne crois pas que cela ira aussi loin. Il me reste encore quelques solutions de rechange.

Je hoche la tête, un peu tranquillisée. Si Damien n'est pas inquiet, je ne le suis pas non plus.

– Viens plus près, demande-t-il.

J'obéis avec empressement. Je me glisse entre ses bras et laisse la puissance de son étreinte chasser mes dernières inquiétudes. Tout ce que je veux, c'est Damien, et je suis gagnée par le sommeil dans le confort de ses bras.

Chapitre 17

Le bruit perçant d'une sonnette m'éveille en sursaut. Je me redresse, désorientée. Depuis quand il y a des sonnettes dans les hôtels ? Apparemment, c'est le cas dans les suites pour les riches, car sans conteste j'entends une sonnerie à laquelle personne ne répond.

– Damien ?

Je m'attends à l'entendre répondre depuis la salle de bains, mais comme rien ne vient je me lève, encore endolorie et langoureuse. Je sursaute à nouveau en entendant un autre coup de sonnette suivi par une voix qui annonce : « Service d'étage ! ».

La perspective du café me ranime.

– Un instant ! je réponds en cherchant quelque chose à me mettre.

Je repère un peignoir posé sur le dossier d'une chaise, ce qui m'arrange bien, vu l'état de ma robe. C'est Damien qui l'a déposé là, évidemment. Mais où est-il ?

Je me précipite hors de la chambre et traverse la salle à manger pour gagner la porte. Le garçon d'étage attend depuis cinq minutes au moins, mais il reste imperturbable.

– Bonjour, madame, dit-il en entrant avec son chariot.

Il commence à disposer les plats sur la table nettoyée. Damien n'a pas chômé, ce matin. À mesure qu'il ôte les cloches des assiettes, je réalise à quel point j'ai faim. Il y a du café, du jus d'orange, des œufs, du pain grillé, une gaufre, des fruits et assez de bacon pour nourrir un régiment. En revanche, il n'y a pas assez de vaisselle pour autant de choses. À vrai dire, il n'y a qu'une tasse, un verre et un couvert enveloppés dans une serviette en tissu noir. Je suis peut-être au ralenti, ce matin, mais je viens seulement de comprendre que Damien m'a faussé compagnie.

— Désirez-vous autre chose ?

— Non. Merci. Dois-je signer quelque chose ?

— Non, madame, mais j'ai également ceci pour vous. (Il sort de sa poche intérieure une petite enveloppe qu'il me tend.) M. Stark m'a demandé de vous la remettre avec votre petit déjeuner.

— Oh ! dis-je en prenant le mot, surprise mais ravie. Merci.

Je garde l'enveloppe à la main jusqu'à son départ. Elle est en papier épais, cachetée, avec le nom de l'hôtel au dos, et j'utilise le couteau pour l'ouvrir. J'en sors une petite feuille pliée du même papier, avec l'écriture nette et précise de Damien.

« Ma chère mademoiselle Fairchild,

Savourez votre petit déjeuner. Si vous désirez quoi que ce soit, appelez simplement le service d'étage. Je ne savais pas ce dont vous auriez envie. Personnellement, je me suis réveillé en n'ayant envie que de vous, mais devant votre allure si charmante, j'ai préféré vous laisser dormir. Je dois être à San Diego pour un petit déjeuner d'affaires à 6 heures avec un associé un peu difficile, mais je serai de retour à Los Angeles à 11 heures. Conservez la chambre. Allez faire quelques achats dans la boutique de l'hôtel. Allez au spa. Faites ce qu'il vous plaît.

Je vous retrouverai dans quelques heures, et le reste du dimanche sera à nous. J'attends avec impatience nos prochaines retrouvailles.

Je dois avouer que je n'ai jamais séduit plus belle femme dans un hôtel. Maintenant que j'ai fait votre connaissance, je me demande ce que j'ai manqué pendant toutes ces années…

À tout à l'heure. En attendant, imaginez-moi en train de vous caresser.

Votre Damien.

P.S. : Je vous suggère de porter autre chose que la robe bleue en lambeaux. Jetez un coup d'œil dans le placard. »

Serrant la lettre sur mon cœur en soupirant, je me laisse tomber sur le lit pour me remémorer chaque instant de la veille. Après quoi je passe la matinée à faire ce que m'a suggéré Damien. Il y a une délicieuse robe à fleurs dans le placard, ainsi qu'une ravissante paire de tongs Yellow Box. Je les mets pour descendre me faire faire une manucure et une pédicure au spa. Puis je flâne dans le hall et achète pour Damien et moi d'immenses T-shirts Beverly Hills ainsi que des casquettes de base-ball assorties.

Ensuite, je m'installe au bord de la piscine avec un magazine, et bois deux bloody mary en lisant les dernières péripéties des célébrités, afin de pouvoir impressionner Jamie par ma science des potins de Hollywood.

Le magazine ne contient qu'une petite photo de Damien et moi – cette publication est infiniment plus responsable que ses concurrentes.

À 11 heures, comme je n'ai toujours pas de nouvelles de Damien, je remonte l'attendre dans la chambre. La vodka me monte à la tête et je m'assoupis. Soudain, je sens le matelas bouger et ouvre les yeux sur le plus délicieux spectacle qui soit.

– Salut, dis-je.

– Qu'as-tu fait de ta journée ?

– Pas grand-chose. C'était paradisiaque.

– Verrais-tu un inconvénient à sortir ? Je voudrais t'emmener quelque part.

– Ah bon ? Où ça ?

– Faire du roller sur Venice Beach, dit-il.

J'éclate de rire, puis me rends compte qu'il est sérieux.

– Vraiment ?

– C'est amusant. Tu en as déjà fait ?

Je suis forcée d'admettre que non, et Damien me répond qu'il est grand temps que je m'y essaie.

Dans ce cas, j'ai tout ce qu'il nous faut, dis-je en déballant les T-shirts et casquettes. Plus on aura l'air de touristes, moins on risquera d'être repérés.

– Sans oublier que tu es très mignonne comme ça.

Je me regarde dans le grand miroir : ça pourrait être pire. Ce n'est pas du dernier cri, mais j'ai l'air d'une fille quelconque qui flâne un dimanche après-midi. Damien, évidemment, est hypersexy avec le T-shirt gris qui moule son torse et la casquette de base-ball noire qui accentue sa mâchoire carrée et son sourire éclatant.

Il me propose de mettre mon portefeuille et mon téléphone dans son sac à dos en cuir.

– Laisse tout le reste, dit-il.

– Il ne faut pas rendre la chambre ?

– C'est la mienne. Enfin, celle de l'entreprise. Elle est louée à l'année pour les clients en visite et les cadres en déplacement.

Pas mal, me dis-je tandis que nous descendons jusqu'au voiturier. Peu après, nous roulons en Jaguar sur Santa Monica Boulevard, vers l'ouest.

Damien connaît très bien les petites rues de Venice et, après avoir garé la voiture dans un parking gardé, nous nous asseyons sur un banc pour enfiler nos rollers, protège-genoux et casques de location. Vingt minutes plus tard, nous revenons sur le banc pour les enlever et les rendre à la boutique.

– Je t'avais dit que je serais nulle, dis-je.

– Tu l'étais, en effet, reconnaît-il. Je me demande comment quelqu'un d'aussi gracieux peut avoir aussi peu d'équilibre.

– J'ai le sens de l'équilibre, mais pas sur des toutes petites roulettes. Pourquoi ne pas prendre des vélos ? (Il me jette un regard sceptique. Je le toise.) Si ! Je sais faire du vélo.

Nous en louons et je passe les deux heures suivantes à lui prouver que j'ai conservé ce savoir-faire de l'enfance. Même si, en toute honnêteté, il n'a rien à voir avec mon enfance. Ma mère redoutant que je m'égratigne et me fasse des bleus, je n'ai appris à faire du vélo qu'à l'université.

– Encore un morceau d'enfance dont tu as été privée, commente Damien.

– Ce n'est pas grave. Je préfère passer une journée à faire du vélo avec toi sur la plage que tout un été quand j'étais petite.

— En récompense, je t'offre une glace.

Nous garons les vélos près du stand haut en couleur d'un marchand de glaces, et commandons chacun un cône saupoudré de paillettes de chocolat. Puis nous glissons nos tongs dans le sac à dos de Damien et descendons au bord de l'océan. Comme c'est le Pacifique, l'eau est glaciale, même en été, et je suis stupéfaite que les gens qui s'y ébattent ne soient pas bleus de froid.

Main dans la main, nous marchons dans les vagues, laissant le sable glisser sous nos pieds pendant que nous mangeons nos glaces. Une ado lance un bâton à un gros chien. Je dis à Damien que j'ai toujours voulu un chien, mais que ma mère a toujours refusé — comme c'est étonnant ! Il me confie qu'il a ramené un labrador errant un jour chez lui, mais que son père n'a pas voulu qu'il le garde.

— Comme j'étais toujours en voyage, c'était mieux ainsi, dit-il. Le pauvre aurait été au chenil tout le temps.

— Mais ce n'était pas le but ? Tu disais à ton père que tu voulais un chien parce que tu voulais quitter les tournois de tennis, non ? Et rester à la maison ?

Damien me regarde avec une curieuse expression.

— Oui, dit-il finalement. C'était exactement ça.

— Tu en as eu un, quand tu as quitté le tennis pour te lancer dans les affaires ?

— Non. Jamais. Tu crois qu'elle me vendrait le sien ? demande-t-il en désignant la fille.

— Je pense que non.

Reprenant nos deux-roues, nous rebroussons chemin vers Santa Monica. Sans nous presser, nous regardons en bavardant les touristes et les gens du coin, et savourons notre journée. Au centre commercial, après avoir cadenassé nos vélos, nous prenons la promenade vers le Coffee Bean & Tea Leaf. Armés de mokas glacés, nous continuons sur la rue commerçante, jusqu'à ce que Damien déclare avoir envie de vrais aliments et m'invite à dîner.

Il propose l'Ivy. Bizarre. Même moi je sais qu'on va dans cet endroit pour y être vu.

— Pour commencer, je ne crois pas qu'on nous laissera entrer habillés comme ça, dis-je. Et puis ce n'est pas le meilleur choix pour éviter les paparazzi.

— Alors, ce sera une pizzeria, dit-il.

Et nous nous retrouvons à manger des pizzas sur des tables en fer.

— L'Ivy n'aurait pu être mieux, dis-je. (Et en cet instant, en compagnie de cet homme, rien n'est plus vrai. Je jette un coup d'œil au ciel.) Il va bientôt faire nuit. On ne devrait pas reprendre nos vélos ?

— Bientôt, dit-il. Je veux te montrer quelque chose.

Il veut me montrer la jetée, même si je lui dis l'avoir déjà vue.

— Mais as-tu déjà fait un tour sur la grande roue ?

— Non. C'est là que tu veux aller ?

— Je suis un homme mystérieux, n'oublie pas. Incapable de partager ses secrets.

— Je suppose que cela doit vouloir dire oui.

— C'est l'une des choses que j'admire le plus chez toi. Ton intelligence et ta malice.

Je souris. Nous continuons à pied et nous plaçons dans la file d'attente. Il y a si peu de monde que nous attendons seulement deux tours avant de monter dans notre nacelle… et partir.

Je suis aux anges. C'est la première fois que je monte dans ce genre de manège. La roue tourne lentement, mais la nacelle se balance ; cela me mettrait mal à l'aise si Damien n'était pas avec moi et ne me tenait par la taille. Au moment où la nacelle s'immobilise tout en haut, Damien enlève son sac à dos et le pose à terre.

— Qu'est-ce que tu fais ? je m'écrie. Ne me lâche pas !

Je jette un coup d'œil autour de nous. Le soleil est couché et les lumières de la jetée scintillent. C'est comme un paysage de conte de fées, bien qu'un peu trop en altitude.

— Pourquoi on ne bouge plus ?

— Les passagers montent et descendent là en bas, dit Damien en se relevant.

Il a sorti deux paquets. L'un de la taille d'un jeu de cartes, l'autre un peu plus gros, comme un lecteur de DVD externe.

— Tu m'as apporté des cadeaux ?

— Oui.

— Et moi qui ne t'ai rien pris… (Il désigne la casquette et le T-shirt.) Je les ai fait mettre sur la note de la chambre.

— C'est l'intention qui compte. Mais si tu ne veux pas de mes cadeaux… dit-il en faisant mine de les ranger.

— Non, non, dis-je. C'est très bien.

Nous nous sourions.

— Le petit en premier, dit-il en me tendant le paquet. (À ce moment, la roue s'ébranle à nouveau. Je déballe le paquet et découvre une petite boîte dorée. Je soulève le couvercle et découvre quatre truffes au chocolat.) Tu as eu la fondue, dit-il. Mais les truffes sont notre spécialité.

— Ton entreprise ? Celle qui est en Suisse ?

— Je t'avais dit que je demanderais à Sylvia de t'en commander.

Je ne peux m'empêcher d'en prendre une avec un grand sourire.

— Tu veux en goûter ?

— Elles sont toutes pour toi.

Je mords dedans avec un petit gémissement d'extase. C'est un véritable nirvana de chocolat. Je termine la truffe et rends le paquet à Damien pour qu'il le range dans son sac.

— Merci. Tu es vraiment stupéfiant.

— Parce que je t'ai acheté des chocolats ?

— Oui, dis-je avec sincérité. Et pour plein d'autres raisons.

Il m'embrasse et m'offre l'autre paquet.

— Celui-ci, maintenant.

Je le déballe précautionneusement, puis pousse un cri : il s'agit d'un cadre ancien en bronze contenant une photo éblouissante où nous figurons en tenue de soirée. Damien m'avait emmenée à l'opéra, et les paparazzi ne cessaient de nous mitrailler. Elle a été publiée dans un magazine, dont j'ai un exemplaire numérique dans le dossier de mon scrapbook. Mais celle-ci semble bien être l'original.

— Oh, Damien, c'est fabuleux… je murmure, le regard rivé sur la photo. Comment l'as-tu obtenue ?

— J'ai appelé le journal et j'ai acheté un tirage. Tu étais particulièrement ravissante là-dessus. Je ne pensais pas dire un jour que les paparazzi pouvaient avoir une utilité.

— Je n'irais pas jusque-là. Mais je chérirai celui-là jusqu'à mon dernier jour.

Mon cœur se serre. Je me suis trouvée des centaines de fois au côté de Damien, et j'ai vu autant de photos étalées dans les magazines et sur les sites Web. Mais cette photo exprime quelque chose de pérenne et fidèle, elle représente l'avenir, en quelque sorte. J'ai les larmes aux yeux, mais je suis folle de joie.

– Je me suis dit que tu pourrais la poser sur ton bureau, dit-il.

– Oui, comme ça, je pourrai la contempler chaque jour. (La grande roue s'arrête de nouveau, mais je m'en moque. Je colle la photo contre ma poitrine et me serre contre Damien.) Jamais on ne m'a fait plus beau cadeau, dis-je sincèrement. Et la journée a été merveilleuse.

*

* *

Le lundi matin, chez Innovative, Trish déverse sur mon bureau une tonne de papiers sur lesquels je dois écrire mon adresse et signer jusqu'à la tendinite. Après quoi, elle me balade dans le bureau et me présente à tout le monde. Je hoche la tête et souris, faisant celle qui se rappellera tous les noms qu'elle m'égrène. J'ai déjà visité les lieux, mais c'est agréable de les revoir avec le regard d'une employée. Nous finissons par mon bureau, un minuscule espace dans le coin sud avec vue sur le parking.

Mais il m'est entièrement dévolu, et je suis occupée à le ranger à l'arrivée de Bruce.

– Bienvenue pour le deuxième jour. Tout est installé ?

– J'ai juste besoin d'un accès au réseau, et je serai parée. (Je consulte l'heure sur mon téléphone.) Comme Carla m'a dit que ce serait fait dans une heure, ça devrait être officiel sous peu.

Bruce acquiesce, puis il m'expose ce qui m'attend sur mon agenda du jour : en gros, assister à des réunions et me familiariser avec les différents produits de l'entreprise. À la fin de la journée, j'aurai fait la connaissance de mon équipe et des produits que je suis chargée de gérer. J'ai beaucoup de choses à apprendre, autant en spécification de produits qu'en noms et prénoms de collègues ; mais d'un point de vue général, l'emploi du temps de la journée me convient.

— Je sais que je vous ai promis un déjeuner, mais il se trouve que je dois rencontrer mon avocat. Cela vous ennuie si nous remettons cela à plus tard ?

— Ce n'est pas grave. À vrai dire, je vais disposer de très peu de temps, avec tout ce que je dois lire.

Il paraît soulagé, et je le gratifie de mon plus joli sourire d'employée compréhensive. Un instant plus tard, il change d'expression.

— J'aimerais à nouveau m'excuser pour samedi soir.

— Ce n'est vraiment pas nécessaire, dis-je, n'ayant pas du tout envie de revenir sur le sujet.

Il me dévisage.

— Eh bien, j'espère que ce n'est pas pour ça que Damien est parti avec vous de si bonne heure.

Je sens le rouge me monter aux joues.

— Pas du tout. Et surtout, dites à Giselle que tout va bien. Je vous assure que je ne suis pas fâchée.

Son expression se durcit.

— Si je la vois, je lui dirai, répond-il.

Du coup, je ne sais plus quoi dire, car j'ai manifestement abordé un sujet sensible. Heureusement, Bruce passe à autre chose en balançant un exemplaire de *Tech World Today* sur mon bureau.

– Avez-vous vu le numéro de cette semaine ?

Je ne l'ai pas vu, mais je reconnais immédiatement l'image sur la couverture du journal. C'est le logo d'une entreprise israélienne, superposé à la copie d'écran d'un logiciel d'imagerie en 3D ultraperfectionné. Je parcours l'article avant de lever les yeux vers lui.

– C'était en cours depuis longtemps. On dirait qu'ils sont passés en phase bêta plus tôt que prévu.

– J'ai entendu dire que vous aviez travaillé sur quelque chose du même genre chez C-Squared, dit-il.

C-Squared est l'entreprise de Carl.

– En effet.

Je décide de me lancer et de lui raconter ce qui s'est vraiment passé. Cela m'agace, mais je n'ai rien fait de mal.

– J'étais dans l'équipe qui a présenté le produit à Damien.

– C'est comme ça que vous vous êtes connus ?

– Non. Nous nous étions rencontrés des années auparavant au Texas. Nous nous sommes retrouvés dans une des soirées d'Evelyn.

Je ne précise pas que Carl m'avait envoyée à cette soirée dans le but d'attirer l'attention de Damien Stark. J'avais alors compris que mon ancien boss était une ordure. Et j'en avais eu rapidement confirmation.

– La présentation s'est bien passée, mais Damien n'a pas voulu investir, car il était au courant de ce produit israélien, même s'il n'en a pas parlé sur le moment. Entre-temps, lui et moi avons renoué des liens.

Je rougis de nouveau, car « renouer des liens » est très loin de décrire ce qui s'est passé avec Damien. Dieu merci, Bruce ne remarque rien.

– Et Carl vous en a voulu.

– Il m'a virée, je précise avec un sourire dépité. Il ne figure pas en haut de ma liste d'amis.

– À vrai dire, Carl Rosenfeld ne figure sur la liste d'amis de personne.

Je souris, tout de suite plus à l'aise.

Un instant plus tard, Cindy m'apporte le pli d'un coursier. Aucune adresse. Évidemment, je suis certaine que cela vient de Damien. Et à la manière dont Cindy s'attarde, elle doit penser la même chose – et veut savoir ce que le milliardaire le plus sexy du monde peut envoyer à sa petite amie.

Je suis curieuse, moi aussi. Mais comme il s'agit de Damien, pas question que je l'ouvre en leur présence. Je pose l'enveloppe sur le coin de mon bureau, à côté de la photo encadrée.

– Paperasses des assurances, dis-je nonchalamment avant de me retourner vers Bruce et de sortir le premier truc intéressant qui me vient à l'esprit concernant la réunion Suncoast de la semaine précédente.

Ils vont enfin s'en aller… Je me jette sur l'enveloppe. Je l'ouvre, jette un coup d'œil à l'intérieur et y trouve mon foulard rose.

D'accord…

Cela me fait un prétexte pour l'appeler. Malheureusement, je n'ai droit qu'à sa boîte vocale.

– Salut, dis-je. Merci beaucoup pour le foulard, comment savais-tu qu'il m'irait à ravir ? J'ai passé une journée merveilleuse hier, dis-je, puis j'hésite un peu. Et je me suis dit que tu aimerais être au courant : je porte une jupe en jean, un T-shirt violet sous un blouson en jean, et c'est tout.

Je raccroche avec un petit sourire, faisant un effort sur moi-même pour me remettre à l'étude sur mon nouvel ordinateur. Je suis si absorbée par le travail que c'est seulement quand un des gars de mon équipe passe la tête par la porte que je me rends compte que j'y suis depuis des heures.

– Je vais descendre prendre un sandwich, dit-il. Tu veux quelque chose ?

– Alex, c'est ça ? (Il hoche la tête.) Ça t'ennuie si je t'accompagne ?

– OK, pas de problème. Mais je descends et je remonte aussitôt.

– Ça me va très bien.

Je prends mon sac à main et le suis jusqu'à l'ascenseur. Il est grand et si maigre qu'il doit peser cinq ou six kilos de moins que moi. Cheveux courts presque rasés, il porte un T-shirt qui proclame que Pluton est toujours une planète. Je suis tout à fait d'accord avec lui là-dessus et lui en fais part.

C'est comme si j'avais ouvert les vannes de la conversation. Nous ne sommes pas arrivés en bas que je sais déjà tout de lui – ne manque plus que son numéro de Sécurité sociale ; je suis même invitée à faire partie de sa guilde dans World of Warcraft.

– Vous sortez avec Damien Stark, alors, ajoute-t-il tandis que nous rejoignons la petite cafétéria de l'autre côté du hall. C'est cool.

– Je trouve aussi, dis-je poliment.

Je frémis malgré moi. En étant la petite copine de Damien, je réalise que je me suis engagée dans beaucoup plus que cela. Je suis sous le feu des projecteurs. Pour quelqu'un qui a passé la majeure partie de sa vie derrière un masque d'indifférence polie, ce n'est pas très confortable.

– Ouais, les sandwichs ici sont super bons, dit Alex, changeant fort heureusement de sujet. Mais la pizza est un peu dégueu.

– Les salades ?

– Je risque pas de savoir. Je fais pas dans la bouffe pour lapins. On se retrouve là-bas ?

J'acquiesce et me dirige vers les plats pour lapins. J'attends que le serveur me prépare une Cobb, quand une silhouette asiatique familière vient se placer derrière moi dans la file. J'essaie de me rappeler d'où je la connais, quand elle me regarde et dit :

– Innovative, c'est ça ? C'est vous, la nouvelle ?

– Nikki Fairchild, je confirme. Excusez-moi, j'ai été présentée à un million de gens ou presque. Je ne me rappelle pas votre nom.

– Non, non, nous ne nous connaissons pas. Je travaille dans l'immeuble. Lisa Reynolds. Je suis consultante et je connais Bruce depuis des années.

Ça y est, je me souviens d'elle.

– Vous étiez dans le hall vendredi, dis-je, à l'une des tables.

– J'y suis généralement au moins une fois par jour. Je suis addict au café. Tenez, dit-elle en cherchant une carte de visite dans son sac. Si jamais vous avez envie de descendre en douce prendre un *latte*, appelez-moi.

– Merci.

J'apprécie vraiment. Je n'ai pas connu beaucoup de monde depuis que je me suis installée à Los Angeles, et je suis ravie d'avoir une amie potentielle dans l'immeuble.

Je promets à Lisa de l'appeler cette semaine, puis remonte avec Alex. J'ai envie de me remettre au travail, mais je suis consciente que je dois faire connaissance avec mon équipe. Bien que j'aie proposé que nous mangions dans la salle de repos, je dois avouer que je suis soulagée quand Alexe m'annonce qu'il va déjeuner à son poste pour pouvoir jouer à World of Warcraft.

J'ai terminé ma salade et suis en pleine analyse d'un code pas facile, quand Damien m'appelle.

– Salut, dis-je. Tu as vu l'article dans *Tech World* ?

– On parle business, mademoiselle Fairchild ?

– De quoi pourrais-je parler d'autre ? je réponds en riant. Ton talent pour choisir les cadeaux s'émousse, mais j'imagine qu'il y a une certaine logique. Si tu m'offres quelque chose que je possède déjà, il y a de grandes chances pour que ça me plaise.

– C'est bien raisonné. Je garde cela en tête pour les prochains. Mais pour le moment, j'espérais parler d'un message très intéressant que j'ai reçu ce matin.

L'espace d'un instant, je ne vois pas de quoi il veut parler. Puis je me rappelle le trajet en Bentley. *Oh, zut !*

– Tu es dans un bureau privé ou en open-space ?

– Un bureau.

Je suis embarrassée au souvenir de ce que j'ai écrit dans cette lettre.

– Dans ce cas, chère mademoiselle Fairchild, vous devriez fermer la porte. Et même la verrouiller, je pense.

– Damien, je suis au bureau, je proteste tout en obéissant.

– Quelle coïncidence, moi aussi ! Imaginez ma surprise en consultant le courrier de ce matin. Des invitations à m'exprimer dans des séminaires d'affaires. Des propositions d'investissement dans l'immobilier. Toutes appétissantes, mais aucune aussi excitante que ce que je découvre en ouvrant une missive toute simple rédigée sur mon papier à lettres personnel.

– Damien…

– Vous avez un talent littéraire, mademoiselle Fairchild. J'ai été tout à fait soulagé que ma secrétaire soit dans son bureau quand j'ai lu votre lettre. Je ne crois pas que j'aurais pu dissimuler mon érection. Vous êtes vraiment une petite polissonne.

– Polissonne ?

– « Je me rappelle encore le son de votre voix, lit-il. Si suave que j'ai presque joui rien qu'en l'entendant. Et le cuir froid au contact de mes fesses brûlantes. En cet instant, je voulais sentir vos mains sur moi, votre sexe en moi. Je vous connaissais à peine, et pourtant je voulais me soumettre entièrement à vous. » Oui, je crois que polissonne est le terme qui convient tout à fait.

– Oh ! (En l'entendant lire ma propre prose, je suis forcée d'acquiescer muettement.) J'étais inspirée.

– Je suis très heureux de l'entendre. Quand j'ai trouvé le foulard ce matin dans l'appartement, il m'a fait penser à vous, et après avoir reçu votre lettre je me suis dit que je devais vous le rendre immédiatement. Voyez-vous, nous n'avons pas laissé ce foulard exprimer tout son potentiel.

– Ah bon ? dis-je, la bouche sèche.

– Non, répond-il à mi-voix. Mais j'ai l'intention d'y remédier. On peut faire bien des choses avec un foulard. Et d'autres encore avec l'ourlet. Le frôlement délicat sur votre téton durci. Une caresse taquine sur votre chatte brûlante. Je vous promets que nous allons pleinement explorer l'éventail des possibilités.

– Hum… dis-je avec peine.

– Portez-le aujourd'hui, et pensez à ce que je vais en faire ce soir.

– Ce soir ? je demande en enroulant le foulard autour de mon cou.

– Je passe te prendre à 19 heures, dit-il en riant. Tu seras nue à 20 heures.

Je flotte tout le reste de l'après-midi, même si je réussis à canaliser mes pensées afin de pouvoir travailler un peu. Comme je sors de l'ascenseur à la fin de la journée, tête baissée sur mon portable, pour lire un texto de Jamie qui s'extasie sur Raine, je ne vois Carl qu'au moment où je tombe nez à nez avec lui.

– Nikki…

Je me fige, un instant déstabilisée. Puis je me ressaisis et reprends mon chemin.

– Nous n'avons rien à nous dire, réponds-je.

– Attendez, me hèle-t-il. S'il vous plaît.

C'est peut-être ce « s'il vous plaît » qui me fait m'arrêter avant la sortie. Je ne me retourne pas, mais je l'entends qui se hâte de me rattraper.

– Deux minutes, dis-je en sortant et en attendant sous l'auvent de l'entrée.

Il me rejoint. Je ne dis pas un mot. J'attends, visage fermé, bras croisés.

D'un air désolé, il me tend le magazine qu'il avait sous le bras. Je ne le prends pas, mais je vois qu'il s'agit du numéro de *Tech World* que Bruce m'a apporté tout à l'heure. Je croise le regard de Carl, sans un mot.

– Bon sang ! Nikki, je ne savais pas qu'il y avait une autre boîte sur ce marché.

– Que voulez-vous, Carl ? je demande, glaciale.

– Je… Eh bien, j'ai peut-être agi un peu durement. (*Ah, tu trouves aussi ?* J'ai envie de crier après lui et de le baffer. Avec un effort, je parviens à rester stoïque.) C'est juste que je croyais que vous baisiez avec Stark.

Je bous littéralement et je n'ai qu'une envie, m'éloigner de ce sale type. Mais je me force à sourire et à hausser imperceptiblement le menton.

— C'est ce que je fais.

— D'accord, d'accord, fait Carl, apparemment gêné. Je veux dire, oui, j'ai vu les photos de vous ensemble, et tout ça. C'est juste que, eh bien, j'ai cru que vous vous étiez disputés. Ou que Stark pensait que vous et moi étions ensemble.

— Je vous assure qu'il a une bien plus haute opinion de moi.

— Bon sang ! Nikki, je suis en train d'essayer de vous faire mes excuses.

— C'est le but de votre visite ? je m'enquiers, sincèrement surprise.

— J'ai merdé, d'accord. J'ai été idiot et j'ai fait toute une histoire pour rien. (Il se passe une main dans les cheveux, qui, tout hérissés, lui donnent l'air encore plus harassé.) J'ai agi inconsidérément, et j'en suis désolé.

Je penche la tête sur le côté, essayant d'entendre ce qu'il ne me dit pas.

— Il est question d'autre chose que de mon licenciement, n'est-ce pas ? je demande avec inquiétude. Qu'est-ce que vous avez fait, Carl ?

— Oh, merde ! Des conneries… Vous savez bien.

— Non, je ne sais pas. Vous avez simplement dit que vous alliez bousiller Stark. Alors, qu'est-ce que vous avez fait ? (Je serre le poing et m'enfonce les ongles dans la paume. C'est au prix d'un immense effort que je parviens à me dominer.) Bon sang, Carl, de quelles autres conneries vous me parlez, là ? (Il ne répond pas et garde une expression impénétrable.) Nom d'un chien, Carl, pourquoi vous êtes venu ici, alors ?

— Vous savez que Stark a payé Padgett, n'est-ce pas ? dit-il enfin. Et que Padgett doit la fermer, à présent ?

— Comment vous le savez ?

Eric Padgett menaçait de déclarer publiquement qu'il était convaincu que Damien était responsable de la mort de sa sœur, et Damien a effectivement fait un chèque pour le museler. C'est un sujet auquel je n'aime pas penser. Sans compter que les termes de leur accord étaient censés rester confidentiels.

— Je sais des tas de choses. Padgett a beaucoup parlé avant de toucher l'argent. Et en grande partie à des gens qui en voulaient à Stark. Faites-moi confiance, si je vous dis que j'ai compris très vite que Padgett était le cadet des soucis de Stark. Il y a des tas d'autres gens qui veulent sa peau.

— Vous y compris, je lui rappelle.

— Pas moi. Plus maintenant. C'est pour ça que je suis venu. J'ai fini par voir que j'avais tout compris de travers et que je vous avais causé du tort, à vous et à Damien. Je dis juste que je ne suis pas le seul.

— Qui, alors ? Et quel tort ?

— Dites simplement à Stark qu'il ne s'attend sûrement pas à ce qui va lui tomber dessus. (Il se racle la gorge.) Je suis resté sur le cul en apprenant que Padgett s'était mis en devoir de lui régler son compte.

Je reste figée. Il ne sait sûrement pas à quel point il me fait peur.

— Vous ne voulez pas m'en dire plus ?

— J'ai dit tout ce que j'avais à dire. J'ai joué mon rôle et je me tire de ce guêpier. Quoi qu'il arrive, ce ne sera pas moi le coupable, je peux vous l'assurer.

— Alors, pourquoi vous êtes venu ici ?

– Parce que vous parler, c'est comme le dire à Stark. Le monde est petit, et j'ai coupé un pont que je n'aurais pas dû.

– Et vous croyez que me parler va tout arranger ?

– Non, mais je pense que c'est un début. Dites à Stark de surveiller ses arrières.

– Je ferai passer le message, dis-je, fière de ne pas trembler. Même s'il n'a pas besoin du conseil.

Chapitre 18

En regagnant ma voiture, je repense à ce qu'a dit Carl. Franchement, j'aurais préféré affronter les paparazzi. Au moins j'aurais pu passer mes nerfs sur eux, au lieu de m'inquiéter.

À peine assise au volant, je cherche mon chargeur dans la boîte à gants pour appeler Damien, mais il n'y est pas. Comme j'ai oublié d'en emporter un dans mon attaché-case, la batterie de mon téléphone est presque à plat. J'essaie de l'appeler, me disant que je n'ai qu'à parler vite, et je suis soulagée que Damien décroche aussitôt.

— Je suis tombée sur Carl, dis-je sans préambule.

— Tombée sur lui ? répète-t-il d'une voix sourde et mesurée qui ne présage rien de bon.

— Il est venu chez Innovative et m'attendait dans le hall.

— Ça va ? Il ne t'a rien fait ?

— Tout va bien. (Je le rassure en entendant son inquiétude et sa colère.) Il voulait que je te dise de surveiller tes arrières.

— Ah bon ? Répète-moi tout ce qu'il a dit, dans les termes exacts. (Je m'exécute en répétant la conversation avec le plus de détails possible.) Et il n'a pas voulu t'en dire davantage ?

— Non. As-tu la moindre idée de ce dont il parle ?

Je retiens mon souffle en me demandant si Damien va citer cette affaire en Allemagne. Ou le centre de tennis. Ou même l'accord avec Eric Padgett. Cela pourrait avoir un rapport avec tant de choses, et si moi j'ignore laquelle, je suis certaine que Damien, lui, le sait. Mais ce qu'il répond ne m'apprend rien.

— Je crois qu'il bluffe.

— Pourquoi tu dis ça ?

— S'il veut rétablir le contact, comme il te l'a dit, quelle meilleure manière de s'y prendre que de me prévenir d'un quelconque danger ?

— Parce qu'il y a toujours un danger qui guette les hommes comme toi, je termine, voyant où il veut en venir.

— Un concurrent fâché. Un employé viré. Un brevet volé. C'est là que Carl arrive et me dit de me tenir sur mes gardes, et ensuite, dès que je remarquerai quelque chose de négatif, je me dirai : oh, quelle chance j'ai eue que Carl m'ait prévenu. Finalement, ce petit con n'est pas si sot.

J'éclate de rire, parce que Carl est un petit con et que rien n'y changera quoi que ce soit. Mais rire ne m'empêche pas de me faire du souci.

— Alors tu n'es vraiment pas inquiet ?

— Je marque un point d'honneur à ne pas m'inquiéter, répond-il. Il n'y a rien à y gagner.

— Damien…

— Arrête, dit-il doucement.

— Arrêter quoi ?

– De t'inquiéter pour moi. Tu gaspilles ton énergie.

– Qu'est-ce que je ferais d'autre avec ? je demande d'un ton dégagé. Si encore tu étais près de moi.

– Petite coquine ! dit-il en riant. Où es-tu ?

– Sur le parking. Je vais faire quelques courses avant de rentrer.

– Très bien. Pourrais-tu me rendre un service et prendre du…

Et c'est là que la batterie de mon téléphone rend l'âme.

Même si Damien n'est pas inquiet, moi je le suis, et cela me préoccupe pendant que je fais mes courses. Après avoir pris du café, de la crème glacée et autres nécessités, je me dis que j'oublie sûrement quelque chose, mais comme ma liste est sur mon smartphone éteint, je vais devoir faire au mieux.

J'ai rempli deux sacs, et après avoir garé ma voiture dans le parking de mon immeuble, je fais le tour par le trottoir pour monter. Il y a foule, et il me faut un instant pour me rendre compte que c'est moi qu'on attend.

Merde.

J'étais peut-être d'humeur à les affronter tout à l'heure, mais ce n'est plus le cas. Je veux seulement rentrer chez moi et attendre Damien en mangeant ma glace.

Je redresse les épaules, m'assure de mon impassibilité et continue mon chemin. Immédiatement, ils se précipitent sur moi.

– Nikki ! Nikki ! Regardez par ici !

– Le portrait était-il un nu intégral ?

– Comporte-t-il les éléments habituels de Blaine comme le bondage ?

Tout à coup, j'ai le souffle coupé et une sueur froide me coule dans le dos. Je ne comprends pas d'où sortent ces questions, et j'ai trop peur pour y réfléchir.

— Pourquoi vous avez accepté, Nikki ? Pour l'argent ou parce que ça vous excitait ?

— Nikki ! Pouvez-vous confirmer que vous avez accepté un million de dollars de Damien Stark afin de poser nue pour un tableau érotique ?

Je me fige, trop horrifiée pour continuer, tandis que les flashs crépitent autour de moi. J'ai la nausée et je sens que je vais vomir d'un instant à l'autre.

— C'est la première fois que vous posez nue ?

— Ce tableau est-il le reflet de votre vie sexuelle avec Damien Stark ?

— Pourquoi avez-vous accepté d'être attachée ?

Ils sont tous autour de moi, ils m'encerclent… Je voudrais saisir la main de Damien, mais il n'est évidemment pas là. Mes genoux tremblent et je dois faire un effort pour ne pas m'effondrer. Pas question de sombrer, de réagir, de leur donner la satisfaction d'avoir gagné.

Pourtant, ils ont réussi. Et tandis qu'on me crible de variantes des mêmes questions et que j'essaie vainement d'atteindre l'escalier, je sens que je vais hurler. Ne serait-ce que pour les prendre de court et pouvoir m'échapper.

Un cri perçant s'élève au-dessus du vacarme, et durant un instant je crois que c'est moi qui l'ai poussé, mais soudain la foule s'écarte et je lève les yeux.

Damien. Il court vers moi depuis la rue où sa Ferrari noire est arrêtée, moteur en marche. Je me suis toujours demandé s'il serait capable de commettre un meurtre, mais à présent je n'ai plus de doutes. Il suffit de voir son regard. Sa mâchoire crispée. Ses muscles sous tension. En cet instant, il serait capable de tuer pour me protéger.

Il me saisit le bras. Je suis tellement soulagée que je pourrais pleurer. Il m'attire contre lui avec force, me prend par l'épaule et m'entraîne vers sa voiture.

Il jette les courses à l'intérieur, puis m'installe sur le siège. Alors qu'il attache ma ceinture de sécurité, je vois quelque chose se briser en lui.

– Ma chérie… dit-il.

Bien que les mots soient à peine audibles, je perçois à quel point il est désolé.

– Je t'en prie. Filons d'ici.

Il saute dans la voiture et nous nous élançons vers Ventura Boulevard, avant que j'aie le temps de m'en rendre compte. Il garde la main droite sur le levier de vitesse jusqu'à l'autoroute, puis la tend vers moi.

– Pardonne-moi. Le tableau. L'argent. Jamais je n'aurais cru…

– Non, dis-je d'un ton plus sec que je ne l'aurais voulu. Plus tard. Pour le moment, je veux faire comme s'il ne s'était rien passé.

Son regard est d'une tristesse qui me déchire. Nous restons silencieux un moment. Soudain, il assène un coup de poing sur le volant.

– Qui a fait ça ? demande-t-il. Quel est le salaud qui a lâché l'info ?

J'ai l'esprit embrumé. Et du mal à encaisser la situation. Je laisse glisser ma main entre le siège et ma portière et serre le poing, enfonçant mes ongles dans la chair. Je me mords la langue jusqu'au sang. Et je regrette – oh, comme je le regrette ! – de ne plus avoir le petit canif sur mon porte-clefs.

– Regarde-moi, dit brusquement Damien.

J'obéis. Je souris, même. Je commence à me ressaisir. Je prends une profonde inspiration, soulagée de voir que je m'en sors. Mais mon Dieu, mon Dieu, cette histoire n'en finira jamais. Tout le monde est au courant, à présent, et elle va me retomber dessus, encore et encore.

– Carl, je chuchote, c'est contre ça qu'il m'a mise en garde.

– Peut-être, mais je ne crois pas.

– Qui ce serait, alors ?

– Ollie est-il au courant pour le tableau ?

– Non ! dis-je immédiatement. (Puis j'hésite. Pourrait-il l'avoir découvert d'une manière ou d'une autre ?) Non. Et il n'aurait rien dit, de toute façon. Ce n'est pas à moi qu'il veut faire du mal.

– N'en sois pas si sûre, réplique sombrement Damien.

Il doit se tromper, il le faut. Même s'il a vu juste en prétendant qu'Ollie est amoureux de moi, mon meilleur ami ne ferait pas une chose pareille pour me punir d'être avec Damien. Quand même pas.

Je ferme les yeux, Cette pensée m'est insupportable.

– Peu importe celui qui a lâché le morceau, dis-je en serrant de nouveau le poing. C'est public, à présent. (Damien ne répond pas et nous continuons de rouler vers le centre en silence. Sa colère se répand dans la voiture.) Comment tu as su ? je demande finalement.

– Par Jamie. Elle est à l'appartement. Elle a dû se frayer un chemin dans la cohue en rentrant, et ils l'ont questionnée sur le tableau. Elle a fait celle qui n'était pas au courant et elle t'a appelée.

– Ma batterie est à plat, dis-je, accablée.

– Je sais. Elle m'a appelé en voyant qu'elle n'arrivait

pas à te joindre, et j'ai essayé aussi pour te dire de ne pas rentrer. Comme tu ne répondais pas…

— Tu es venu à mon secours.

— Heureusement que j'étais dans Beverly Hills et que tu n'es pas rentrée directement chez toi.

— Merci, dis-je.

Il se tourne en souriant tristement.

— Je te protégerai toujours, dit-il. Mais là…

Il n'achève pas et je vois sa main se crisper sur le volant. Je comprends. Il ne peut pas me protéger de cela, et il s'en veut.

Et, franchement, ça ne m'amuse pas tellement non plus.

Damien garde le silence jusqu'à ce que nous arrivions à l'appartement. Mais à peine sommes-nous entrés qu'il se déchaîne. D'un geste, il empoigne le vase de fleurs qui décore l'entrée et le jette sur le sol.

— Bon Dieu ! s'écrie-t-il dans un fracas de verre brisé.

Je reste immobile. Je sais ce qu'il éprouve. Moi aussi, j'ai envie de me défouler.

Non, ce n'est pas vrai. Je n'ai pas envie de me défouler, et c'est bien dommage. J'aimerais pouvoir m'emparer d'un bibelot, et le fracasser. Mais ça ne m'apaiserait pas. Des éclats de verre n'y suffiraient pas. Je ne serai satisfaite que lorsque j'en aurai pris un pour m'entailler la chair et que la douleur effacera toutes les horreurs. Ces atroces flashs crépitants. Les railleries des journalistes. La honte, l'humiliation, et la certitude que je vais devoir traîner tout cela le restant de mes jours.

Je frissonne, tant je me sens fragile, et j'imagine le poids d'un couteau dans ma main.

Non.

Je me force à ne pas traverser la pièce pour ramasser un morceau du vase brisé. Je regarde plutôt Damien, toujours immobile, les poings serrés et le visage figé.

— Ça va aller, dis-je…

C'est le genre de phrase de circonstance qu'on prononce, même quand on n'y croit pas.

— Tu parles !

Je sens la colère en lui, cette colère qui a fait sa réputation de personnage redoutable du temps où il était une star du tennis. Un tempérament explosif qui l'a mêlé à trop de bagarres et lui a laissé trop de cicatrices. Comme son œil noir qui me regarde à présent avec colère.

— Rien de tout cela ne devrait se produire. Je devrais pouvoir te protéger. Je devrais pouvoir empêcher mon salaud de père de se mêler de ma vie. Je ne veux pas de ses conneries, et encore moins qu'il t'approche. Et pour ce qui est du reste du monde… (Il n'achève pas, et un instant je pense qu'il s'est calmé. Mais il n'en est rien.) Je devrais être capable de garder tes secrets tout comme les miens. Seulement, voilà, ajoute-t-il avec un rire sans joie, ça non plus ça ne tient plus debout. Nom de Dieu !

Emporté par la rage, il donne un coup de poing dans la cloison et la traverse.

Je reste ébahie.

— Eh bien… dis-je. Là, une pelle et une balayette ne suffiront pas pour réparer les dégâts.

Il me regarde fixement, puis éclate de rire. Pas parce que la situation est drôle, mais parce qu'il est dépassé par les événements. J'ai envie de le prendre dans mes bras. De l'aider. Mais je me sens impuissante. Je tressaille et me rends compte que ma main est enroulée dans le foulard rose que j'ai toujours autour du cou. Lentement, je l'enlève. J'enroule une extrémité autour de mon poignet, tendant l'autre à Damien. Il s'en empare avec un regard interrogateur.

– Attache-moi. Donne-moi une fessée. Dis-moi exactement ce que tu veux que je fasse. Fais ce que tu veux. Tu veux te défouler ? Défoule-toi sur moi.

– Nikki…

– S'il te plaît, Damien. Tu ne peux pas soumettre le monde ? Et alors ? Soumets-moi. (Je plonge mon regard dans le sien.) Je t'en prie, dis-je d'une voix tremblante. Je t'en prie, j'en ai besoin, moi aussi.

– Oh, Nikki… (Il me scrute, cherchant à percer mes secrets.) C'est un besoin ou un désir ?

– Tu m'as dit un jour que si j'avais besoin de souffrir, je devais m'adresser à toi. J'ai rompu deux fois cette promesse. (Je désigne mes cheveux, puis le bout de mon doigt.) Alors oui, Damien, j'en ai besoin. J'ai besoin de toi pour pouvoir sortir de ça. Et je crois que tu as besoin de moi aussi.

Il ne répond pas. Puis il laisse glisser le foulard entre ses doigts.

– Ne t'ai-je pas dit au téléphone que j'avais prévu de m'amuser avec ceci ?

– Oui, dis-je.

Immobile, il me toise. Son regard part de mes pieds et remonte avec une extrême lenteur le long de mon corps. Il ne me touche pas, mais je brûle sous le feu de ses yeux. Je me laisse faire, soumise au pouvoir qu'il a sur moi. Sur mon corps. C'est ce dont j'ai envie. Je désire Damien et sa force, je veux qu'il me touche.

Mais, surtout, je veux qu'il me fasse oublier le reste du monde.

Il continue son inspection torride avec une expression de loup, avide et menaçante. Il va me dévorer, et je ne demande que ça. Je veux disparaître, aller quelque part où lui seul saura me retrouver.

Je chancelle et mon sexe palpite d'impatience. La sueur perle entre mes seins et mes tétons sont tendus sous mon T-shirt.

Mon regard rivé au sien, j'ai la bouche sèche et le cœur qui s'emballe. Ce n'est plus le Damien qui plaisante et taquine, qui m'étreint et m'apaise. Il n'est pas homme à révéler ses secrets à quiconque, et encore moins à exploser de fureur.

Non, l'homme qui se tient devant moi est la grâce et la maîtrise personnifiées. Il y a de la puissance dans le moindre de ses effleurements, dans le moindre de ses regards. C'est un homme dur qui dirige une entreprise, et pour l'instant je ne suis rien de plus que l'une de ses nombreuses possessions.

Je me mords la lèvre. Cette pensée ne me trouble pas. Au contraire, mon corps aux aguets frémit. Être possédée par Damien Stark, ce n'est pas anodin.

– Enlève tes vêtements.

J'obéis, ôte mon blouson puis le T-shirt. Comme nous sommes revenus au jeu, je ne porte pas de soutien-gorge, et lorsqu'il s'en aperçoit un imperceptible sourire se dessine sur ses lèvres. Je dézippe la jupe et la laisse glisser jusqu'à mes chevilles. Je me sens gauche et intimidée. Mais quand je vois la manière dont ses yeux me contemplent, je me sens belle.

– Écarte les jambes, dit-il.

Je m'exécute et il se met à genoux. Il me tient par les hanches et dépose un délicat baiser au-dessus de mon nombril. Ce simple contact me fait frissonner de tout mon être. Mon corps est en feu, brûlant d'impatience. J'enfouis mes mains dans ses cheveux.

– Non, murmure-t-il. Prends tes seins dans tes mains. Voilà, comme ça, ma chérie, dit-il en me regardant faire. Caresse-toi les tétons. Ils sont durs ?

– Oui… je murmure.

– Tant mieux. Je veux qu'ils le soient encore plus. Je veux qu'ils soient tellement durs que le simple frôlement de ton doigt dessus t'enverra une décharge jusqu'à la chatte. Qu'est-ce que tu réponds ?

– Oui. Oui, monsieur.

Il me fait un sourire entre compliment et promesse, puis revient à mon ventre dénudé. Ses lèvres me frôlent, de plus en plus bas, jusqu'à ce qu'il atteigne la ligne parfaitement entretenue de mes poils pubiens. Puis plus bas encore, jusqu'à ce que sa langue baigne mon clitoris. Mon corps excité n'en peut plus. Je dois enfreindre sa règle. Je l'empoigne par l'épaule… Si je ne le fais pas, je vais chavirer.

Sa langue est impitoyable. Elle m'agace, me baise, dure et exigeante, jusqu'à ce que j'explose dans un déchaînement de sensations.

Il est assez bon pour m'empêcher de tomber et me fait agenouiller devant lui.

– Tu as une saveur incroyable, dit-il, en me donnant pour me le prouver un baiser profond mais trop bref. Je vais te baiser, Nikki, ici et maintenant. À fond, sans pitié, jusqu'à ce que le plaisir te déchire comme un cyclone. Et puis nous recommencerons, lentement, sans effort, pour le laisser grandir comme une minuscule graine qui devient un arbre énorme. Tu sais combien de temps cela prend, Nikki ? Es-tu capable d'imaginer un plaisir qui dure une éternité ?

— Avec toi, oui, je parviens à répondre malgré ma bouche sèche.

— Bien répondu, glousse-t-il. À présent, déboutonne mon jean.

— Oui, monsieur.

Mon excitation est telle que j'ai du mal à ouvrir sa braguette. J'y parviens enfin, puis j'écarte l'étoffe et caresse du bout des doigts son sexe encore prisonnier de son caleçon.

Je l'entends retenir un soupir. Je suis heureuse de détenir autant de pouvoir sur lui qu'il en a sur moi.

— C'est bien, Nikki. À présent, sors-la et tourne-toi. À genoux, Nikki.

— Oui, monsieur.

Cependant, j'ai prévu autre chose. Je glisse ma main dans son jean et cherche l'élastique de son caleçon. Il est épais et dur. Et à peine l'ai-je touché que sa bite jaillit, comme si elle demandait à jouer elle aussi. Je suis censée me retourner, et je sais que je vais être punie, mais je ne peux résister à la tentation.

Je me penche et fais glisser ma langue sur toute la longueur veloutée de son sexe. Il a un goût salé, masculin et délicieux, et quand je l'entends gémir mon prénom, mon corps semble s'ouvrir. Je referme ma bouche sur le gland et le titille avec ma langue. Lentement, je le prends de plus en plus loin, puis je me retire en le frôlant à peine des dents.

Mes mains sont posées sur ses hanches, et je le sens commencer à frémir. Je me redresse, je veux l'engloutir, je veux qu'il jouisse.

Cependant, mon plan est déjoué quand il me prend sous les aisselles et me relève doucement.

– Coquine, me dit-il. (Je réponds par un sourire innocent.) Oh non, tu ne t'en tireras pas si facilement.

Le foulard que j'avais enroulé à mon poignet s'est détaché. Il le ramasse et le noue solidement à ma main droite. Puis il tire dessus et m'entraîne vers la chambre. La tête de lit est en bois massif d'un seul tenant, ornée au centre d'un piton métallique. Je l'avais déjà remarqué, sans jamais vraiment y prêter attention. Il m'ordonne de m'allonger sur le lit, les mains au-dessus de la tête. Je m'exécute. Il fait passer le foulard par le piton et noue l'extrémité à mon autre poignet. Mes bras forment désormais un triangle au-dessus de ma tête. Contrairement à mon attente, il ne m'attache pas les pieds et, devant mon regard interrogateur, me saisit par les hanches et me retourne à plat ventre. Tout en expliquant pourquoi il veut que j'aie les jambes libres, il me surprend par sa manœuvre.

Je prends brusquement conscience que je ne suis sûrement pas la première femme à faire l'expérience du piton. Mais cette idée ne me trouble pas, car je sais deux choses : je suis la première femme que Damien a amenée à la maison de Malibu ; et, surtout, je suis intimement convaincue que je suis la dernière.

– À genoux, dit Damien.

J'obéis et il me laisse ainsi, les fesses en l'air, les bras en avant et la tête penchée et tournée sur le côté pour voir ce qu'il fait.

Il est à côté du lit et ouvre la porte du petit cabinet décoratif qui lui sert de table de chevet. Il en sort une boîte semblable à celle qu'il a utilisée au cours d'une délicieuse nuit dans mon appartement ; mais celle-ci est plus grande. Il l'ouvre et je suis ravie quand j'en aperçois le contenu. Des menottes métalliques. Des bougies. Un chat à neuf queues. Un bandeau. Un collier de perles. Et quelques autres objets que je ne reconnais pas.

— Des menottes ? Vas-tu m'arrêter ? dis-je pour le taquiner.

— Peut-être. (Il sort le chat à neuf queues, un petit martinet à neuf lanières de cuir.) Mais pas tout de suite.

Il se place derrière moi, si bien que je ne vois plus son visage, mais juste ses cuisses et sa bite érigée, et encore, seulement quand je baisse la tête et regarde entre mes cuisses.

Je ne regarde pas très longtemps, car il laisse glisser les lanières de cuir du martinet sur mes épaules et mon dos.

— Désir et besoin ? demande-t-il.

— Oui, dis-je en repensant à l'horreur de la soirée.

Je veux bannir ces souvenirs et ces émotions. Je veux m'en emparer et les détruire. Je veux leur survivre. Et je veux que Damien soit celui qui m'y aidera.

— Oui, je répète.

Le mot est étouffé par le claquement du fouet sur la peau tendre de mes fesses. La douleur est cuisante, et je pousse un cri en fermant les yeux pour mieux l'absorber et m'y accrocher. Je la veux, oui. Et j'en ai besoin aussi. Mais comme c'est Damien qui tient le fouet, je ne peux nier que j'y prends aussi du plaisir.

— Encore, dis-je tandis qu'il masse l'endroit où il a frappé. S'il te plaît, Damien, encore.

Il s'exécute et me frappe à plusieurs reprises, puis il masse la chair rougie. C'est mieux qu'un couteau. Moins risqué, oui, mais aussi plus réel.

— Écarte les jambes, exige-t-il. (J'obéis, et l'extrémité du martinet pend au-dessus de mon sexe. Je mouille plus que jamais, et le gémissement de plaisir de Damien ne fait que m'exciter plus encore.) Je vais te fouetter la chatte aussi, dit-il. Et ensuite, je vais te baiser, parce que je ne peux plus attendre, Nikki.

Le fouet claque légèrement entre mes cuisses et je tremble en le sentant sur mon clitoris. J'ai découvert récemment avec Damien combien j'aime cette sensation particulière. Il recommence, encore et encore, et je hurle de l'intensité incroyable du plaisir. Je suis en feu. Je brûle. Je suis un incendie que seul Damien peut éteindre.

— S'il te plaît, je le supplie. S'il te plaît, Damien, maintenant…

Il me saisit par les hanches et je sens le bout de sa bite me heurter, puis me pénétrer de plus en plus profond, jusqu'à ce que je n'en puisse plus. Il me tient par une hanche et glisse l'autre main sous moi pour me caresser en rythme avec ses coups de sexe. Je suis perdue dans un déluge de sensations.

— Jouis pour moi, ordonne-t-il tandis que je me crispe sur son sexe. Jouis pour moi. Bon Dieu, Nikki, je veux te sentir jouir.

Et comme si mon corps obéissait à sa volonté, un orgasme profond et puissant jaillit de moi. Tout mon corps est ébranlé. Je me resserre et le fais entrer tout au fond de moi. Mes bras ne me soutiennent plus et je m'effondre sur le lit en haletant, tandis que les vagues successives du plaisir déferlent sur moi avant de se fondre dans la splendeur d'une immense satisfaction.

Damien se retire et s'allonge à côté de moi en me caressant distraitement les reins.

— Tourne-toi, dit-il après un instant. Je veux te montrer quelque chose.

Curieuse, je me retourne. Il pose la boîte sur le lit, et cette fois en sort une bougie rouge.

— Damien ? je demande avec inquiétude. Qu'est-ce que tu fais ?

— Quelque chose de nouveau.

Il m'enfourche la taille, si bien que je ne peux plus bouger les jambes, et comme mes bras sont toujours attachés, je suis quasiment paralysée.

— Tu me fais confiance ?

— Oui, dis-je.

Cependant, en le voyant craquer une allumette et allumer la bougie, je ne peux m'empêcher de me mordre la lèvre.

— Menteuse, dit-il. Ferme les yeux.

J'obéis, les paupières crispées.

— Détends-toi.

— C'est facile pour toi de dire ça.

— Dis-moi ce que c'est.

Je sens une délicate caresse sur mon sein.

— Ton doigt ?

— Et ça ?

Douce et légèrement humide, cette fois entre les seins.

— Ta langue.

— Et ceci ?

C'est doux et rêche à la fois.

— Je ne sais pas.

— Une plume, dit-il, sans me dire d'où il l'a sortie.

— Et cela ?

Je ne sens tout d'abord rien. Puis je sens sur mon téton un pincement vif et brûlant qui devient rapidement frais et se resserre. Ce n'est pas douloureux, c'est même plaisant. À vrai dire, c'est exquis.

— Je… la bougie ?

– Très bien. Maintenant, ne bouge plus.

J'éprouve la même sensation, sauf que le pincement dure plus longtemps et ne se limite pas à un seul endroit. Je me cambre pour accueillir ce qui m'évoque de longs doigts qui se referment sur la peau de mes seins. Puis la sensation se répète plusieurs fois et je me mords la lèvre, sublimée par le plaisir qui s'épanouit en moi et se répand comme une décharge électrique depuis mes seins jusqu'à mon sexe, avant de gagner mes mains et mes orteils.

– Ouvre les yeux, dit-il.

J'obéis et je vois de longues traînées rouges qui s'entrecroisent sur mes seins. La chair sous la cire est froncée et tendue, et avec mes seins et mes tétons à fleur de peau, la sensation est incroyable.

Damien me chevauche toujours, mais à présent il se laisse glisser plus bas et m'écarte les cuisses. Lentement il me pénètre, puis il se penche en avant et, tout en poursuivant ses va-et-vient, referme les mains sur mes seins.

La cire se craquelle alors que l'orgasme commence à venir… Et quand je jouis enfin en l'emportant encore plus loin en moi, Damien serre les doigts et les dernières traînées de cire cèdent.

Je pousse un cri, perdue dans ces sensations nouvelles qui me parcourent et je m'arc-boute pour les faire durer éternellement. Puis, quand mon corps cesse de trembler, je ferme les yeux et succombe au sommeil.

Chapitre 19

Réveillée par l'odeur du bacon, je découvre que non seulement mes bras sont détachés mais en plus je suis blottie sous les draps. Je m'étire en souriant, comblée.

Je me laisse glisser hors du lit, déniche une chemise dans le placard et suis l'odeur jusqu'à l'immense cuisine noire et acier. Un gril électrique grésille sur le plan de travail central en granit, pendant que Damien prépare une omelette. J'aperçois sur une planche à découper, de l'avocat et du fromage coupés en dés, et un autre ingrédient que je ne reconnais pas.

Deux flûtes de champagne à moitié pleines trônent près d'une carafe de jus d'orange.

— On fête quelque chose ? je m'enquiers en arrivant derrière lui et en jetant un coup d'œil à la poêle.

— Oui. Après la journée que nous avons eue hier, je me suis dit que nous devions fêter ce qui était important.

— La journée ? je répète en m'étirant avec un sourire, le corps encore délicieusement endolori. Et pas la nuit ?

— C'était en soi une célébration.

Son regard s'attarde sur moi. Je porte l'une de ses chemises, qui m'arrive à mi-cuisses. J'ai roulé les manches et les boutons ouverts révèlent un profond décolleté. Je lis le désir dans ses yeux, et son sourire sexy me fait littéralement fondre. Il suit du doigt l'encolure de la chemise.

– J'aime te voir porter mes vêtements.

– Moi j'aime les porter.

– J'aime aussi quand tu les enlèves.

Je ris et recule en dansant hors de sa portée.

– Ne t'en avise pas, dis-je. Je meurs de faim. (Il éclate de rire.) Alors, que fêtons-nous exactement ?

Il frôle mes lèvres d'un baiser.

– Nous.

Ce simple mot me fait frissonner de plaisir.

– Je lève mon verre en cet honneur, dis-je.

– Parfait. Tu peux te servir du jus d'orange. Ensuite, va t'asseoir, dit-il en indiquant l'un des tabourets au comptoir, d'où je peux l'admirer en pleine préparation.

– J'ignorais que tu savais faire la cuisine.

– Je suis un homme plein de mystère, dit-il.

– Je suis nulle en cuisine. Ça ne sert pas à grand-chose d'apprendre, quand on a une mère convaincue qu'on a seulement besoin de manger de la salade et des carottes.

Après la mort de ma mère, mon père nous emmenait au restaurant à chaque repas, dit Damien. Comme je ne supportais pas d'être auprès de lui pendant un temps aussi long, je lui ai dit que s'il voulait que je sois meilleur au tennis, il fallait que je mange mieux. Je cuisinais, puis j'emportais mon assiette dans ma chambre et lui la sienne devant la télévision. C'était parfait.

– Et tu as appris quelque chose de précieux.

Je souris, mais j'ai le cœur déchiré. Mon enfance est loin d'avoir été sublime, mais au moins j'ai eu Ashley. Damien n'avait personne, excepté un père ignoble et un entraîneur pervers.

– Tu avais des copains ? je demande. Au tennis, je veux dire. Tu t'es fait des amis parmi les autres joueurs ?

– En dehors d'Alaine et de Sofia ? Pas vraiment.

Il ajoute le fromage, l'avocat et l'ingrédient mystérieux dans l'omelette, et la replie d'une main experte sur une assiette.

– Parle-moi de Sofia.

– Nous avions beaucoup en commun, dit-il avec un triste sourire. Nous avions tous les deux des salauds comme pères.

– C'était une simple copine ou une petite copine ?

– Simple copine, puis petite copine, puis de nouveau simple copine.

Je hoche la tête en absorbant avidement les fragments du passé de Damien.

– Était-elle la première ?

Il se rembrunit.

– Oui, mais cela n'a été ni une joie ni un bonheur pour nous. Nous étions jeunes et de toute évidence pas prêts.

– Pardon… Je ne voulais pas raviver un souvenir douloureux.

– Ce n'est rien, dit-il avec un bref sourire qui atténue la sécheresse de sa réponse. Vraiment. (Il boit une gorgée de champagne, ajoute le bacon dans l'assiette et me sert.) Alors ?

Je prends la fourchette qu'il me tend, goûte un petit morceau et laisse échapper un gémissement ravi.

– C'est génial. Qu'est-ce qu'il y a dedans ?

– Du homard.

– Parce que tu as du homard dans ton frigo ?

– Évidemment, répond-il en gardant tout son sérieux. Pas toi ?

– Sûrement pas. Apparemment, les voitures, hôtels, jets privés et fabriques de chocolat ne sont pas les seuls avantages des riches.

Il éclate de rire et j'attaque mon petit déjeuner pendant qu'il surveille son plat. Je suis surprise que mon téléphone sonne et remarque que Damien l'a branché à un chargeur et laissé sur le comptoir. Je préférerais laisser l'appel passer sur boîte vocale, mais comme c'est Jamie, je réponds.

– Putain de bordel ! dit-elle sans s'embarrasser d'un « bonjour ». Douglas vient de passer me dire que tu es partout sur le Net. Comme si je ne savais pas déjà. Douglas ! répète-t-elle comme si c'était le pire affront qui soit.

Si notre voisin collectionneur de coups d'un soir l'agace à ce point, elle n'aurait pas dû coucher avec lui. Mais je m'abstiens de l'embarrasser avec ça. Nous en avons assez parlé.

– Alors, c'est vraiment partout ? Je n'ai pas voulu regarder.

– Désolée, compatit-elle. Ta mère m'a même appelée.

– Toi ?

– J'ai de la veine, hein ? Elle m'a dit qu'elle était trop contrariée pour te parler pour l'instant, mais qu'elle… oh, et puis merde, Nikki ! Qu'est-ce que tu en as à foutre, de ce qu'elle pense ?

– Je sais ce qu'elle pense. Que je suis une immense déception. Que j'ai sali le nom de la famille. Qu'elle ne m'a pas élevée pour que je devienne une salope.

Au silence de Jamie, je devine que j'ai vu juste. Damien me dévisage, mais ne s'approche pas de moi. Comme s'il avait peur que je m'effondre.

Il n'en est rien. Le simple fait de penser à ma mère me met en rage et me donne de la force. Enfin, plus de force, en tout cas.

– Bref, c'est partout, alors ?

– Ouais. Ils n'ont pas perdu de temps. Les tabloïds, les réseaux sociaux, même les infos sérieuses. Tu reçois un million de dollars d'un mec comme Damien pour poser nue, et même CNN va en parler. C'est vrai quoi, pense à l'audience.

– *Jamie !*

– Pardon, pardon ! Bon, alors ça va ? Qu'est-ce que tu comptes faire ?

– Ça va. (J'ai les joues en feu pendant que je regarde Damien en songeant à la manière dont il a réussi à me remettre d'aplomb.) Pour le moment, en tout cas.

Je n'ai pas allumé la télévision. Je n'ai même pas consulté mes mails. Je surprends le regard de Damien, sachant pertinemment qu'il se pose la même question que moi : que va-t-il se passer quand je vais revenir dans le monde réel ?

– Tu ne sors pas aujourd'hui ? demande-t-elle.

– Je dois aller travailler.

– Prends ta journée, intervient Damien. Bruce comprendra.

– J'ai entendu, dit Jamie. Écoute Damien. Il est intelligent. Et il faut que tu appelles Bruce avant d'aller au bureau, de toute façon. Il a téléphoné ici, il voulait te parler.

– Je vais l'appeler, mais j'irai au bureau quand même.

Apparemment, non. Quand j'appelle Bruce, il me dit qu'il serait préférable pour l'entreprise que je prenne un congé.

– Je suis désolé, dit-il, mais ce ne sont plus seulement quelques photographes qui veulent mitrailler la petite amie de Damien Stark. C'est une meute appâtée par l'affaire. Et je ne peux pas me permettre d'avoir la presse qui rôde autour de l'immeuble pour essayer de vous attraper. Pas en ce moment.

– En ce moment ? Qu'est-ce qu'il y a de si particulier en ce moment ?

Il pousse un long soupir.

– Giselle et moi allons divorcer. Je ne voulais pas en parler, mais il faut que je sois impeccable, et mon avocat estime que…

– J'ai compris, dis-je. Je suis virée.

– En congé, dit-il. S'il vous plaît.

– La journée s'annonce merdique, Bruce. On pourrait au moins avoir la franchise de se dire les choses comme elles sont.

– Je suis vraiment navré, Nikki, dit-il après un silence. C'est un magnifique tableau, et c'est injuste que vous soyez traitée ainsi. Et j'aurais bien besoin d'une personne ayant votre talent chez Innovative. Mais vous allez retomber sur vos pieds.

– Oui, je sais, dis-je en regardant Damien.

– Je crois que je vais prendre ma journée aussi, dit celui-ci quand je raccroche.

– Tu n'es pas obligé de me dorloter. (D'un signe de tête, j'indique la porte qui conduit à son bureau au fond de l'appartement.) Vas-y. Va gagner de l'argent.

– J'ai la chance d'avoir fait assez d'excellents investissements et de ne pas être obligé de faire quoi que ce soit pour gagner de l'argent. (Il incline la tête sur le côté comme s'il tendait l'oreille.) Tiens, tu entends ?

– Quoi ?

– Le tintement des pièces : je viens d'en récolter un millier de plus.

Je lève les yeux au ciel.

– Je suis sérieuse. Si tu prends ta journée, je vais avoir l'impression d'être un fardeau.

– Peut-être la Suisse. Ou la Grèce.

– Damien !

– Hawaï, c'est bien aussi, et en plus j'y ai une maison. On parlait d'aller manger des sushis, l'autre soir. On pourrait aller au Japon ?

– Je crois que si j'ai envie de sushis, nous pouvons nous contenter d'aller à ce petit restaurant de Sunset qu'on aime bien, dis-je en souriant.

– C'est vrai. Mais je suis sérieux, pour les vacances. Les journalistes sont des requins. Quand la proie a quitté les parages, ils s'en vont. Il y aura un nouveau scandale lundi, et tu pourras rentrer dans un Los Angeles beaucoup plus calme.

C'est tentant, je ne peux le nier. Mais non. Je ne suis pas du genre à fuir.

– Je suis partie du Texas pour échapper à ma mère, dis-je. Je suis venue à Los Angeles parce que je voulais y commencer une nouvelle vie. C'est moi qui ai choisi cette ville. J'y suis, j'y reste. Comme tu l'as dit, ça va se calmer. Je vais faire profil bas. (Il me regarde avec une drôle d'expression.) Qu'est-ce qu'il y a ?

– On te jette dans la fosse aux lions, et tu les affrontes. Si jamais tu me redis un jour que tu n'es pas forte, je te couche en travers de mes cuisses pour te donner la fessée.

— Des promesses, toujours des promesses, je chantonne en descendant de mon tabouret. Si tu es décidé à prendre un congé aussi, j'ai pensé à quelque chose que nous pourrions faire aujourd'hui.

— Je vois d'ici toutes sortes d'activités que nous pourrions entreprendre, dit-il avec un regard gourmand.

— Pas ça. Même si je pense que ce que j'ai en tête te fera bander aussi.

— Quelle allumeuse ! Alors, dis-moi, comment allons-nous passer cette journée ?

— Eh bien, j'espérais que nous pourrions parler finances.

— Tout dépend de tes objectifs, dit Damien en tapotant du bout de son crayon la feuille couverte de chiffres.

Je suis bien décidée à en apprendre autant que possible. Pour le moment, je n'ai pas de salaire, mais Jamie a raison. Je possède un million de dollars. Et si on doit me regarder comme une bête curieuse et faire circuler toutes sortes de ragots sur mon compte à cause de cette somme, autant bien l'utiliser.

— Le million est pour mon entreprise, dis-je. Tu le sais déjà, mais je veux que nous soyons bien clairs. Je ne veux pas qu'il soit englouti.

— Le principal, dit-il.

— Oui. Le principal doit rester disponible quand j'en aurai besoin. Mais si je n'ai plus de travail, je dois pouvoir vivre sur les intérêts et les dividendes. J'ai un peu d'argent qui tombe chaque mois grâce à mes applications pour smartphone, et je vais en sortir deux autres. Je ne les ai pas lancées parce que je n'avais pas de temps, mais je crois que ce n'est plus une excuse, maintenant.

— Tout ira bien, me rassure-t-il en me prenant la main.

— Tout va bien, dis-je d'un ton ferme.

J'ai décidé de procéder étape par étape. Je ne sais pas encore à laquelle je dépasserai l'humiliation d'avoir servi de pâture à la presse, mais le reste, au moins, je peux m'en occuper. Et si je dois être conspuée pour l'avoir gagné, je tiens à le protéger, ce million.

— Bon, alors, tu peux m'aider à organiser tout ça ? Je veux savoir quel pourcentage de l'argent je dois placer en actions et en titres, et tout ça.

— Je t'apprendrai tout ce qui est nécessaire.

Je hoche la tête en hésitant, et Damien me dévisage avec inquiétude.

— Les courtiers se paient sur les transactions, n'est-ce pas ?

Je suis peut-être brillante en maths, mais je n'ai jamais réussi à piger les stratégies d'investissement. Je n'ai jamais essayé, à vrai dire. J'ai toujours eu peur de commettre les mêmes erreurs que ma mère, et l'idée de lui ressembler me rend malade.

— Très bien, dit-il. Nous pouvons recruter un gestionnaire de patrimoine. Il prendra un pourcentage, mais s'il connaît son métier, l'argent gagné permettra de le payer.

— C'est là que ma mère a merdé…

Je n'avais pas l'intention de le dire à voix haute, mais je vois au regard de Damien qu'il me comprend.

— Elle a pris de mauvaises décisions, dit-il. Tu ne feras pas comme elle.

— Je n'en suis pas si sûre. J'ai pris quantité de mauvaises décisions par le passé.

Mon geste n'est pas intentionnel, mais je me rends compte que je gratte distraitement la cicatrice à l'intérieur de ma cuisse avec mon pouce.

– Le simple fait que tu sois si prudente et que tu te poses autant de questions me prouve que tu t'en tireras très bien. Et que ton argent ne risquera rien. Je travaille avec plusieurs courtiers et gestionnaires. Si tu veux, je peux demander à Sylvia d'arranger des rendez-vous, les faire venir aujourd'hui au bureau si nécessaire.

Ce serait génial, dis-je. Non, en fait. Laisse tomber…

– Comme tu voudras.

Je vois qu'il est tout de même blessé.

– C'est le problème, dis-je. Je sais déjà ce que je veux. (Je soupire.) Tu veux bien le gérer pour moi ? Je ne vois personne en qui j'aie plus confiance.

Son expression peinée disparaît pour laisser la place à de la tendresse. Il secoue lentement la tête en souriant.

– Non, dit-il à ma grande surprise. Ce n'est pas mon métier. En revanche, je surveille mes propres gestionnaires si méticuleusement qu'ils doivent me considérer comme l'un de leurs plus agaçants clients. Heureusement, le pourcentage qu'ils empochent est suffisant pour les calmer. Je ne gérerai pas ton argent, mais je le surveillerai. Je te présenterai à mon gestionnaire, nous organiserons tout, nous expliquerons tes objectifs, et ensuite je surveillerai tes biens. Ça te va ?

– Tu m'expliqueras les décisions d'investissement ?

– Je t'expliquerai tout ce que tu veux. Nous le ferons ensemble, d'accord ? Et qui sait, peut-être que sous peu tu me demanderas de t'aider pour ta start-up.

– Ne me mets pas la pression.

Je lui ai expliqué que je voulais y aller doucement, même si je pense qu'il est du même avis que Jamie sur le sujet. Damien se lancerait tout de suite et réussirait. Je veux avancer à petits pas prudents et réussir. Il m'arrête d'un geste.

— Je ne te mets pas la pression. Pourquoi te forcerais-je à te lancer, alors que je préférerais nettement t'installer à la tête d'une filiale de Stark Applied Technology ?

J'éclate de rire.

— Quand je me serai lancée et que je ramasserai les dollars à la pelle, tu pourras me racheter pour une somme indécente. Mais je commence toute seule.

— Je ne vais pas te le reprocher. Je veux juste te voir te lancer vraiment. J'attends, tu sais. J'ai l'intention de prendre certains de tes logiciels pour mes bureaux. Le logiciel de calepin multiplate-forme dont tu m'as parlé me serait très utile.

— Voilà une raison de plus pour ne pas me précipiter tant que je ne suis pas prête, dis-je d'un ton ferme. Je ne veux pas que tu sois déçu.

— Jamais tu ne me décevras, répond-il en m'attirant contre lui pour m'embrasser. Et puis, merci aussi, Nikki.

— De quoi ?

— De me faire confiance pour te conseiller financièrement.

J'acquiesce. Ai-je pris cette décision parce que l'homme en qui j'ai confiance se trouve être un virtuose de la finance ? Ou bien est-ce, comme hier soir, une autre manifestation de ma tendance à laisser les rênes à Damien au lieu d'affronter les situations moi-même ?

Il m'a dit plus d'une fois qu'il y avait de la force en moi. Et même si ces paroles sont réconfortantes, je ne sais si je dois le croire. Je ne me suis pas sentie forte, hier soir. Et dès que je pense à la presse qui fait ses choux gras de ma vie privée, je suis prise de nausée. Mais Damien me regarde avec une telle tendresse que je ne lui dis rien à ce sujet.

— Je t'ai confié mon cœur, dis-je, c'est absolument vrai. Pourquoi ne te confierais-je pas mon argent ?

J'ai adopté un ton léger, mais son expression est sérieuse.

— Tu sais que je te fais confiance, moi aussi ?

— Bien sûr, dis-je.

— Ce n'est pas parce que ça me prend du temps que je te fais moins confiance.

— Je sais bien.

Je comprends, et je dois avouer qu'il m'a déjà confié beaucoup de choses. Mais dans mon cœur, je veux qu'il me dise tout ce qu'il garde encore pour lui. Est-ce pour pouvoir le soutenir autant que lui me soutient ? Ou bien est-ce simplement de l'égoïsme, le besoin qu'il me confirme ses sentiments pour moi, même si le moindre de ses gestes et regards me le prouve déjà ?

Durant le reste de l'après-midi, nous ne faisons pas grand-chose d'autre que de paresser au lit. Damien lit divers rapports que Sylvia lui envoie par e-mail sur son iPad. Je feuillette des magazines en cornant les pages où figurent des vêtements qui me plaisent ou qui iraient bien à Jamie. De temps en temps, je trouve un meuble intéressant et je montre la photo à Damien, qui me demande de marquer la page et me promet que nous irons sous peu au Pacific Design Center pour essayer de trouver ce mobilier pour la maison de Malibu.

— Je croyais que tu voulais t'occuper seul de la décoration de ta maison ?

— Non. J'ai dit que tout ce qu'il y avait dans la maison représentait quelque chose de particulier pour moi.

Et si nous choisissons quelque chose ensemble, ce sera bien plus précieux encore.

Ses paroles ont la douceur d'une caresse et je me blottis contre lui. Il passe un bras autour de mon épaule tout en continuant de consulter son iPad.

— Je croyais que tu prenais ta journée ? dis-je.

— Tu as une meilleure suggestion ? rétorque-t-il d'un ton délicieusement coquin.

— Pour le coup, oui.

Je n'imaginais pas que Damien prendrait plaisir à préparer du pop-corn et à nous resservir des mimosas, pendant que, installés dans le lit, nous regardons de vieux films de la série *L'Introuvable*. Mais il s'y plie de bonne grâce. Et je suis surprise d'apprendre qu'il les connaît aussi bien que moi.

— William Powell est brillant, dit-il, mais je crois que j'en pince pour Myrna Loy.

— Moi j'en pince pour sa garde-robe, dis-je. J'aurais pu vivre à cette époque. Fourreaux ajustés et robes du soir froufroutantes.

— Peut-être devrais-je t'emmener faire du shop-ping…

— J'adorerais, mais tu as déjà rempli un placard entier pour moi à Malibu, alors que la maison est encore vide. Si nous faisons des courses, autant que ce soit du mobilier, dis-je en lui tendant l'exemplaire de *Elle Déco-ration* que j'ai feuilleté plus tôt.

— D'accord.

Mais nous ne décidons pas quand nous irons. C'est ridicule de nous terrer dans l'appartement de Damien : si je voulais que nous nous cachions, j'aurais accepté sa proposition de partir en voyage à l'étranger. Je ne suis jamais allée en Suisse, après tout. Cependant, ce ne sont pas les horreurs du monde extérieur qui me forcent à rester à paresser en sa compagnie, mais le plaisir d'être à son côté.

Nous venons de terminer le premier film et lançons le deuxième volet, *Nick, Gentleman détective*, quand mon portable sonne. Ne reconnaissant pas le numéro, j'hésite à répondre ; mais si j'ignore les appels, ce sera la preuve que je me terre dans l'appartement – ce que je refuse.

– Allô ? dis-je d'une voix hésitante.

– Nikki ? C'est Lisa. Nous nous sommes rencontrées à la cafétéria.

– Oh ! fais-je, surprise d'avoir de ses nouvelles. Si tu voulais aller prendre un café, je ne suis pas au bureau aujourd'hui.

Inutile de préciser que je n'y serai plus jamais.

– Je sais. Écoute, j'ai appris ce qui s'était passé et je voulais te dire que je suis désolée. Les journalistes ne sont que des charognards et ce qu'ils sortent sur toi, c'est dégueulasse.

– Merci.

– Je suis passée au bureau pour te voir, et Bruce m'a donné ton numéro. Ma proposition pour prendre un café ou déjeuner ensemble tient toujours si tu es d'accord. Quand tu veux. Il suffit de m'appeler.

– Je le ferai.

Je ne dis pas ça par politesse. En faisant sa connaissance, je me suis dit que ce serait bien d'avoir d'autres amis à Los Angeles. Et je suis heureuse de voir que celle-ci ne part pas en courant.

Blaine et Evelyn m'appellent également, tout aussi horrifiés et compatissants. Blaine me dit qu'il se sent coupable – après tout, c'est le caractère érotique de sa peinture qui a excité la presse.

– Pas du tout, dis-je, mentant. C'est juste une histoire d'argent.

Je ne pense pas que ma réponse le tranquillise, mais je lui assure que je vais bien puis que Damien et moi viendrons les voir bientôt. Je raccroche, et je réalise alors que la seule personne à qui je tiens ne m'a pas donné de nouvelles. Ollie. Je me retiens d'en parler à Damien. Pour lui, Ollie figure parmi les premiers suspects, et le fait qu'il ne m'appelle pas renforcerait ses soupçons. Cependant, je suis certaine qu'il a déjà remarqué qu'Ollie ne m'a pas téléphoné. Je ne pense pas que celui-ci soit l'auteur de la fuite, mais je suis quand même un peu vexée.

– Encore du pop-corn ? demande Damien.

Je roule sur le côté et contemple son visage magnifique et ses yeux qui me voient mieux que personne.

– Damien… dis-je.

– Quoi donc ?

– Rien. J'aime juste prononcer ton prénom.

– J'aime l'entendre de ta bouche, dit-il en caressant mon cou.

– Damien…

– Oui ?

– Cela t'ennuierait beaucoup si nous arrêtions le film ? J'ai autre chose en tête.

– Vraiment ?

Je me lève et lui tends la main en posant un doigt sur mes lèvres.

– Pas un mot, dis-je, tant que nous ne serons pas revenus dans le lit. Ce sont mes règles, d'accord ?

Dans l'esprit du jeu, il acquiesce. Je souris, lui prends la main et l'entraîne dans la salle de bains.

Elle est au moins aussi impressionnante que celle de Malibu, mais ce n'est pas la douche multijets, ni l'immense placard, ni même le porte-serviettes chauffant qui m'intéressent. Tout ce qui compte pour moi, c'est l'immense baignoire, que je me mets en devoir de remplir. Lorsque je reviens vers lui, je le déshabille lentement, sans un mot. Quelle tâche délicieuse… Je m'autorise un baiser sur chaque portion de peau que je découvre. Son épaule. Son bras. Ses pectoraux. Un bref coup de langue sur un téton. Son nombril, que je lèche longuement.

Ensuite, je descends son jean très lentement, et frôle sa hanche de mes lèvres. Ses abdominaux tendus et sexy. Et son sexe, érigé et prêt pour ma bouche lorsque je baisse son caleçon.

Il n'enfreint pas les règles, mais quand je referme ma bouche sur le gland et sens sur ma langue sa saveur salée et musquée, ses doigts se crispent dans mes cheveux. C'est aussi éloquent que s'il prononçait mon prénom à voix haute. Je savoure et titille sa bite. Je caresse et lèche ses testicules. J'explore chaque détail de cet homme dont je connais si bien le corps, et qui connaît le mien avec tout autant d'intimité.

Je sens sa main se crisper sur la paroi de verre de la douche ; il est près de défaillir, et c'est moi qui en suis la cause.

Mais je ne le laisse pas jouir. Pas encore. Je continue à l'explorer de mes baisers jusqu'à ce que la baignoire soit pleine, et qu'il soit si brûlant qu'il me fera l'amour comme j'aime.

Cette perspective me fait sourire.

J'ai ajouté un peu de bain moussant dans l'eau et j'entre dans la baignoire en lui faisant signe de m'imiter.

Il me suit et, bien que ce soit mon jeu et moi qui le dirige, je me rends compte que Damien a atteint sa limite. C'est son tour, à présent. Et quand il m'empoigne par la taille et m'attire contre lui dans une explosion d'éclaboussures, je ne proteste pas.

Au contraire, j'écarte les jambes et suis récompensée quand il m'installe sur ses genoux. Je m'agite un peu pour le caresser de tout mon corps, puis je crie, surprise, quand il me prend par les hanches et m'embroche solidement et fermement sur son sexe. Trempée et incroyablement excitée, je me penche en avant, savourant la pression de sa bite en moi et la sensation de ses poils sur mon clitoris.

Je me balance lentement et régulièrement, dans un mouvement destiné à nous affoler tous les deux. Je crois que mon plan fonctionne à la perfection.

Le plaisir monte dans un silence seulement troublé par le clapotis de l'eau et de nos corps humides s'entrechoquant. À lui seul, ce bruit excitant m'échauffe. Tandis que je le chevauche, de ses mains sur mes hanches et de ses bras puissants, Damien m'aide à coulisser sur sa bite dure comme l'acier. Et c'est les yeux dans les yeux que nous jouissons ensemble.

*
* *

Le lendemain matin, je me réveille seule et me lève aussitôt pour aller à sa recherche. Mais un bruit de voix m'arrête, et je bats en retraite pour prendre dans le dressing quelque chose à me mettre sur le dos.

Comme dans la maison de Malibu, Damien a rempli un placard pour moi. Je choisis un T-shirt noir et une jupe en jean, puis je me rends dans le salon.

Le spectacle m'arrête net. Damien est torse nu au milieu de la pièce, un pantalon de jogging gris en bas des hanches. Il est en équilibre sur une jambe, les bras tendus. Comme je suis derrière lui, je vois les muscles de son dos tandis qu'il bouge les bras dans un mouvement lent et maîtrisé. Je retiens mon souffle devant tant de puissance et de grâce. Au même moment, Damien pose le pied par terre et se retourne en souriant.

– Du tai-chi, dit-il sans attendre ma question. Cela entretient ma souplesse. Entre. Continuez, Charles. Que disiez-vous ?

Je vois alors que Charles Maynard est assis sur le canapé de cuir et d'acier devant des papiers étalés sur la table basse. La lumière qui entre par les baies vitrées inonde la pièce.

– Nous avons réussi à interdire la sortie de toute image du tableau dans les principales publications, dit Charles. Je suis un peu surpris que les rédactions aient cédé à notre mise en demeure d'hier, mais je vais attribuer cela à votre réputation et à vos moyens financiers. Personne n'a envie de se battre avec Damien Stark.

– Ils savent probablement que s'ils me chauffent un peu trop, je risque de les racheter.

– Si vous l'envisagez sérieusement, je me servirai de cet argument en cas de résistance.

– Je suis sérieux. Si c'est le prix à payer pour enterrer l'affaire, je le ferai.

Il me regarde tout en parlant, avec une expression si férocement protectrice que j'en chancelle. Je vais m'asseoir sur l'accoudoir du canapé.

– Comme Blaine a faxé son attestation hier, continue Charles, nous avons rempli la demande d'injonction temporaire à la première heure ce matin.

– Vous pensez vraiment pouvoir les empêcher d'aborder le sujet ?

Charles se tourne vers moi, l'air compatissant, mais toujours aussi professionnel.

– Malheureusement, non. Nous pouvons les assigner pour diffamation, mais cela exigerait d'affirmer que leurs propos sont faux, et Damien m'assure que les rumeurs sont fondées.

J'acquiesce, les joues en feu.

– Alors, qu'allez-vous faire ?

– Nous voulons empêcher que la photo du tableau soit publiée. Ou de toute autre œuvre de Blaine. C'est son style qui alimente en partie l'affaire. L'idée que c'est une image sombre et érotique.

– Oh ! (Je rougis de plus belle.) Mais comment pouvez-vous les empêcher d'imprimer des photos ? J'ai vu le journaliste qui en prenait à la soirée. Et il doit y avoir des dizaines de tableaux signés de Blaine en Californie du Sud. N'importe qui peut inviter un journaliste à en photographier, moyennant un petit dédommagement.

– Le propriétaire du tableau ne possède pas le copyright, explique Damien. Il appartient toujours à Blaine. C'est sous cet angle que nous ripostons.

– Je comprends. Je suppose qu'il faut tout tenter. Mais comment avez-vous pu mettre tout ça sur pied aussi vite ?

– Je ne doute pas que vous sachiez que Damien est l'un de mes clients les plus importants…

– L'un de vos clients ? s'indigne Damien.

– Le plus important, corrige Charles en riant. Quand il m'envoie un SMS concernant une affaire urgente, je lance la machine.

Je jette un coup d'œil à Damien, me rendant compte qu'hier soir, malgré tout le reste, il a réussi à trouver le temps de faire cela pour moi.

– Merci, dis-je. À tous les deux.

– Ce n'est que le début, dit Damien avec un regard en direction de Charles. Vous avez apporté les images ?

L'avocat écarte les papiers et sort un DVD.

– Voici tout ce qui a déjà été diffusé, et toute les images tournées devant l'immeuble de Nikki que nous avons pu obtenir.

– Pourquoi ? je demande.

– Quelqu'un a parlé à la presse, dit Damien. J'ai bien l'intention de découvrir qui.

– Mais tu viens de dire que si c'est la vérité, il n'y a rien à faire, légalement parlant.

– Non, répond-il avec un sourire menaçant, je ne peux rien faire du tout légalement. Mais je veux savoir qui t'a fait cela. Ne me demande pas de ne pas agir, Nikki.

– Je veux le savoir, moi aussi. Mais comment le fait de regarder les images va-t-il t'y aider ?

– Je vais identifier tous les journalistes qui t'interrogent. Ensuite, Charles ou moi aurons une petite conversation avec chacun d'eux.

Même si ce n'est sûrement pas très correct, j'aimerais être une petite souris cachée dans un coin de la pièce pour entendre les conversations en question.

– Autre chose ? demande Damien.

– Sur ce sujet, non, répond Charles en me jetant un bref regard. Mais l'Allemagne s'échauffe, Damien. Ils ont l'employé d'entretien, à présent. Nous devons nous attendre au pire.

— Je m'attends toujours au pire, répond-il. C'est comme ça que j'ai survécu si longtemps.

— Il y a d'autres problèmes en Europe, continue Charles. Vous devriez vraiment…

— Je sais ! le coupe Damien en me regardant brièvement. Mais je suis occupé ici, pour l'instant.

— Attends, dis-je. Je ne connais peut-être pas les détails de cette affaire, mais si l'entreprise a des problèmes avec la justice à l'étranger et que tu dois t'y rendre, vas-y. Ça ne me gêne pas.

— Elle a raison, dit Charles. Votre présence est nécessaire à Londres.

Je suis surprise que Charles parle de Londres, et non de l'Allemagne.

— Sofia ? je demande en remarquant le regard surpris que Charles jette à Damien.

— Des problèmes financiers dont je dois m'occuper, rectifie-t-il.

— Vous pouvez tout régler en quelques heures, ajoute Charles. Mais vous devrez être sur place.

— Très bien, concède Damien en allant jusqu'à la baie vitrée pour contempler la ville. Je partirai vendredi soir.

— C'est l'inauguration du centre de tennis, dit Charles. Vous devriez y aller, Damien.

— Mais je n'y vais pas. J'ai déjà expliqué pourquoi. Je ne reviendrai pas sur ma décision.

Je regarde les deux hommes. Je parie sur Damien. Et la suite me donne raison.

— Très bien, dit Charles. Partez vendredi, alors. Si vous êtes en voyage à l'étranger, c'est une excuse que nous pourrons donner à la presse.

– Je me contrefiche de ce que vous direz à la presse, s'irrite Damien. Je fais l'aller-retour, Charles. Et si vous ne pouvez pas me trouver un vol assez rapide sur une compagnie commerciale, dites à Grayson que nous prenons le Lear.

– Je m'en occupe.

– Tu es sûre ? demande alors Damien en se retournant vers moi.

– Tu as beaucoup de talents, dis-je, mais tu n'es pas censé jouer les baby-sitters. Oui, je suis sûre.

– Très bien, mais je veux que tu restes ici pendant mon absence.

– Je serai très bien chez moi.

– Ils vont te traquer, dit-il. Et traquer Jamie, ajoute-t-il, car il sait que cela m'importe. Et puis surtout, je me sentirai mieux en te sachant ici. Je t'en prie, Nikki. Je te le demande simplement. Ne m'oblige pas à l'exiger.

J'acquiesce, bien consciente que c'est lui qui fixe les règles. À vrai dire, je préfère rester ici. J'aimerais être assez forte pour ignorer les journalistes quand je sors de mon immeuble. Mais je ne le suis pas.

– Très bien. Je resterai ici.

– Merci. Par ailleurs, je veux faire installer un meilleur système de sécurité chez toi. Charles, en sortant, dites à Sylvia de s'en occuper et de faire savoir à Mlle Archer quand l'installation sera faite. Qu'est-ce qu'il y a ? demande-t-il en remarquant mon sourire.

– Rien.

Heureusement, je ne crois pas que Jamie va voir un inconvénient à ce qu'une équipe de sécurité s'occupe d'elle. Et Damien se comporte comme à son habitude. Et évidemment, comme toujours, il lit dans mes pensées.

– Je rectifie, dit-il à Charles. Dites à Sylvia de demander à Mlle Archer si elle ne voit pas d'inconvénient à ce qu'un système de sécurité soit installé chez elle, et à quel moment cela la gênera le moins. C'est mieux comme ça ?

– Oui. Merci.

Nous raccompagnons Charles, et à peine la porte est-elle refermée derrière lui que je me colle contre Damien, mes mains plaquées sur sa poitrine nue.

– Londres, alors ? Tu me manques déjà.

– Soyons bien clairs, je ne veux pas que tu restes chez moi parce que je m'inquiète pour toi.

– Non ?

– Je veux que tu y restes parce que j'aime te savoir dans mon lit.

– Voilà qui tombe bien, car j'aime être dans ton lit. Même si je préfère que tu y sois aussi.

Chapitre 20

On est seulement vendredi, et les embouteillages et la pollution me manquent. J'ai envie de sortir, de marcher parmi la foule, et peu m'importent les journalistes, les paparazzi et tous ceux qui me regardent comme une bête curieuse.

En même temps, j'aime vivre dans cette bulle avec Damien. Il s'est installé sur le canapé, les pieds nus sur la table basse, son iPad dans une main et un verre d'eau gazeuse dans l'autre. Il porte une oreillette Bluetooth, et de là où je suis, comme je ne la vois pas, il donne l'impression de parler tout seul. Je n'y fais plus attention depuis longtemps. Si fascinée que je sois par le personnage, je ne veux pas savoir les détails des problèmes que connaît telle ou telle filiale à Taiwan ou ailleurs.

De mon côté, j'ai terminé de lire les *Chroniques martiennes*, et bien que j'aie commencé à le lire avec en tête l'image de Damien jeune, je me suis finalement laissé absorber par l'atmosphère et les personnages.

Mais à présent, je ne sais plus quoi faire. Comme je n'ai pas mon ordinateur, je ne peux pas travailler. Je ne suis pas d'humeur à commencer un autre livre, et la télévision ne m'intéresse pas le moins du monde. J'envisage de me lancer dans un défilé de mode pour Damien avec les vêtements qui remplissent le placard, mais je n'arrive pas à m'y mettre. Ces derniers temps, je le monopolise, même si ce n'est pas intentionnel, et bien qu'il prétende que son empire est moins important que moi, je sais que le monde de Damien Stark risque de se désagréger s'il n'est pas constamment à la barre.

Je vais dans la cuisine me préparer une tasse de thé vert – c'est censé calmer et je ne tiens pas en place. En fait, ce n'est pas à cause de la presse que je flippe. Mais je n'arrive pas à savoir si c'est parce que je gère si bien cette nouvelle crise dans ma vie, ou parce que Damien et moi sommes enfermés dans sa tour d'ivoire et que les problèmes des mortels sont les cadets de nos soucis.

À mon avis, la deuxième hypothèse est la bonne. J'imagine que cette impression de maîtriser la situation va fondre comme neige au soleil dès que je retrouverai une vie normale et me connecterai à Internet. Un simple coup d'œil à mon téléphone devrait me le prouver. Ma mère a appelé deux fois et je n'ai pas décroché. Je n'ai pas écouté les messages non plus. et je ne l'ai pas rappelée. Je ne sais même pas si je le ferai un jour, d'ailleurs.

Même si le monde est rempli de journalistes, d'Elizabeth Fairchild et d'autres créatures désagréables, je tiens si peu en place que je songe à me rendre à pied au musée d'Art contemporain. Il n'est qu'à quelques rues d'ici et je doute que la presse m'y ait tendu une embuscade. C'est aussi suffisamment proche pour que Damien ne se fasse pas de souci. Et s'il y a quoi que ce soit, il pourra me rejoindre en quelques minutes.

Et puis j'ai envie de prendre un peu l'air.

J'apporte mon thé et de l'eau pour Damien dans le salon, au moment où Sylvia entre dans la pièce.

– Mademoiselle Fairchild, dit-elle, comment allez-vous ?

– Bien. Comment est la vie au-dehors ?

– Tu commences à avoir des fourmis ? sourit Damien.

– Ce n'est pas que je déteste ce palais de conte de fées, mais…

Il toussote, puis il se tourne vers Sylvia qui réprime un sourire.

– Qu'est-ce que vous m'apportez ?

– Juste quelques papiers à signer, répond-elle en lui tendant un parapheur. Ceci est arrivé pour vous, ajoute-t-elle en me donnant une enveloppe blanche qui m'est adressée sous couvert de Stark International.

Elle ne porte aucun en-tête, mais le cachet est celui de Los Angeles.

– C'est étrange, dis-je à Damien qui pose le parapheur sur un coussin et vient me rejoindre.

– Ouvre-la, dit-il.

Je m'exécute. Je déplie la feuille qu'elle contient, et suis prise de nausée.

Salope. Pute. Traînée.

– Les ordures, souffle Damien en me prenant la lettre et l'enveloppe qu'il glisse entre les pages d'un magazine avant de le tendre à Sylvia. Donnez cela à Charles. Veillez à n'y laisser aucune empreinte.

– Bien sûr, monsieur Stark. Je suis désolée, mademoiselle Fairchild, je ne pouvais pas savoir.

– Non, bien sûr, dis-je.

– Ça ne fait rien, Sylvia, répond Damien, qui l'invite à partir.

– Je reviendrai prendre les documents plus tard, dit-elle. (Elle s'arrête sur le seuil et se retourne vers moi.)

Pardonnez-moi si ma remarque est déplacée, mademoi-selle Fairchild, mais j'ai vu le tableau quand j'étais à la maison de Malibu lorsque j'accompagnais les décorateurs pour le cocktail. (Je lève les yeux vers elle, intéressée.) C'est un magnifique portrait. Étonnant et fascinant. Franchement, je crois que M. Stark a fait une affaire. Pour moi, cette œuvre vaut au moins deux millions.

J'éclate d'un rire mêlé des larmes que j'ai retenues pendant qu'elle parlait.

– Merci, dis-je en reniflant. Je l'aime bien, j'ajoute pour Damien.

– Oui, répond-il. Elle est très compétente. (Il arbore une moue pincée, mais j'y décèle un rien d'amusement, ainsi que ses remerciements muets quand il conclut à l'adresse de Sylvia…) Ce sera tout.

Elle hoche la tête et s'éclipse.

– Il y a un tas de cinglés dans ce monde, me dit Damien. Ne les laisse pas t'approcher.

– Tu ne vas jamais réussir à savoir qui a envoyé cette lettre.

– Peut-être pas, mais je vais essayer. Au fait, j'ai identifié le journaliste qui a dévoilé l'affaire.

– Charles est allé le voir ?

– Il a refusé de révéler sa source. Je vais peut-être lui rendre visite moi-même, mais je voulais d'abord procéder de manière civilisée. J'ai engagé un détective privé. Je pense qu'il a vu sa source. Avec un peu de chance, le détective apprendra quelque chose.

J'opine, même si je ne m'attends pas à grand-chose. Je ne suis même pas sûre que cela m'intéresse. Seules deux personnes pourraient me blesser en me trahissant : Ollie et Jamie. Et très franchement, je suis certaine qu'il ne s'agit pas d'eux. En dehors de cela, seule l'information cause du tort ; et peu importe qui l'a révélée, on ne peut plus revenir en arrière.

— Je veux sortir, dis-je à Damien, qui me regarde d'un air surpris, essayant de comprendre ce brusque changement de propos.

— Quelque part en particulier ?

— Je pensais au musée d'Art contemporain. Je suppose qu'il ne doit pas y avoir de journalistes embusqués là-bas.

— D'accord, dit-il. Allons-y.

— En fait, j'ai changé d'avis. Je veux aller faire du shopping. Allons acheter des trucs pour la maison. Il y a plein de boutiques géniales sur Melrose. Ou n'importe où dans West Hollywood. Ce serait sympa, non ?

— C'est toujours un plaisir avec toi. Mais il y a toujours du monde dans ce quartier, et il suffit qu'une personne appelle un tabloïd pour que nous soyons entourés de charognards en un rien de temps.

— Je sais. Mais je m'en fiche. Je veux sortir. Si encore on ne pouvait pas m'atteindre quand je suis ici. Mais on vient de nous prouver le contraire, non ?

Il acquiesce malgré lui.

— Très bien, alors. Marché conclu.

Nous voulons seulement être ensemble, et cette perspective rend notre balade d'autant plus agréable. Surtout qu'apparemment personne ne semble faire attention à nous.

Un nouveau magasin spécialisé dans les antiquités haut de gamme vient d'ouvrir sur Fairfax. Un énorme lit en chêne aux montants sculptés de motifs compliqués attire immédiatement mon regard.

– Un lit, mademoiselle Fairchild ? demande Damien.

– Je ne sais pas. Cela vaut la peine d'être envisagé. Après tout, il n'y a plus de lit dans la maison, actuellement. (Je m'allonge dessus, puis je tapote le matelas avec un sourire séducteur.) Essayons-le, voulez-vous ?

– Attention. Vous êtes soumise à mes règles, n'oubliez pas. Qui sait ce que je pourrais vous demander de faire ?

– C'est vrai, dis-je en me redressant.

Je tends le bras et glisse l'index dans l'un des passants de sa ceinture pour l'attirer vers moi. Il trébuche et tombe en avant, me renversant avant de se retenir d'une main sur le matelas.

– Eh bien, bonjour, dit-il avant de m'embrasser. Je jure que ce n'était pas prémédité.

J'éclate de rire et m'apprête à lui dérober moi aussi un baiser, quand je remarque que la fille du comptoir nous observe. Il se peut qu'elle soit simplement amusée, ou agacée que les clients jouent avec le mobilier, mais je ne pense pas. Je me lève brusquement et entraîne Damien.

– Partons, dis-je, les joues en feu. Ce lit est loin d'être aussi cool que le précédent, de toute façon.

L'employée ne nous salue pas quand nous sortons. Je me fais peut-être des idées. Mais j'ai la preuve du contraire un quart d'heure plus tard, quand nous quittons le magasin d'à côté.

Dès que nous sommes sur le trottoir, des caméras, des micros et une meute hurlante de journalistes – qui ne peuvent qu'avoir été vomis par les égouts pour être aussi nombreux – nous assaillent.

Damien serre ma main dans la sienne.

– Nikki ! C'est vrai que vous avez été licenciée d'Innovative pour avoir violé la clause de moralité ?

– L'inauguration du centre de tennis a lieu dans quatre heures, monsieur Stark. Pouvez-vous développer votre précédente déclaration concernant Merle Richter ?

– Damien ? Avez-vous été informé du contenu de la déclaration de M. Schmidt ? Est-il exact qu'il a été payé pour garder le silence ?

J'ignore qui est ce M. Schmidt, mais je m'efforce de ne pas regarder Damien. Il n'est pas question que ces salauds me photographient avec l'air surpris.

– Qu'allez-vous faire de ce million de dollars, Nikki ?

Je manque répondre cette question. Voyons, si j'explique que l'argent est destiné à financer une entreprise, ils me trouveront moins intéressante.

Un journaliste aux lèvres pincées et au costume à peine sorti du pressing me fourre son micro sous le nez.

– Pouvez-vous répondre à ceux qui vous accusent d'avoir déjà couché avec des hommes pour de l'argent ? M. Stark est-il votre client le plus profitable ?

Ces paroles me font l'effet d'un coup dans le ventre et je recule, en proie à la nausée. Pirc, je suis prise de court et mon masque tombe. Demain, tous les médias publieront ma photo avec une expression scandalisée. Les légendes sous-entendront que je suis horrifiée que mon secret soit révélé, mais pas parce que c'est un mensonge.

Damien m'a lâché la main. Mais je ne m'en rends pas compte avant d'avoir entendu le craquement de la mâchoire du journaliste qui vient de prendre un coup de poing.

– Damien, non ! (Il se retourne, le regard flamboyant.) Non, j'insiste en saisissant sa main avant qu'il recommence. Tu veux te faire arrêter ? On t'enlèvera à moi, et même si je ne dois attendre que quelques heures avant ta libération sous caution, je serai seule jusqu'à ce moment-là.

Cela parvient à le calmer. Il me prend la main et m'entraîne dans le magasin d'où nous sommes sortis. Il a sorti son téléphone et appelle Edward pour qu'il vienne nous chercher. La vendeuse qui nous a observés par la vitrine se tourne vers lui.

— Monsieur, dites-lui qu'il y a une porte dans la ruelle derrière. À moins que vous ne vouliez affronter ces monstres une fois de plus, ajoute-t-elle en indiquant la cohue au-dehors.

Damien la regarde et son sourire emporte ses restes de colère. J'ai envie de serrer cette fille dans mes bras.

Il ne me lâche pas durant tout le trajet de retour à l'appartement, mais reste silencieux jusqu'à notre arrivée au penthouse. Là-haut, son regard glisse rapidement vers l'endroit où se trouvait le miroir qu'il a brisé. Il n'a pas de domestiques à demeure, mais l'équipe de son bureau qui s'occupe aussi de l'entretien de l'appartement a balayé rapidement les fragments de verre. Même la cloison est à présent réparée. Il ne reste plus trace de la colère de Damien, mais lui et moi savons qu'elle est encore présente.

— J'aurais dû lui fracasser la tête.

— Mais non. (J'inspire profondément. J'ai réfléchi à la question.) Sans compter qu'il n'a pas tort. (Je poursuis, malgré le regard noir que me jette Damien.) Le million n'était pas uniquement un salaire pour jouer les modèles, et nous le savons toi et moi.

Il ouvre la bouche, la referme, se masse les tempes.

– C'est ma faute, dit-il d'une voix triste. J'ai juré que je ne te ferais jamais de mal. Que je serais celui à qui tu pourrais te raccrocher. Et pourtant, je suis la cause de tout ça.

– Non. Tu n'as jamais rien fait pour me blesser. Jamais. Et j'ai accepté l'argent parce que je le voulais. J'ai accepté notre accord parce que je te voulais. Pour être franche, dis-je avec un sourire forcé, j'aurais dit oui pour beaucoup moins d'argent.

– Vraiment ? fait-il en haussant un sourcil. Maintenant, j'ai vraiment l'impression d'être un imbécile. Viens là, ajoute-t-il avant de me donner un baiser.

Cependant, mes paroles ne l'ont pas suffisamment apaisé. Je sens la tension qui émane de son corps. Quand il me regarde, je vois sur son visage l'expression sombre et concentrée du chasseur, et je me sens aussi vulnérable qu'une proie.

– Allons, dit-il. Tu sais ce que je veux. Et ce dont nous avons besoin tous les deux.

Je le suis dans la chambre, désirant plus que tout oublier le monde extérieur. Quand je vois ce qu'il a en tête, je sais que dans quelques minutes je ne penserai plus à rien d'autre qu'à Damien. Il a sorti sa boîte de jouets, et les menottes en acier pendent au bout de son index.

– Il me vient à l'esprit que c'est la manière la plus sûre de te garder dans mon appartement, et dans mon lit, pendant que je suis à Londres.

– Tu n'oserais pas, dis-je en me réfugiant de l'autre côté du lit.

– Tu crois ?

Il saute sur le lit et roule sur le côté, me coupant la route alors que je tente d'atteindre la porte. Je pousse un cri perçant quand il m'attire contre lui et m'emprisonne prestement un poignet avant de fixer l'autre menotte au piton.

— N'imagine surtout pas que tu vas faire ça, dis-je en riant, même si je sais qu'il plaisante — du moins en suis-je presque sûre.

— Ah bon ? demande-t-il en relevant ma jupe. Tu ne veux pas rester sur mon lit, offerte à moi ?

— Si tu présentes les choses sous cet angle… dis-je.

Je ferme les yeux de plaisir tandis que sa bouche remonte le long de ma cuisse en y déposant des baisers. C'est un suave supplice, car Damien sait exactement comment me rendre folle. Son souffle titille mon sexe et ses lèvres m'affolent.

Je me débats, et à chaque seconde il suscite une nouvelle sensation, une nouvelle manière de me forcer à me tortiller et à le supplier. Même son doigt qui caresse ma cheville et sa langue qui lèche l'arrière de mon genou font naître des frissons sur tout mon corps.

Je me tords sur les draps, mais le métal glacé qui emprisonne mon poignet m'empêche de me dérober à l'assaut sensuel qui menace de me faire perdre la tête.

La menotte s'enfonce dans ma chair, et à chaque mouvement je tire de plus en plus violemment. J'ai besoin de cette douleur. De cette pression. Je veux qu'il reste une marque à cet endroit. Je ne le veux pas pour échapper à l'horreur de cet après-midi. Non, j'en ai envie parce que cela représente le présent. Ce moment, avec la bouche de Damien sur mon corps nu. Avec ses doigts qui s'aventurent et découvrent dans mon intimité des zones érogènes encore inexplorées.

Je veux cette marque, car elle me rappellera ce que Damien me fait éprouver. Elle sera une preuve de sa présence quand il sera à Londres.

Et c'est ainsi que je me débats dans mes entraves, non pas pour essayer de m'en libérer, pas même parce que j'ai besoin de la douleur. Je veux cette marque pour ce qu'elle représente : le signe de mon appartenance à Damien.

Attachée à lui. Marquée par lui. Possédée par lui.

Et pour l'instant, je ne demande rien de plus.

Chapitre 21

C'est le milieu de l'été, mais, à cause de l'absence de Damien, cela pourrait aussi bien être un samedi glacial et pluvieux de décembre. Je sais qu'il sera rentré dimanche après-midi, et que c'est un voyage très court, mais cela me semble une éternité.

Je ne tiens pas en place et me sens seule. Damien m'a envoyé un texto à l'atterrissage. Il m'a demandé comment j'allais, et j'ai souri en massant doucement la marque qui entoure désormais mon poignet comme un bracelet bleuté. « Je pense à toi, ai-je répondu. Tu me manques. » C'est vrai, mais ce que je ne lui ai pas dit, c'est que je m'ennuie à mourir. Connaissant Damien, il aurait été capable d'engager le Cirque du Soleil pour donner une représentation privée dans le salon.

Jamie répond par des cyberbisous à mon texto de SOS, mais elle fait du roller à Venice avec Raine. J'espère qu'elle réussira à tomber moins souvent que moi. Je songe à appeler Lisa, mais je ne la connais pas encore assez bien pour l'inviter à me faire oublier ma solitude du samedi soir.

Il ne me reste plus que le travail ou la photo, et comme mon appareil est resté à Malibu j'opte pour le travail. C'est l'occasion de terminer la programmation des deux applications pour smartphone, qui sont presque prêtes à la commercialisation. Mais ça implique que je passe en vitesse à mon appartement. Comme je n'ai pas de voiture chez Damien, c'est plus facile à dire qu'à faire.

Le téléphone de la cuisine sert à la fois pour les communications et comme interphone avec le bureau de Damien. Je l'ai vu s'en servir des dizaines de fois et j'appuie sur le bouton.

– Allô ? dis-je d'un ton hésitant.

– Oui, mademoiselle Fairchild ? Que puis-je pour vous ?

Je souris, c'est vraiment cool, ce truc.

– Euh, oui. C'est Mme Peters ? je demande en me creusant la cervelle pour retrouver le nom de l'assistante de Damien le week-end.

– Comme c'est gentil de vous souvenir de moi. Que puis-je pour vous ?

– Je n'ai pas de voiture, et j'ai besoin d'aller chercher quelque chose chez moi. Pourriez-vous appeler un taxi ou…

– Je vais demander à Edward de passer vous prendre en limousine. Si vous descendez par l'ascenseur au parking niveau C, il vous y retrouvera.

– Ah, d'accord. Merci.

Je raccroche et m'extasie dans la cuisine. Oui, être riche a vraiment des avantages.

Comme annoncé, Edward m'attend.

– Merci beaucoup, Edward.

– Je vous en prie, mademoiselle Fairchild. Où allons-nous ?

– Chez moi. J'ai quelques affaires à prendre. Et je préférerais vraiment que vous m'appeliez Nikki.

– Certainement, mademoiselle Fairchild, répond-il avec un petit sourire.

Je me glisse dans la limousine et me blottis dans un coin en songeant à la nuit où j'ai connu Damien. Ou plutôt retrouvé, sans doute, si l'on doit tenir compte de notre première rencontre six ans plus tôt. Les yeux clos, je me rappelle comment Damien m'a excitée en chuchotant au téléphone. Combien j'ai été emportée par ses mots suaves, et choquée d'avoir si facilement accepté de faire l'amour à l'arrière d'une limousine.

Quand nous atteignons mon immeuble, j'ai eu le temps de repasser cette folle soirée dans ma tête – et Damien me manque encore plus.

– En aurez-vous pour longtemps ?

– Pas trop. Je dois juste copier quelques fichiers sur mon ordinateur portable, mais c'est tout. Vous avez pris un livre audio ?

– J'ai décidé d'essayer un classique, dit-il. *Le Comte de Monte-Cristo.* Pas mal, jusqu'ici. Pas mal du tout.

Je souris à ce commentaire sur l'un de mes livres préférés, puis je monte rapidement l'escalier.

J'entends les coups qui résonnent dans l'appartement de notre voisin Douglas, et je frémis. Je sais que ce n'est pas Jamie qui s'ébat dans son lit, mais je fais tout de même la grimace en passant devant sa porte.

Arrivée chez moi, je jette mon sac à main sur le lit qui trône toujours dans le salon, monte les deux marches menant à ma chambre, et pousse un hurlement en voyant la porte de la salle de bains s'ouvrir brusquement sur ma droite.

Ollie.

— Bon Dieu ! J'ai failli faire une crise cardiaque. Qu'est-ce que tu fiches ici ? (Il est dans un état ! Les yeux injectés de sang, la peau marbrée, les cheveux dégoulinant sur le visage. Je m'approche de lui.) Ça va ? (Une pensée affreuse me vient.) Oh, non, Jamie et toi, vous n'avez pas… Elle est avec Raine en ce moment.

L'idée qu'Ollie et Jamie aient fait des cochonneries quelques heures seulement avant qu'elle ne retrouve son petit ami me perturbe presque autant que celle d'Ollie trompant sa fiancée. À vrai dire, toute cette affaire me donne la nausée et je ne suis pas ravie de trouver Ollie chez moi. Je refuse de penser à leurs histoires. En plus, je suis encore vexée qu'Ollie ne m'ait pas appelée depuis que nous nous sommes vus au Rooftop. Oui, il a le droit d'être occupé, mais quand les journaux ont commencé à parler du tableau à un million de dollars, il aurait au moins pu m'envoyer un texto.

— Je n'ai rien fait avec Jamie, dit-il d'un ton maussade. Courtney et moi nous sommes encore disputés.

— Oh, je suis désolée, dis-je, bien que n'étant guère surprise.

— Et moi donc. (Il soupire et consulte sa montre.) Nous devons nous voir pour le dîner. Pour nous réconcilier. Enfin, j'espère.

— Moi aussi.

J'en doute, mais ne le lui dis pas. Ollie n'a pas des antécédents très reluisants, et même si c'est un ami — du moins je le considère encore comme tel — je ne peux m'empêcher de penser que Courtney mérite mieux.

— Jamie m'a proposé de rester ici. J'ai dormi dans ta chambre, dit-il.

Il jette un regard interrogateur vers le lit qui trône dans le salon entre la table et la porte. Je le laisse poursuivre.

– Je me suis dit que tu ne verrais pas d'inconvénient à ce que je dorme dans ton lit.

– J'en vois un, moi, je réplique sans réfléchir. (Trop énervée, je continue, même si je lis de la peine dans son regard.) Tu te sers de mon lit comme si rien n'avait changé ? Tu te trompes, Ollie. J'avais besoin d'un ami et tu ne m'as même pas appelée.

– Peut-être parce que tu ne m'avais pas parlé du tableau. Un million de dollars. C'est vrai, cette histoire ?

– Oui.

– Stark est dangereux, Nikki.

– Pas du tout. Et il ne t'est pas venu à l'esprit que c'est précisément pour cette raison que je ne t'ai pas parlé du tableau ?

– Pourquoi tu es aussi têtue, merde ! Tu as peur d'apprendre la vérité sur lui ? Ou bien que j'apprenne la vérité sur ce que tu fais avec lui ?

Il me crache ça en plein visage, manifestement aussi fâché que moi. Puis, sans prévenir, il m'empoigne par le bras et m'attire à lui. Il pose brutalement l'index sur le bleu qui fait le tour de mon poignet. Je retire mon bras en rougissant, ce qui ôte à Ollie le moindre doute sur la cause de ces marques.

– Tu te comportes comme une idiote, dit-il. (Il m'effleure les cheveux, puis fixe ostensiblement mes cuisses.) Combien de temps va-t-il se passer avant que tu te refasses du mal à cause de ce mec ?

La gifle part toute seule.

– Fiche le camp de chez moi !

Il reste pétrifié, bouche bée, haletant.

– Oh, merde, merde… Nikki, je suis désolé, murmure-t-il.

– Non tu ne l'es pas. Tu serais fou de joie si Damien et moi n'étions plus ensemble. Je ne sais pas pourquoi tu le détestes à ce point…

– Et moi, pourquoi tu es aussi aveugle.

– Je ne suis pas aveugle. Je vois très bien.

– Tu vois ce qu'il veut bien te laisser voir. Mais tu oublies où je travaille. Tu oublies que mon patron est son avocat. Les emmerdes sont en train de pleuvoir sur Stark, et je ne veux pas que tu en pâtisses. (Il soupire.) Je t'ai prévenue, non ? Tu es sous le feu des projecteurs, à présent, et ce n'est pas ce dont tu as envie. Ta place n'est pas là.

Je suis prise de vertige.

– Va-t-en, dis-je.

– Très bien, comme tu voudras. Je vais prendre mes affaires et me barrer. (Il retourne dans ma chambre, en ressort avec un attaché-case, gagne la porte, puis se retourne.) Tu sais quoi ? Je comprends que c'est grillé entre nous, et j'en suis désolé. Mais je ne peux pas laisser passer ça. Tu sais où il est, en ce moment, au moins ?

– À Londres, je réponds en croisant les bras.

– Pour quoi ?

– Pour ses affaires.

– Ah oui ? (Il sort son iPad de son attaché-case et me montre une page de *Hello !*) Tiens, dit-il en me tendant la tablette.

C'est une photo de Damien : il tient une femme par l'épaule, elle a la tête baissée, porte des lunettes noires et une casquette cache la moitié de son visage. Je ne sais pas qui c'est, mais je peux deviner. Apparemment, *Hello !* n'en est même pas capable, car la légende dit :

« Damien a-t-il plaqué sa petite chérie ? Est-ce la fin du couple que formaient Damien Stark et la reine de beauté du Texas Nikki Fairchild ? Selon nos sources, Stark semblait plus qu'intime avec cette inconnue avec qui il se promenait à Hampstead Heath aujourd'hui. Il est arrivé à Londres sans la femme dont il a payé le portrait un million de dollars. Des regrets après une folle dépense, peut-être ? »

Je lui rends la tablette.

— C'est une de ses amies, dis-je.

— Je croyais qu'il était en voyage d'affaires.

— Il n'a pas le droit de voir ses amis quand il est en voyage d'affaires ?

Un coup violent ébranle la cloison entre notre appartement et celui de Douglas, suivi d'un bruyant gémissement très satisfait. Ollie et moi échangeons un regard et, sans nous concerter, nous éclatons de rire. Durant quelques secondes, nous sommes redevenus les Ollie et Nikki d'autrefois. Mais cela ne dure pas.

— Je ne veux pas tout bousiller, dit enfin Ollie.

— C'est trop tard. À présent, tu peux tout au plus essayer de réparer ce que tu as fait.

L'espace d'un instant, il s'apprête à répondre un truc cinglant. Puis il acquiesce.

— Oui, sûrement. (Il jette un regard à la porte.) Je devrais probablement réparer d'abord ce qui est cassé avec ma fiancée. Je ne fais que ça, ces derniers temps. J'énerve les gens, et après j'essaie de me réconcilier.

— Ollie...

La tristesse me gagne tandis qu'il s'en va. Je songe à ce qu'a dit Damien : Ollie serait amoureux de moi. Mais je ne crois pas que ce soit le cas. Je crois qu'il a de la peine. Dans notre existence, c'est toujours moi qui ai le plus souffert, et Ollie a été mon roc. Mais je commence à guérir, et j'ai trouvé un nouveau roc en Damien. Et Ollie se demande sûrement ce que va devenir notre amitié.

Cette question, je ne peux pas y répondre à sa place. Pas maintenant. Pas quand il attaque Damien à chacune de nos rencontres. Mais j'espère qu'il y a une réponse à tout ça, car je ne veux pas le perdre. Et je le sais : si je suis forcée de faire un choix, je suivrai mon cœur. Je suivrai Damien.

Me rendant compte qu'Edward est probablement arrivé à la moitié du *Comte de Monte-Cristo* depuis tout ce temps, je me précipite dans ma chambre pour prendre mon portable et les documents dont j'ai besoin. Je m'arrête sur le seuil et retourne prendre mon vieux Nikon dans mon placard, puisque le fabuleux Leica numérique que m'a offert Damien est encore à Malibu. Et j'ai beau adorer le Leica, le Nikon était un cadeau d'Ashley, et je refuse de le mettre au rancart.

– Nous retournons à l'appartement ? demande Edward en me tenant la portière.

– En fait, j'aimerais aller ailleurs auparavant, dis-je en serrant contre moi l'appareil-photo.

– Comment tu tiens le coup, la Texane ?

– Ça va, je pense.

Nous sommes sur le balcon qui donne sur la plage. Blaine est sorti avec des amis et Evelyn était ravie que je l'appelle pour m'inviter chez elle. Je ne suis venue qu'une fois, le soir où Damien et moi nous sommes connus à Malibu – mais je me sens chez moi, probablement grâce à la femme plus qu'à l'endroit.

– Tant que je ne sors pas, tout va bien. Mais dès que je vois un magazine ou que je suis abordée par un journaliste, je me sens au bord de l'effondrement. Franchement, je me demande comment font les people.

– Ils ont le gène de la célébrité, répond-elle. Pas toi.

– Ça n'existe pas, une mauvaise attachée de presse ? j'ironise.

– Pour certains, c'est un truisme. As-tu déjà regardé la télé-réalité ?

Là, je suis forcée de rire. Je ne regarde pas régulièrement ce genre d'émission, mais j'ai vu suffisamment d'épisodes avec Jamie pour comprendre de quoi parle Evelyn. Certaines personnes ne rechignent pas à finir en épaves devant les caméras. Moi, je n'aime pas ça.

– Tu seras bientôt de l'histoire ancienne. En attendant, garde la tête haute et souris.

– Ça, c'est quelque chose que je sais faire, dis-je en lui décochant mon plus beau sourire de concours de beauté.

Devant nous, le soleil commence à baisser sur l'horizon. Je sors le Nikon et prends plusieurs photos, en espérant que, dans le lot, certaines captureront ne serait-ce qu'un fragment de cette beauté.

– J'espère que tu vas me montrer les photos que tu as prises à la soirée, dit-elle. Plus il y en aura de moi, plus j'aurai de chance d'en trouver une qui soit vraiment flatteuse.

– N'essaie pas d'aller à la pêche aux compliments avec moi, dis-je en riant. Tu es magnifique et stupéfiante, et tu le sais.

– C'est vrai, dit-elle en allumant une cigarette. J'espère juste que Blaine continue de s'en souvenir.

– Je crois qu'il est mordu.

Malgré leur différence d'âge, ils ont vraiment l'air de former un couple parfait. Après la scène avec Ollie, c'est agréable de savoir que certains de mes amis ont des relations stables.

J'ai eu envie de venir ici sur un coup de tête, mais maintenant que j'y suis, je me rends compte que je n'ai pas envie de parler. Je préfère me contenter de bavardages sans conséquence. Nous avons déjà abordé les passionnants sujets que sont les mannequins hommes, le Botox et les plus importantes sorties de films de l'été. La conversation est tellement décousue que je suis surprise quand elle aborde la question de la presse à scandales.

– Blaine est toujours mortifié, évidemment, ajoute-t-elle. Il s'en tient pour responsable.

– C'est ridicule. C'est moi qui ai accepté de l'argent pour poser nue et qui ai consenti à être attachée. Si c'est la faute de quelqu'un, c'est bien la mienne.

– Nous ne savions pas du tout combien Damien t'avait payé, dit Evelyn, mais maintenant que c'est public, je dois dire que je suis d'accord avec Blaine. Tu ne t'es pas vendue bien cher.

J'éclate de rire en me souvenant que Sylvia a dit la même chose. Dans des moments comme celui-ci, quand je suis avec des amis ou des personnes qui n'ont pas un tempérament de requin, je me sens presque fière de ce que j'ai fait. J'ai négocié un contrat. J'ai eu l'argent pour lancer ma boîte. Où est le mal ?

– Ah, zut, la Texane ! Je vois que je te fais repenser à tout ça. Pas question que tu te ronges. Un peu de vin ?

– Avec plaisir.

Elle disparaît et revient un instant plus tard avec une bouteille de chardonnay bien frais et deux verres.

Elle s'assied à la table en fer forgé et m'indique du bout de sa cigarette le siège en face d'elle.

— Allez, dis-moi tout le reste.

— Le reste ? De quoi ?

— De ce qui se passe dans ta vie, la Texane. Virée deux fois… Excuse-moi, la première c'était une mise en disponibilité. Tu sors avec un joli parti, je dois dire. Ta coloc' tourne dans une pub. Ça fait beaucoup de choses en peu de temps. Tu as fait ton trou dans notre jolie ville.

Vu sous cet angle, je ne peux qu'être d'accord.

— Malgré les licenciements et les histoires avec la presse, que nous allons simplement éviter d'aborder, tout va bien. Je vais prendre un peu de temps pour lancer quelques nouvelles applications sur le marché.

— Une application de peinture pour Blaine. Je n'ai pas oublié.

Je souris, sans vraiment savoir si elle est sérieuse.

— Je suis prête quand tu veux. Mais c'est du court terme. Le long terme n'est pas encore bien défini.

— Et Damien ? Tu disais qu'il était à Londres ? Pour affaires ?

— Oui, mais je pense qu'il a pris le temps de rendre visite à une amie. Sofia. Je crois qu'elle a quelques problèmes.

— C'est dommage, dit Evelyn. (Elle pose le menton sur le poing et me dévisage d'un air grave.) Il a précisé quel genre de problèmes ?

— Non.

— Mmm… Et Jamie, alors ? Elle en est où ?

J'hésite avant de répondre, me demandant pourquoi elle change de sujet. Evelyn connaît-elle Sofia ? Sait-elle quel genre de problèmes elle peut avoir ? C'est possible.

Sofia fait partie de la période tennis, et Evelyn était l'agent de Damien à cette époque-là.

Je me retiens de lui poser la question. Evelyn est devenue une véritable amie, et je ne veux pas tout gâcher en l'utilisant pour connaître le passé de Damien.

— Jamie est aux anges, dis-je. Elle a vraiment craqué pour le mec avec qui elle tourne la pub. Bryan Raine. Tu le connais ?

— En effet, dit-elle, l'air pas très ravi. J'aime bien ta copine. Elle est sympa. Encore un peu jeune, mais elle mûrira. Bryan Raine, en revanche… C'est un arriviste, et je ne sais pas si ta copine est assez forte pour affronter les merdes qu'il va lui faire subir un jour ou l'autre.

— Tu es sérieuse ? je demande, consternée.

— Malheureusement, oui. Il ne sera pas heureux tant qu'il n'aura pas mis la dernière célébrité en vogue dans son lit. Et bien qu'il préfère les femmes, je crois qu'il baiserait n'importe qui pour arriver au sommet. Un homme, une femme ou même un petit animal de ferme. Ta copine sera assez solide pour tenir, quand il la plaquera ?

Je m'apprête à répondre que Jamie est solide comme un roc, mais je n'y arrive pas. Ce n'est pas vrai. En façade, oui, mais au fond elle est vulnérable.

— J'espère que tu te trompes, dis-je.

— Et moi donc, la Texane ! Et moi donc…

Chapitre 22

Ce qui est bien, avec les limousines, c'est qu'elles ont un chauffeur. Je profite pleinement de cet avantage et rentre chez Damien plus que grise, après avoir bu la moitié de l'excellent chardonnay d'Evelyn. Rien ne m'intéresse, à part dormir, et je me dirige vers le lit, regrettant seulement de m'y coucher seule.

Je prends mon téléphone que j'ai laissé sur la table de chevet et je tape un texto : « Dans ton lit. Ivre. Aimerais être avec toi. »

J'ignore quelle heure il est à Londres. J'ai trop bu pour prendre la peine de faire le calcul, je ne sais donc pas si Damien est réveillé. Mais quelques secondes seulement s'écoulent avant que je reçoive la réponse : « Aimerais être avec toi aussi. Suis à l'aéroport. Je rentre te retrouver. Dis-moi que tu es nue. »

Je souris et tape ma réponse : « Complètement. Je mouille. J'ai envie de toi. Dépêche-toi de rentrer. Je suis damianisée et je ne vais pas tenir bien longtemps sans toi. [damianiser (v.) : avoir besoin de Damien, notamment dans un sens sexuel, en actes et en paroles. Exemple : Nikki Fairchild.] »

Il répond presque aussitôt : « J'aime cet ajout à ton lexique. Et maintenant, je vais bander pendant tout le vol de retour. On embarque. À plus tard. En attendant, imagine-moi en train de te toucher. »

Je ne sais pas s'il va recevoir le texto, mais j'envoie un dernier message : « Oui, monsieur. »

Après quoi, le téléphone serré contre moi, je m'endors.

Je suis réveillée par la vibration du téléphone contre ma joue. Je me retourne, décontenancée. Il est déjà plus de midi et j'ai manqué un appel. Je vérifie s'il est de Damien, mais c'est seulement un message d'Evelyn pour me dire que j'ai oublié mon appareil-photo chez elle. Je me maudis intérieurement puis consulte mes mails. Je pourrais lui en envoyer un pour lui dire que je passerai le chercher bientôt.

Et là je vois un mail de Damien.

« Nikki, suis en escale à Amsterdam. J'arrive à LAX à 17 heures. Cela t'ennuie-t-il si nous allons à une soirée de bienfaisance ce soir ? Elle commence à 21 heures. Je préférerais être avec toi, mais le cabinet de Maynard en est le sponsor. Il me jure que la presse sera filtrée. Quiconque t'importune se fera virer. Jamie est invitée elle aussi. Tiens-moi au courant. Tu me manques. »

Je lis le message deux fois en me demandant pourquoi je souris autant. C'est seulement à la troisième que je comprends la raison : il me demande, il n'exige pas. J'en suis aux anges. Après quoi, je réponds sans savoir s'il pourra me lire avant d'arriver.

« Évidemment, monsieur. Mais quel polisson vous faites, à faire semblant de me demander mon consentement alors que vous savez que je ferai ce que vous voulez, quand et comme vous le voudrez. J'espère que vous passerez votre vol à échafauder d'intéressants scénarios…

PS : J'ai la robe idéale à la maison. Passe me prendre à l'appartement à 20 heures, je verrai si Jamie est disponible… »

Jamie est ravie de se joindre à nous, délaissée par Raine qui sort avec ses potes.

Je ne sais pas très bien à quoi m'attendre dans un défilé de mode donné par un cabinet d'avocats, mais il se trouve que Bender & Twain est simplement l'un des nombreux sponsors de cette soirée qui récolte des fonds contre le diabète juvénile. Elle a lieu dans un restaurant de Beverly Hills, mais l'endroit a tellement été redécoré qu'il est difficile d'imaginer qu'il ait jamais servi à autre chose qu'à des défilés de mode. La gigantesque salle est divisée par un long podium autour duquel sont alignées des chaises. Tout autour se trouvent des tables chargées de documents, billets de loterie et paquets cadeaux. Jamie et moi en piquons un et sommes ravies d'y trouver des cosmétiques, brosses à cheveux, et même un ravissant débardeur noir.

— C'est génial, dit-elle à Damien. Merci de m'avoir invitée.

— Ravi de t'avoir avec nous, dit-il.

Il est de bonne humeur, depuis son retour de Londres.

— Alors, le voyage s'est bien passé ? je demande dès que Jamie est partie faire de la communication.

— En effet.

— Sofia va bien ?

— Elle est installée. Pour elle, on ne peut pas rêver mieux. J'ai eu des nouvelles de Charles. Il travaille avec mes avocats en Allemagne, et avec un peu de chance ce problème va également se régler.

— Tu veux dire qu'il n'y aura pas de mise en examen ?

— C'est ce que j'espère.

— Ce serait génial. Et même si je n'ai aucune idée de ce que sont les affaires internationales ou le genre de lois que les Allemands pensent que tu as enfreintes, tu sais que tu peux m'en parler. Je ne comprendrai peut-être pas, mais je te promets de te soutenir.

— Un jour, quand je serai prêt, je te promets de t'en parler, répond-il avec une expression étrangement circonspecte avant de m'attirer à lui pour un rapide et chaste baiser. Et je suis sûr que tu comprendras.

Un sourire se peint sur mes lèvres. Je suis ravie, mais je ne peux m'empêcher de penser que nous parlons chacun de choses différentes.

Je n'ai pas le temps de lui poser la question, car le défilé commence. Nous prenons place et regardons passer les mannequins dans des tenues minuscules, Damien me signalant à mi-voix celles qu'il souhaiterait me voir porter. Journalistes et photographes sont massés au pied du podium, et je me rends compte que Charles a tenu sa promesse : la presse ne nous importune pas. Un peu soulagée, je me détends en savourant le plaisir de ne pas être l'objet de toutes les attentions, pour le moment tout au moins.

Le défilé terminé, l'assistance est invitée à aller se servir aux différents bars pendant que se préparent les enchères. Je cherche Jamie du regard, mais elle a déjà disparu dans la foule, sans doute pour en profiter.

Au lieu de cela, j'aperçois Ollie, et je retiens mon souffle. Il parle à une femme qui me paraît familière, mais que je n'arrive pas à situer. Damien ne l'a pas vu, mais je sais à son regard qu'Ollie nous a repérés.

Pourquoi suis-je surprise de le voir là ? Après tout, il travaille avec Charles Maynard. Un groupe bouge, et je vois une jolie femme brune le rejoindre avec deux verres à la main. Courtney. Puis Ollie et les deux femmes se dirigent vers nous. Je prends la main de Damien et arbore le plus beau sourire de la Nikki en société. C'est la première fois que j'éprouve le besoin de me protéger devant Ollie, et même si ça me rend triste, je sais que j'ai besoin de ce masque et de la force de Damien.

— Nikki, Damien, c'est un plaisir de vous voir ici.

— Ollie, dit poliment Damien en regardant les deux femmes.

— Courtney, dis-je, je suis contente de te revoir.

Je la serre dans mes bras puis la présente à Damien.

— Ravie de faire votre connaissance, dit-elle avant de se retourner vers moi. J'ai prévu de donner une petite fête pour mon enterrement de vie de jeune fille, mais je n'ai pas encore décidé où. Dis-moi que vous viendrez tous les deux. Ainsi que Jamie et Raine, évidemment.

Machinalement, mon regard se tourne vers Ollie, mais son expression reste indéchiffrable.

— J'ai hâte de connaître tous les détails, dis-je avec diplomatie.

En fait, je ne sais pas trop s'il va y avoir un mariage, et encore moins un enterrement de vie de jeune fille, mais Courtney n'a pas l'air inquiète du tout.

L'autre femme m'est présentée comme Susan Morris. Je garde mon sourire poli, mais intérieurement je suis crispée, essayant de me rappeler pourquoi ce nom m'est si familier. Je m'apprête à le demander, quand Ollie poursuit :

— Susan a dirigé le défilé de ce soir.

— Je me suis formée dans les concours de beauté, dit Susan. Enfin, ce n'était pas une formation officielle. Plutôt un apprentissage.

— Susan Morris ? dis-je, comprenant enfin. La mère d'Alicia Morris ?

Susan Morris était presque aussi acharnée des concours de beauté que ma mère.

— J'espérais que vous vous souviendriez de moi. Ollie m'a dit que Damien Stark serait là avec sa petite amie, et il fallait absolument que je vous voie.

— Je suis contente que vous soyez là, dit la Nikki en société.

En réalité, je ne suis pas du tout intéressée par cette relique de mon passé. Je sens que Damien l'a perçu, car il serre ma main en signe de soutien.

— Votre mère et moi sommes restées proches. En fait, depuis que j'ai emménagé à Park Cities, nous déjeunons ensemble au moins une fois par semaine. (Elle fait ainsi référence au quartier aisé de Dallas où j'ai grandi.) Je l'ai eue au téléphone pas plus tard que ce matin, d'ailleurs.

Sa voix est étrangement tendue, et je n'ai qu'une envie, m'éloigner de cette femme qui me rappelle beaucoup trop ma mère.

— Comme c'est charmant, dis-je avec mon sourire de concours de beauté. Il faut vraiment que je retrouve mon amie Jamie. C'était un plaisir de vous parler.

D'un pas de côté, elle me barre le chemin.

— Votre mère a tellement honte qu'elle n'ose même plus se montrer en public. Et vous ne l'avez guère aidée.

Vous n'avez répondu à aucun de ses coups de fil, à aucun de ses e-mails. C'est affreusement ingrat, Nichole.

Ingrat. Qu'est-ce qu'elle raconte ? Damien se rapproche de moi.

– Je crois que Nikki vient de vous dire qu'elle doit aller retrouver son amie.

Mais Susan Morris ne saisit pas l'allusion. Elle pointe un index accusateur sur Damien.

– Et vous ! Elizabeth m'a raconté comment vous l'avez expédiée chez elle au moment même où Nichole avait tant besoin d'elle.

J'en reste bouche bée. Besoin d'elle ? *Besoin d'elle ?* Tout ce dont j'avais besoin, c'était qu'elle parte.

– Et voilà que vous l'avez entraînée dans ce… ce… mode de vie dégradant ! débite Susan Morris d'un ton venimeux. Des poses toute nue. De l'art érotique. Et accepter de l'argent comme une *putain*. C'est méprisable !

Elle crache littéralement ce dernier mot, la bave aux lèvres. Je reste hébétée. Ma façade a volé en éclats sous cet assaut inattendu. Damien est loin d'être paralysé, lui. Il s'avance avec une expression furieuse. Je me dis vaguement qu'il va lui faire du mal et que je devrais le retenir. Je n'en fais rien. Je suis prisonnière de la nausée et des sueurs froides qui se sont emparées de moi.

– Fichez le camp d'ici, dit Damien avec raideur.

– Pas question ! riposte-t-elle. Vous croyez que vous pouvez acheter ce qui vous chante ? Même une fille comme Nichole, pour la mettre dans votre lit ? Je connais les hommes de votre espèce, Damien Stark.

– Vraiment ? (Il fait un pas de plus vers elle.) Dans ce cas, on pourrait penser que vous écouteriez quand on vous dit de foutre le camp. Et pour votre gouverne, Nikki est une femme, pas une fille. Et c'est elle qui gouverne sa vie, pas sa mère.

Elle ouvre la bouche, mais aucun mot n'en sort. Elle se tourne vers moi, l'air effrayé.

– Votre mère attendait mieux de vous.

Je reste clouée sur place. Pétrifiée, glacée jusqu'à la moelle. Et voilà que je commence à trembler. De profonds et incontrôlables frissons me secouent, et il n'est pas question que Susan Morris voie cela. Pendant tout ce temps, Ollie n'a pas bronché, le bras de Courtney posé sur le sien. Mais là, il s'avance à son tour.

– Faites ce que vous dit M. Stark, et fichez le camp d'ici avant que je ne vous fasse foutre dehors.

– Je...

Elle nous jette un regard noir, mais n'insiste pas, et tourne les talons.

Sans m'en rendre compte, je tombe dans les bras de Damien, où je me sens en sécurité. Mes tremblements diminuent. Je ne veux pas qu'il me lâche. Je refuse d'affronter le monde extérieur. Je veux être à la maison avec lui. Là où les fantômes de mon passé ne surgiront pas. Où personne ne m'accusera d'être une pute. Où ma vie privée n'est pas le sujet de conversation de gens qui ne me connaissent pas et en savent encore moins sur les choix que j'ai faits.

– Ça va ? me demande Courtney.

– Non, dis-je. Ça ne va pas.

Je vois Ollie jeter à Damien un regard foudroyant. Il a peut-être pris mon parti contre Susan Morris, mais il ne s'est toujours pas rangé de son côté.

– Je te ramène, dit Damien.

— Non, je veux rester.

— Tu es sûre ?

— J'ai juste besoin d'aller aux toilettes, et j'irai chercher Jamie. Nous n'avons pas encore assisté à tous les défilés.

Je suis fière de moi. J'ai l'air de parfaitement me maîtriser, pourtant c'est loin d'être le cas. Le portable de Damien vibre. Il jette un bref coup d'œil à l'écran, tape une réponse et le range dans sa poche.

— Pas important ?

— Charles. Il est à l'un des bars et veut que je le rejoigne. Je lui ai dit que j'étais avec toi et que les affaires pouvaient attendre jusqu'à demain matin.

— Elles le peuvent ?

— Pour le moment, la seule chose qui compte pour moi, c'est toi, répond-il en plongeant son regard dans le mien. Je crois que les toilettes sont par là, enchaîne-t-il en me prenant par le bras.

Il reste à m'attendre à la porte. À peine suis-je entrée que je me cramponne aux lavabos. Je me suis donné un mal de chien pour que Damien ne voie pas mes failles. Susan Morris. Ma mère. Les fausses rumeurs sur mon compte. Tout est mêlé dans ma tête, et je dois faire le tri. Je tiens à Damien – mais je sais qu'il s'en veut. Et si seulement je pouvais me ressaisir un peu. Si seulement je pouvais reprendre pied… Je cherche du regard quelque chose de tranchant, mais je ne trouve rien, en dehors du comptoir en granit, du miroir et du distributeur de savon en céramique. Je me rappelle l'appartement et le vase que Damien a fracassé. Je ferme les yeux en imaginant que je tiens un éclat de verre. Tranchant de toutes parts. C'est parfait. C'est comme un minuscule miracle qui s'enfonce dans la paume de ma main.

J'ouvre les yeux et je cherche, éperdue, quelque chose pour briser le miroir. Je ramasse le distributeur de savon, me recule et m'apprête à le lancer. C'est alors que je vois mon reflet.

Oh, mon Dieu. Mais qu'est-ce que je suis en train de faire ?

Ma main mollit et le distributeur tombe sur le sol. Au fond de la salle, derrière une porte fermée, j'entends quelqu'un pousser un cri. Je sursaute, mais me détends en voyant Jamie. Son visage est marbré et son maquillage a coulé, mais je dois avoir l'air pire, car il lui suffit d'un seul regard sur moi et les fragments de porcelaine sur le sol pour qu'elle s'écrie :

– Je vais chercher Damien.

– Jamie ! je crie.

Mais il est trop tard, elle est sortie et un instant plus tard Damien entre dans les toilettes des dames.

– Je n'ai rien fait ! dis-je aussitôt. J'ai juste laissé tomber le porte-savon, c'est tout. Jamie s'est affolée pour rien.

Son regard est si intense que je suis certaine qu'il sait que je mens.

– Très bien, dit-il lentement. Maintenant, dis-moi le reste.

Je baisse les yeux en soupirant. Je compte jusqu'à cinq, puis je relève la tête après m'être ressaisie.

– J'allais le faire, dis-je. Mais je m'en suis dissuadée. Et le distributeur de savon m'a échappé des mains. C'est vrai, il est glissant.

– Tu t'en es dissuadée.

C'est une affirmation, pas une question.

— J'ai vu mon reflet dans le miroir. J'allais le casser avec ça, j'explique en désignant les éclats englués de savon sur le sol.

— Tu allais briser un miroir dans les toilettes d'un restaurant au lieu de m'en parler ? (Je me mords la lèvre sans répondre.) Je vois.

— Je ne voulais pas te compliquer la vie. Mais j'y suis arrivée quand même.

— Et ça va mieux ? demande-t-il prudemment.

— Oui. J'ai juste déraillé un instant. Tout est rentré dans l'ordre. C'est juste à cause de cette horrible bonne femme.

— Très bien, dit-il finalement. (Il me prend la main. La sienne est chaude et rassurante.) Allons-y. Nous laisserons le personnel d'entretien s'en occuper.

Je hoche la tête et je le suis. Je me sens déjà mieux. Dans le restaurant, je cherche vainement Jamie.

— Je m'inquiète pour elle, dis-je. Elle était dans un sale état.

— Tu sais pourquoi ?

— Non, elle était juste… Oh, merde ! c'est bien qui je pense ?

Je montre la foule et le sifflement que laisse échapper Damien m'indique que j'ai raison. Bryan Raine à la soirée lui aussi, embrassant à pleine bouche une blonde svelte.

— C'est Madeline Aimes, dit Damien.

— Une actrice de cinéma ? Qui monte ? je demande en me rappelant les paroles d'Evelyn.

— Depuis quand t'intéresses-tu à Hollywood ? s'étonne-t-il.

— Je ne m'y intéresse pas. C'est juste un coup de

chance. Il faut vraiment que je retrouve Jamie, maintenant, dis-je en scrutant la salle.

Ollie me dit qu'il ne l'a pas vue non plus. La trêve que nous avons établie un peu plus tôt quand Susan Morris m'a agressée semble terminée : taciturne et distant, il ne cesse de lancer des regards courroucés à Damien. Moi, je suis trop inquiète pour lui faire des remontrances. Vingt minutes plus tard, nous apprenons qu'Edward l'a ramenée à la maison.

— Je suis désolé, monsieur Stark, dit le chauffeur quand nous le retrouvons sur le parking derrière le restaurant. Elle m'a affirmé que vous étiez d'accord.

— Ne vous inquiétez pas, dit Damien. Comment allait-elle ?

— J'ai cru comprendre qu'il y avait un problème avec un jeune homme qu'elle fréquente. Il faudra réapprovisionner en scotch le bar de la limousine.

Damien fait la grimace.

— Faut-il que nous allions la voir ? demande-t-il.

Je hoche la tête. Il est déjà minuit passé et maintenant que Jamie est partie, je suis prête à rentrer. Au moment où je vais monter dans la voiture, j'entends Ollie :

— Raine la faisait simplement marcher.

— Oui, manifestement, dis-je en me retournant vers lui.

— Manifestement ? Il fait la même chose avec toi, dit-il en pointant sur Damien un index accusateur.

Je prends la main de Damien ; je veux le retenir auprès de moi.

— Qu'est-ce que tu racontes ?

— Il te garde avec lui, mais c'est du cinéma, fait-il. Quand il en aura assez de ses petits jeux pervers, il te jettera.

– Espèce de petit merdeux ! grince Damien.

– J'ai tort ? Vraiment ? Vous savez pertinemment que ce n'est qu'un jeu pour vous. C'est pour ça que vous ne lui confiez jamais rien. Pour ça que vous ne lui avez même pas dit que vous avez été mis en examen en Allemagne pour meurtre.

Chapitre 23

Pour meurtre ! Mon regard passe d'Ollie à Damien. Le premier a l'air tout content de lui. Le second est décontenancé.

— Il n'y a pas de mise en examen, dit Damien.

Un bref instant, Ollie semble effrayé, puis il se ressaisit.

— Non, apparemment, ils gagnaient juste du temps. La mise en examen est intervenue il y a quelques minutes seulement. Vous n'étiez pas au courant ?

— Attendez, dis-je.

J'ai la tête qui tourne et je ne sais plus trop ce que j'éprouve. Colère ? Peine ? Peur ? Confusion ? Toutes ces émotions rivalisent en moi ; j'ai l'impression que ma cervelle va exploser. En y repensant, je regrette de ne pas avoir emporté quelques fragments de céramique avec moi.

Non. Respire calmement. Tu peux y arriver.

Je me tourne vers Damien.

— Depuis le début, je pensais que cette affaire en Allemagne concernait une infraction à des règlements commerciaux alors qu'en réalité c'est une affaire de meurtre ?

Il hésite, le regard fixe, comme s'il essayait de trouver dans mes pupilles la réponse à la question cachée tout au fond de moi.

– Oui, répond-il.

Et voilà. Le plus grand secret de tous, celui que je lui ai donné des milliards d'occasions de me révéler. Je pense au nombre de fois où j'ai parlé des régulations allemandes. Où il m'a laissée continuer de croire qu'il s'agissait d'une histoire de business. Stark International en proie à des difficultés, comme n'importe quelle grande firme internationale…

– Je croyais que ton entreprise avait un retard d'impôts ou quelque chose de ce genre. C'est…

– Pire, achève-t-il. Bien pire.

J'attends qu'il poursuive. Qu'il explique. Qu'il mente. Quelque chose. N'importe quoi. Il reste silencieux. Je laisse échapper un soupir excédé et je me masse les tempes. Il faut que je réfléchisse. Surtout, que je reste seule.

– Je m'en vais, dis-je. Je dois aller retrouver Jamie.

– Très bien, dit Damien d'un ton un peu trop calme. Edward et moi allons te déposer.

– Je vais rentrer par mes propres moyens. Merci.

– Je te reconduis, dit Ollie.

– Tu parles ! (Avec Damien, je suis emportée dans un tourbillon de fureur, de tristesse, de confusion et Dieu sait quoi d'autre. Avec Ollie, je suis simplement furieuse.) Je vais prendre un taxi.

Tout en m'éloignant, je me retourne et croise le regard de Damien. J'hésite, m'attendant à ce qu'il me rappelle, mais il n'en fait rien. Un frisson glacé me parcourt alors. Lentement, je lui tourne le dos et continue vers la rue. Je suis blessée et désorientée, mais pour le moment, il faut que je me concentre sur une seule chose : il faut simplement que je rentre.

Beverly Hills est à deux pas de Studio City, et je suis chez moi en un rien de temps. Je me précipite dans l'appartement, m'attendant à trouver Jamie en larmes sur son lit.

Elle n'est pas là.

OK, OK. Réfléchissons… Où pourrait-elle être ?

Je connais suffisamment Jamie pour savoir qu'elle est capable d'apaiser ses bleus au cœur en baisant avec un autre type. Je commence alors à passer en revue les célibataires de l'immeuble avec qui elle n'a pas couché – c'est une des caractéristiques de Jamie : elle remet rarement le couvert avec le même. Comme pour souligner combien mon raisonnement est perspicace, une série de grognements et de gémissements me parvient d'à côté. Douglas a encore ramené une fille. Au moins, je peux barrer celui-là de ma liste. Même s'il a clairement fait comprendre qu'il en reprendrait bien un peu, Jamie a toujours refusé.

Je fais les cent pas dans l'appartement en me demandant où elle peut bien être. J'appelle le bar au coin de la rue, mais elle n'y est pas passée depuis des jours. J'appelle Steve et Anderson, mais il ne l'ont pas eue au téléphone. Ils me donnent les noms d'autres amis communs, mais personne n'a eu de ses nouvelles ce soir.

Merde, merde, merde !

Même si je sais que ça ne servira à rien, j'appelle la police. J'évite le numéro des urgences et appelle directement le commissariat. J'explique à l'officier de permanence que ma coloc' est partie ivre de la soirée, mais qu'elle n'est pas rentrée et que je m'inquiète qu'elle finisse par être retrouvée morte dans un caniveau. Il est assez aimable, mais ne m'envoie personne pour autant. Il faudrait qu'elle soit portée disparue depuis bien plus que quelques heures.

Je ferme les yeux et réfléchis encore. Peut-être a-t-elle dit quelque chose à Edward ? Qu'elle allait se changer et sortir en boîte ? Qu'elle allait voir des amis ? Qu'elle partait à l'aéroport prendre le prochain vol pour New York ?

Je n'ai pas le numéro d'Edward et j'hésite, le doigt au-dessus du nom de Damien. Je ne suis pas disposée à lui parler, mais il faut que je sache. Je respire un bon coup, compte jusqu'à trois et appelle.

Il répond dès la première sonnerie et, bon sang, les sanglots me montent directement à la gorge.

Alors que je demande à parler à Edward, Damien fait irruption dans l'appartement. Interdite, je le vois venir vers moi et prendre délicatement le téléphone puis l'éteindre.

— Comment tu es arrivé aussi vite ?

— Edward est garé au bout de la rue. Je voulais passer de toute façon, mais te laisser un peu de temps avant.

— Ah… Tu as questionné Edward ?

— Elle ne lui a rien dit. Il l'a accompagnée jusqu'à l'appartement et l'a entendue verrouiller la porte avant de partir. Il s'est dit qu'elle allait se coucher.

Une main sur le front, je m'efforce de prendre une décision, mais rien ne me vient. Je ne sais pas. Je suis complètement perdue et atrocement angoissée.

— Elle est bourrée et très en colère. Elle va faire une bêtise.

— Tu as regardé si sa voiture était là ?

— *Zut !* Je n'y ai même pas pensé.

— Elle a pu prendre un taxi ou demander à un ami

de venir la chercher, mais si la voiture est encore là, c'est un début. Je peux demander à quelqu'un de mon personnel de sécurité d'appeler les taxis pour savoir s'il y a eu un appel, et ensuite...

Il n'a pas le temps de finir sa phrase que je suis déjà à la porte. Je l'ai à peine entrouverte que je me fige en apercevant Jamie, un peu dépenaillée, hirsute, mais apparemment saine et sauve.

– James ! (Je me précipite sur elle et la prends dans mes bras avant de reculer d'un pas pour vérifier qu'elle n'a rien.) Tu vas bien ? Où étais-tu ? (Elle hausse les épaules, mais, une fraction de seconde, son regard oblique vers le mur qui nous sépare de l'appartement de Douglas.) Oh, James...

Mais elle a l'air si malheureuse que je ne poursuis pas. Le sermon peut attendre. Pour le moment, je dois mettre au lit ma meilleure copine ravagée de chagrin.

– Je vais la coucher, dis-je à Damien. Je reviens dans un instant, j'ajoute après une hésitation.

Il hoche la tête et j'accompagne Jamie dans sa chambre pour l'aider à se déshabiller. Elle se couche en soutien-gorge et petite culotte.

– J'ai déconné, non ? demande-t-elle.

– C'est Bryan Raine qui a déconné, dis-je. Toi, tu as juste besoin de dormir.

– Dormir, répète-t-elle comme si c'était la chose la plus merveilleuse au monde.

– Bonne nuit, James, je chuchote.

Je m'apprête à la laisser, mais elle me prend le bras.

– Tu as de la chance, dit-elle. Il t'aime.

Je retiens mes larmes. J'ai envie de tout lui dire, mais ma meilleure amie est à moitié endormie et l'homme qui m'aime peut-être – mais qui m'a menti – m'attend dans le salon. Je ne suis pas prête à l'affronter. Mais je quitte la chambre et vais retrouver Damien. Il raccroche juste quand j'arrive.

– C'était Edward, dit-il. Je l'ai congédié. Je reste ici cette nuit.

– Je ne crois pas que…

– Je reste, dit-il. Dans ton lit, sur le divan, dans la fichue baignoire. Je m'en fiche, mais tu ne te débarrasseras pas de moi, pas ce soir.

– Très bien. Comme tu voudras, dis-je, de guerre lasse. Mais je vais me coucher. (Je regarde le lit qui occupe presque tout le salon – *notre lit* – et la tristesse qui me submerge me ferait presque chanceler.) Dans ma chambre. Il y a une couverture dans le placard de l'entrée. Sers-toi dans le frigo si tu as faim.

Sur ce, je tourne les talons, gagne ma chambre et referme la porte.

Cinq minutes plus tard, je suis couchée, les yeux grands ouverts, quand on frappe discrètement à ma porte. Je pourrais faire semblant de dormir. J'y songe un instant. Mais si je suis encore vexée et fâchée, je n'en désire pas moins Damien. Et mon désir l'emporte.

– Entre, dis-je.

Il entre avec deux mugs de chocolat chaud. Je ne peux m'empêcher de sourire.

– D'où tu sors ça ?

– De ton placard. Ça te va ?

J'acquiesce. Je ne suis pas d'humeur à boire du vin ou de l'alcool fort, mais un chocolat chaud réconfortant est le bienvenu. Il pose le mien sur la table de chevet et s'assied sur le bord du lit. Un lourd silence s'installe entre nous.

– C'est Richter, dit-il finalement. On m'accuse du meurtre de Richter.

J'essaie de digérer l'information en réunissant ce que je sais de Damien et ce que je sais de la mort de Richter.

– Mais c'était un suicide, et c'était il y a des années.

– Ils s'appuient sur le fait que j'ai hérité de son argent.

– C'est vrai ?

– Oui. Mon premier million. Cela a été caché à la presse. J'ai versé à Charles une bonne partie de cet argent pour qu'il y veille. Mes ennemis avanceront qu'un million de dollars est un mobile très motivant.

– C'est ce qu'ils disent ? Mais tu étais gosse. (Le monde entier a été au courant au moment des faits. L'entraîneur du jeune prodige du tennis Damien Stark s'est suicidé en se jetant du toit dans un centre de tennis de Munich.) Et tu gagnais déjà de l'argent.

– La plupart des gens riches veulent l'être encore plus.

– L'argument est ridicule. Il t'a probablement laissé sa fortune pour la même raison qu'il s'est suicidé. La culpabilité du vieux pervers…

– Je ne suis pas sûr que Richter ait jamais éprouvé une seconde de culpabilité dans sa vie, dit-il. En tout cas, je crois qu'ils s'appuient davantage sur le témoin que sur l'argent.

– Qui est le témoin ?

– Un employé d'entretien. Elias Schmidt. Il s'était présenté juste après la mort de Richter, mais mon père lui a versé de l'argent et il a disparu sans rien dire à la police. Evelyn était là à l'époque. Tout comme Charles. Un livre devait être publié pour développer l'hypothèse selon laquelle j'avais tué mon entraîneur. Le projet a été tué dans l'œuf, et les rumeurs étouffées.

– L'employé a été payé, mais il est revenu ? je demande, essayant de comprendre.

– Non. Il n'est pas revenu. La police allemande a appris son existence et l'a recherché.

– Comment ?

– Je n'en sais rien. (Il respire le calme, il s'est transformé en homme d'affaires. Je le vois, car il relate les détails de la transaction sans s'y impliquer émotionnellement.) Mais je crois que mon père les a mis sur sa piste.

– Quoi ? (Je suis indignée.) Pourquoi ? Mais pourquoi aurait-il fait une chose pareille ?

– Pour me punir de ne pas lui avoir donné plus d'argent.

Un frisson m'envahit. Ma relation avec ma mère est tordue, mais là, c'est le pompon. Toute cette histoire me fait peur.

– Mais ils céderont quand tu présenteras ta défense. Tout ira bien. Évidemment, ça va te coûter un camion de dollars, mais tu as un milliard de camions de dollars, non ? Et puis tu es innocent, et ils vont abandonner les poursuites tôt ou tard.

– L'argent aide, dit Damien, mais ce n'est pas une garantie. Et il arrive régulièrement que des innocents soient accusés. Et puis, ajoute-t-il sans la moindre émotion, je ne suis pas innocent.

Chapitre 24

Je le regarde fixement, pas très sûre d'avoir bien entendu.

— Non, non, dis-je. Richter s'est tué. Il s'est suicidé en sautant d'un toit.

Si je le répète, ce sera forcément vrai.

— Il a fait une chute mortelle, oui.

Je fixe Damien, cet homme dont je suis follement tombée amoureuse. Est-il capable de tuer un homme ?

La réponse ne tarde pas à venir : je sais que oui. Il tuerait pour me protéger, j'en suis certaine. Et il tuerait pour se protéger.

Soudain, je ne doute plus de ses paroles. Je frissonne, mais pas parce que je suis horrifiée. Non, je tremble parce que j'ai peur de le perdre. Peur qu'il soit reconnu coupable de s'être protégé d'un homme qui était un monstre.

— Nikki… dit-il avec une immense tristesse en se levant. Pardonne-moi. Je m'en vais.

— Non ! (J'ai crié malgré moi en lui saisissant la main et en le forçant à se rasseoir.) Ne me quitte pas. Tu as fait ce que tu devais. Ce que ton père aurait dû faire. Je jure que si j'avais été là à l'époque et si j'avais su ce que ce salaud te faisait, je l'aurais tué moi-même.

(Damien ferme les yeux. Je crois voir du soulagement sur son visage.) Raconte-moi exactement ce qui s'est passé, dis-je doucement.

Il me lâche la main et se relève. Un instant, je crains qu'il s'en aille quand même, puis je me rends compte qu'il a juste besoin de bouger. Il contourne le lit et s'arrête devant le Monet. Des meules de foin dans un champ dans les splendides couleurs du soleil couchant.

Soleil.

C'est notre mot de code. Celui que Damien m'a demandé de choisir la première nuit où j'ai été à lui. Afin que je l'utilise si jamais il allait trop loin.

Je le regarde en espérant qu'il ne va pas le prononcer maintenant. Je sais que ce doit être difficile de revenir en arrière, de me raconter ce qui s'est passé cette nuit-là. Mais j'ai besoin de l'entendre. Surtout, j'ai besoin que Damien me le dise. Et j'espère avec ferveur que les secrets qu'il dissimule depuis longtemps ne vont pas l'obliger à garder le silence.

– Damien ?

Il ne se retourne pas. Il ne bouge même pas. Mais j'entends sa voix sourde.

– Il a commencé quand j'avais neuf ans. Les attouchements. Les menaces. Je ne te raconterai pas les détails – je n'aime pas avoir ces souvenirs dans ma tête, alors encore moins dans la tienne. Mais je peux te dire que c'était horrible. Je le haïssais. Je haïssais mon père. Et je me haïssais moi-même. Pas parce que j'avais honte, mais parce que je n'avais pas la force de l'en empêcher. (Il se retourne.) J'ai appris à quel point la force, c'est important. C'est la seule chose qui puisse vraiment vous protéger, et à l'époque je n'en avais aucune. (Je hoche à peine la tête, craignant qu'il se taise si je réponds ou réagis trop vivement.) Cela a duré des années. J'ai grandi et pris de la vigueur, mais c'était un grand costaud, et avec le temps il ajoutait d'autres menaces à son répertoire. Il avait des photos. Et il… (Il marque une pause et inspire profondément.) Il m'a menacé d'autres choses.

— Qu'est-ce qui a changé ? je demande doucement.

Je ne veux pas qu'il revive toutes ces années. Mais seulement savoir ce qui s'est passé le jour de la mort de Richter.

— Pendant tout ce temps, il ne m'a jamais… violé. (Il dit cela d'une voix sourde qui me glace.) J'avais quatorze ans et nous étions en Allemagne, au centre de tennis de Munich. Je suis monté aux courts sur le toit un soir, je ne me rappelle plus pourquoi. Je ne pouvais pas dormir, je ne tenais pas en place, enfin, peu importe. Il est monté à son tour. Il avait bu. J'ai senti l'odeur de l'alcool. J'ai voulu m'enfuir, mais il m'a barré le chemin. Il a essayé, pour la première fois il a essayé de faire pire que d'habitude. (Il croise mon regard.) Je ne me suis pas laissé faire.

— Tu l'as poussé du toit ?

Le sang bourdonne à mes oreilles.

— Nous nous sommes battus, dit-il. Je l'ai frappé avec ma raquette. Il me l'a arrachée des mains et m'en a cogné l'arrière de la tête. J'ai eu de la chance que la blessure ne soit pas visible, sinon la police se serait intéressée à moi d'un peu plus près à l'époque. Mais nous nous sommes salement bagarrés. Nous étions près du bord du toit, à un endroit dépourvu des grillages destinés à empêcher les balles perdues de tomber. Je ne me rappelle pas exactement ce qui s'est passé. Il s'est jeté sur moi, et je l'ai repoussé. Il a titubé en arrière et puis il a trébuché sur quelque chose. Je ne sais pas très bien quoi. Il est tombé du toit, mais il a réussi à s'agripper au rebord. Il se cramponnait, et moi j'étais paralysé. Incapable de bouger. Il m'a appelé à l'aide. Je n'ai pas bougé. Il criait mon nom et je me rappelle que je sentais encore le coup sur mon crâne. J'ai fait un pas vers lui. Un seul, puis je me suis arrêté. Et il est tombé. (Il ferme les yeux et un frisson le parcourt.) Je suis retourné à ma chambre, mais je n'ai pas dormi. Le lendemain matin, un assistant est venu m'annoncer que Richter était mort.

— Ils ne peuvent pas t'inculper, dis-je. Tu n'as rien fait de mal.

— Il y a un moment où j'aurais pu le sauver, dit-il. J'aurais pu bouger plus vite. Lui tendre la main.

— Ne commence surtout pas à culpabiliser.

— Je ne culpabilise pas. Je ne regrette pas une seconde.

— Damien, ne comprends-tu pas qu'il suffit que tu racontes tout ça à la police ?

— Tout quoi ? Tous les abus ?

— Oui, dis-je.

— Non.

— Mais…

— Nikki, j'ai dit non.

— Alors que vas-tu faire, sinon ?

— J'ai appelé Charles de la limousine. Nous allons à Munich demain. L'équipe d'avocats est déjà réunie. J'espère que nous pourrons présenter une défense convenable.

— Tu as une défense convenable.

— N'insiste pas là-dessus, Nikki. Je ne révélerai jamais cet aspect de ma vie. Richter m'a beaucoup pris, mais ma vie privée, il ne l'aura pas.

J'acquiesce, car cela ne sert à rien de discuter pour l'instant.

— Donc, Charles et ton père espéraient que si tu soutenais le centre de tennis Richter ici, les dirigeants du centre de tennis allemand seraient disposés à arranger les choses avec la police ?

— C'est cela.

— Mais tu m'as dit que c'est ton père qui a tout déclenché.

— J'ai dit que je pensais que c'était lui, corrige-t-il. Je ne sais pas tout ce qui passe par la tête de mon père, mais je sais qu'avant que je signe un accord avec lui, Padgett a rencontré au moins deux fois mon père. Étant donné ta conversation avec Carl, je pense qu'il y a peut-être été mêlé aussi. Je crois que mon père a parlé à Padgett de l'employé d'entretien. Schmidt avait apparemment assisté à notre bagarre, mais il avait quitté le toit avant que Richter ne tombe.

— Et c'est avec ça que Padgett comptait te nuire avant que vous signiez votre accord ? Il allait convaincre l'employé de faire une déclaration publique ?

— Je crois. Il allait demander encore de l'argent pour lui et pour mon père, qui tirait les ficelles. Seulement, quand Padgett a signé l'accord, mon père a été frustré que son projet tombe à l'eau. Il a donc parlé à la police allemande. Je ne crois pas qu'il pensait que ça irait aussi loin. L'affaire était très ancienne, après tout, et il n'avait jamais été question de meurtre. La menace était seulement destinée à attirer mon attention et à me faire cracher de l'argent.

— Mais la police allemande a ressorti le dossier.

— Oui. Et du coup, mon père a voulu paraître blanc comme neige. Sa maison, sa voiture et une grande partie de ses avoirs en banque sont en fait à mon nom. Si je suis inculpé, ou si j'ai besoin de fonds pour ma défense, tout cela peut lui passer sous le nez. Pire encore pour lui, l'opinion publique pourrait découvrir qu'il était complice des abus perpétrés sur moi par Richter.

— Ton père est une ordure ! je crache.

— Oui, absolument.

— Mais tu vas t'en sortir sans problème.

Je n'arrive même pas à imaginer qu'il puisse être mis en examen.

— Je n'en suis pas si sûr, avoue-t-il. Mais pour l'instant, je ne veux plus y penser.

— Alors n'y pense pas, dis-je en écartant les draps et en lui tendant la main.

— J'aurais dû t'en parler, je suis désolé.

— Oui. Mais tu l'as fait, à présent.

Un instant, je ne vois que de la tristesse dans son regard. Puis il sourit. C'est comme une lumière qui inonde la chambre.

— N'oublie pas tout ce que tu représentes pour moi, Nikki, dit-il en me rejoignant.

— Je n'oublierai pas. Mais il ne t'arrivera rien.

Il m'ôte le T-shirt que je porte en guise de pyjama, mais me jette un regard grave.

— Tu sais que je te protégerai toujours. Que je ferai tout ce pour te protéger.

— Cesse, dis-je d'un ton ferme. Tu ne seras pas inculpé. Tu n'iras pas en prison. Tu resteras ici. Avec moi.

Sans répondre, il pose son front contre le mien. Son haleine sur ma peau nue est magique.

— Je vais te faire l'amour ce soir, dit-il. Lentement et délicatement, aussi longtemps que nous le pourrons.

— Ça va faire beaucoup, dis-je, alors qu'il commence à couvrir d'un chapelet de baisers mon cou et mes seins. (Je suis déjà consumée de désir et je sens son érection qui tend son pantalon.) Enlève-le, dis-je. Je veux te sentir contre moi. Je veux que tu sois si près que l'on ne puisse plus nous distinguer l'un de l'autre.

Il se redresse et me regarde, un sourire aux lèvres.

— À vos ordres, madame, dit-il d'un ton qui me fait rire.

Il roule sur le côté et déboutonne lentement sa chemise. Je savoure le spectacle. D'autant plus que je sais que ce spécimen parfait d'homme m'appartient. Il plie la chemise et la pose sur mon bureau. Puis il enlève ses chaussures et son pantalon. Son caleçon est gris, mais, même dans la pénombre, je vois son sexe tendre le tissu. Lorsqu'il l'enlève, je me pourlèche les lèvres. Damien le remarque au même instant et son petit rire me fait rougir.

— Que désire madame, exactement ? demande-t-il.

— Je veux te toucher, dis-je. Te goûter. T'emmener au ciel.

— Quelle coïncidence, dit-il en me rejoignant. Je veux exactement la même chose.

Il est à genoux sur le lit. Il me tire à lui dans la même position. Lentement, il caresse mon visage, plongeant son regard dans le mien.

— Je veux mémoriser tes traits, dit-il. Dans les moindres détails. Et ton odeur, ta saveur. Je veux graver tout cela dans ma mémoire, afin de t'avoir toujours avec moi.

— Je serai toujours avec toi, dis-je.

— Nikki…

J'attends qu'il poursuive ou m'embrasse, mais mon prénom reste en suspens. Un bref et étrange instant, j'éprouve un pincement d'inquiétude, mais je le balaie. Il ne sera pas inculpé. On ne me l'enlèvera pas. J'en suis convaincue. Mais en me rallongeant, je l'attire à moi, car je ne supporte pas d'être séparée de lui plus longtemps.

— Pas de jouets, dis-je en frôlant ses lèvres d'un baiser. Pas de jeux pervers. Juste toi en moi. C'est tout ce que je désire, cette nuit, Damien. Tout ce dont j'ai besoin.

Ses mains et ses lèvres courent sur moi.

— C'est tout ce dont j'ai besoin aussi, dit-il. De toi, Nikki. Que tu sois dans mes bras. Gravée dans ma mémoire. Que tu m'entraînes tout au fond de toi. Que tu me retiennes. Que tu me possèdes.

Mes mains caressent son dos et les courbes de ses fesses. J'ai écarté les cuisses et relevé les genoux. J'approche encore mes jambes, afin que son corps frôle le mien. Nous bougeons au même rythme, corps contre corps, peau contre peau.

Je veux que ce suave moment ne finisse jamais, je mouille et je suis prête pour l'accueillir en moi. J'ai besoin de le sentir en moi. De savoir qu'il est à moi, que je suis à lui et que nous sommes ensemble — que nous le serons toujours.

— Damien, dis-je, suppliante. Maintenant… S'il te plaît, s'il te plaît, j'ai envie de toi maintenant. (Il m'écarte encore les jambes et m'ouvre à lui. Puis le bout de son sexe touche le mien, il s'enfonce en moi avec une insoutenable lenteur, au point de me faire perdre la tête.) Damien, *maintenant*. J'ai envie de toi maintenant.

— J'ai envie de toi aussi, Nikki, répond-il.

Il s'enfonce en moi brutalement, me remplit et me force à m'arc-bouter sous le plaisir fulgurant qui s'empare de moi. Il continue sur ce rythme magique et je me cambre pour venir à sa rencontre, l'entraîner en moi, de plus en plus tendue, tandis que l'orgasme monte, si bien que je n'ai plus l'impression d'être allongée dans un lit, mais de flotter au-dessus, de ne plus être une femme, mais une explosion d'étoiles.

Jusqu'à ce que je ne sois plus qu'à Damien.

Et je ne désire rien de plus.

Chapitre 25

Damien part de bonne heure le lendemain matin. Il doit retrouver Charles à l'appartement de la tour avant de partir pour l'Allemagne. Je jette un coup d'œil dans la chambre de Jamie, mais elle est encore dans les vapes. Je suis dépitée, je m'inquiète pour Damien et j'ai envie de parler à quelqu'un, mais je comprends bien qu'elle a besoin de dormir.

Mes soucis peuvent attendre.

Je tourne en rond dans la cuisine, hésitant entre les œufs ou un bagel, et j'opte finalement pour un café noir. Je ne peux me débarrasser de l'angoisse qui m'accable et décide de voir Damien. Peu importe qu'il s'apprête à partir. Je dois le voir une dernière fois. Le serrer contre moi et lui dire en plein jour que tout ce qu'il m'a confié la veille ne change rien. Je crois toujours en lui.

Je dois lui dire que je l'aime.

J'enfile rapidement une robe paysanne, un débardeur rose et des tongs, puis je me coiffe et me maquille rapidement. Je ne sais pas à quelle heure décolle l'avion et je ne peux prendre le risque d'être en retard.

Comme j'ignore si les paparazzi sont collés comme des sangsues sur le trottoir devant l'immeuble, je passe par derrière pour gagner le parking. Oui, ils peuvent se précipiter sur ma voiture quand je sortirai, mais avec un peu de chance je serai dans la rue avant qu'ils me remarquent.

Et pour le coup, j'ai de la chance. Il n'y a qu'un photographe esseulé assis sur une chaise pliante. Je réussis à faire un sourire pincé. Comment peut-on supporter de rester par une chaleur torride sur un trottoir, alors que la plage et la mer sont à quelques kilomètres seulement ?

Malgré tout, je ne m'appesantis pas sur son sort. Je préfère me concentrer sur deux choses : arriver jusqu'à Damien, et conduire assez délicatement pour que la Honda ne cale pas.

Miraculeusement, j'arrive sans encombre en ville, et quelques rues plus loin je m'engouffre dans le parking souterrain qui dessert la Stark Tower et l'immeuble voisin. Je me gare à la première place venue, empoigne mon sac et cours vers l'ascenseur.

— Je monte à l'appartement, dis-je à Joe qui est de service à la sécurité. Vous m'ouvrez ?

— Bien sûr, mademoiselle Fairchild.

Oui, il y a définitivement des avantages à être la petite amie d'un milliardaire.

L'ascenseur s'ouvre quand j'arrive devant. Je monte, appuie sur le bouton et trépigne pendant toute la montée. Je suis toujours sur les nerfs, et même s'il est ultra-rapide cet engin ne va pas assez vite à mon goût. Les portes s'ouvrent sur l'appartement et je sors. Je n'entends ni Damien ni Charles, mais ils ne peuvent pas être déjà partis, Joe m'aurait prévenue sinon.

— Damien ?

J'entends un bruit sourd dans le fond de l'appartement et je me précipite en espérant que c'est lui et qu'il est seul.

Je le trouve dans la chambre, une valise ouverte sur le lit. Il me tourne le dos, mais en entendant le claquement de mes tongs il se retourne à l'instant où j'entre.

Je m'apprête à m'élancer dans ses bras − je ne désire rien d'autre que l'étreindre −, mais quelque chose dans son expression m'arrête. Je vois du plaisir et de la surprise, oui. Mais aussi de la circonspection. Et quelque chose de plus sombre, aussi. Quelque chose que je ne reconnais pas, mais qui pourrait être… du regret ?

− Damien ?

J'éprouve à présent une peur irraisonnée, et la soudaine montée de cette émotion me trouble. C'est de Damien qu'il s'agit. De l'homme qui ne me ferait jamais de mal. Qui déplacerait des montagnes pour me protéger. Alors, de quoi ai-je peur ? Au fond de moi, cependant, je le sais − et j'espère fébrilement que je me trompe.

− Nikki…

Le sourire qui se dessine sur ses lèvres est si chaleureux que je m'enhardis. L'inquiétude qui m'avait gagnée était infondée, et je la balaie en m'approchant de Damien.

− Il fallait que je vienne te dire au revoir une dernière fois.

− Je suis content que tu sois là, dit-il. Je n'aurais pas dû partir sans rien te dire. Tu vas me manquer bien plus que tu n'imagines.

Il y a quelque chose d'étrange dans son intonation, et il me regarde avec une adoration si familière que mon cœur semble près d'éclater. Malgré tout, mon inquiétude revient. Mais je continue.

— Je voulais que tu le saches, ce que tu m'as dit hier soir ne change rien. Je m'en ficherais si tu avais volontairement poussé Richter du toit. Ce qu'il t'a fait était condamnable et cela restera en toi, Damien. Quoi qu'il arrive, je ne t'abandonnerai jamais.

— Je te crois, répond-il avec un triste sourire.

— Te souviens-tu quand tu m'as demandé de reprendre notre jeu ? Tu voulais être sûr que je ne te quitterais pas, quoi que j'apprenne à ton sujet. Tu avais peur que je parle si je connaissais tes secrets. Eh bien, je crois que je sais à peu près tout, à présent, et je ne pars pas. Je t'aime, Damien Stark. Et je reste à ton côté.

Il prend une profonde inspiration et son expression est presque chagrine. Ce n'est pas la réaction que j'espérais.

— Je sais que tu ne partiras pas.

— Non… dis-je, un peu inquiète.

Il se comporte bizarrement, mais après tout il doit se rendre dans un pays étranger pour comparaître en justice. Je devrais me montrer un peu plus indulgente.

— Je ne partirai jamais.

— C'est pour ça que c'est à moi de te quitter.

Je me fige, puis je répète mentalement ses paroles. Ce n'est pas possible. Il ne peut pas avoir dit ça.

— Pardonne-moi, poursuit-il avec une douceur qui me fait monter les larmes aux yeux. Je romps avec toi, Nikki. C'est terminé.

Un grondement m'envahit les oreilles. Ce doit être une hallucination. Un rêve. Un cauchemar. Il est impossible que Damien Stark m'ait dit une chose pareille. Et pourtant je suis là devant lui, et le frisson glacé qui m'a envahie n'a rien d'un rêve. C'est la réalité. Une tragédie. Je me rappelle la froideur et la dureté de mon enfance, et ce n'est pas une réalité vers laquelle je veux retourner.

– Je… Non. Non, ça ne peut pas être fini, je suis à toi, Damien. Pour toujours. Tu me l'as dit toi-même.

Il tressaille et se détourne comme s'il ne pouvait supporter le souvenir de ces paroles.

– Je me suis trompé.

– Tu parles ! Mais qu'est-ce qui se passe, ici ?

Nikki la fâchée ne va pas pleurer. Nikki la fâchée va exiger qu'on lui donne de fichues réponses.

– Je t'ai dit que je te quitterais pour te protéger si c'était nécessaire, dit-il avec tant de calme que l'envie me vient de le gifler.

– Me protéger ? Damien, tout va bien. Je vais très bien.

– Tu ne vas pas bien. Tu es effondrée avec cette histoire de tableau qui a fuité dans la presse, Nikki. N'essaie pas de dire le contraire. J'ai vu comment tu étais dans les toilettes. Tu voulais t'entailler. Tu étais prête à fracasser le miroir pour prendre un éclat de verre. Tu voulais te faire saigner, Nikki. Tu voulais souffrir.

Je me tais. Je ne peux pas nier, car il dit la vérité.

– Mais je ne l'ai pas fait, je me contente de répondre.

– Ça va empirer. Ça a déjà commencé. (Je ne sais pas de quoi il parle.) La presse, Nikki. Elle ne s'intéresse pas à moi. Damien Stark inculpé de meurtre. On aurait pu croire que ce serait passionnant, non ? Apparemment moins que sa petite amie. Qui, selon ces salauds, n'est pas vraiment sa petite amie. Juste une petite pute opportuniste qui coucherait avec n'importe qui pour avancer dans la vie, y compris avec des assassins.

J'en ai la nausée.

– Je m'en fiche. (Je mens.) Je peux vivre avec ça.

– Tu ne devrais pas y être obligée.

– Bon sang ! Damien, je ne suis pas une petite entreprise familiale qu'on peut sauver en retirant simplement ses billes. T'en aller ne va pas me sauver, mais me détruire. J'ai besoin de toi. De *toi*. Tu ne comprends pas ?

– Je ne supporte pas de te voir brisée. Surtout si j'en suis la cause.

– Si jamais tu me quittes, c'est sûr que je vais voler en éclats !

– Non, répond-il simplement.

Je me rends compte que je pleure.

– Il me semblait que tu m'avais dit que j'étais forte. Ou bien c'étaient juste des conneries ?

– Tu l'es, dit-il, toujours aussi calme. Assez forte pour rester, alors que je t'entraîne dans un enfer. C'est moi qui suis faible, Nikki, parce que je t'ai laissée bien trop longtemps exposée en pleine lumière. Je ne pouvais pas te quitter, et cela t'a fait du mal. Mais il le faut, à présent. Pour toi.

Il ferme la valise et la soulève. Pendant un instant, il reste là à me regarder. Je cherche quelque chose à dire, une formule magique qui pourrait tout arranger, mais nous ne sommes pas dans un conte de fées. Il sort de la chambre.

Il part. Il m'abandonne. Damien Stark, l'homme en qui j'avais confiance, m'abandonne pour ne jamais me faire souffrir. Il me quitte, et j'ai le cœur en miettes.

Une froide colère s'empare de moi, mêlée d'accable-ment. Des larmes coulent sur mes joues, tandis que je me penche pour enlever le bracelet de cheville en éme-raudes que je lance vers lui.

— Sois maudit, Damien Stark, je chuchote. Sois mau-dit d'avoir renoncé à nous.

Il s'arrête, et je vois son expression peinée. Il baisse les yeux vers le bracelet qui gît à ses pieds. Il s'apprête à le ramasser, puis il se ravise. Je le scrute, espérant des paroles de réconfort. Mais elles ne viennent pas. J'entends à la place les deux seuls mots que je n'aurais jamais voulu entendre :

— Adieu, Nikki.

Et il s'en va.

Je ne sais pas comment je parviens à conduire jusqu'à Malibu, mais j'y arrive. Quand je me gare sur l'allée de la maison d'Evelyn, je vois à peine à travers mes larmes.

— Bon Dieu, la Texane ! dit-elle en ouvrant la porte. Qu'est-ce qui t'est arrivé ?

— Il m'a quittée… (Je hoquette entre deux sanglots.) Il croit qu'il me protège en me plaquant.

— Quel imbécile… dit-elle. Je me fiche que tout le monde dise que c'est un foutu génie, mais il a merdé, là. C'est clair. (Mes pleurs redoublent en l'entendant.) Allez, entre, ma fille.

— Blaine est là ?

— Dans l'atelier, dit-elle. Tu peux y aller et pleurer autant que tu veux.

— Je n'ai pas envie de pleurer. Je veux qu'il revienne. Il est tellement convaincu de bien agir.

– De quoi veut-il te protéger ? demande-t-elle en me conduisant à la cuisine et en me faisant asseoir à la table.

– Des paparazzi.

– Pfff ! Qu'ils aillent se faire foutre…

– J'aimerais que ce soit aussi facile de les chasser. Blaine ne t'a rien dit ?

– De quoi ?

Je ne veux pas m'embarquer là-dedans, mais j'ai besoin d'aide. Et elle doit comprendre pourquoi Damien est parti. Pourquoi il croit devoir me quitter.

– J'ai des cicatrices, dis-je finalement.

Elle acquiesce lentement.

– Il y en a une sur le tableau. Sur ta hanche. On dirait qu'il y en a aussi sur ta cuisse, mais on ne voit pas bien à cause de l'ombre. Qui t'a fait du mal, alors, la Texane ?

– C'est moi qui me suis fait du mal…

Je laisse ma phrase en suspens et je guette mes larmes, mais rien ne vient. Je ne sais pas si c'est moi ou Evelyne, mais c'est plus facile de parler, maintenant. Non, ce n'est pas vrai. Je le sais. C'est moi. Damien m'a aidée à changer la manière dont je considère mes défauts. Je grimace. Je le maudis de m'avoir quittée.

– Damien pense que tu vas recommencer à te taillader ?

– Oui, je réponds, soulagée qu'elle aille droit au but. Je n'ai rien fait de ce genre depuis que je suis à Los Angeles. Mais j'ai failli.

– Les paparazzi ? demande-t-elle en posant devant moi un verre d'eau dont je bois une gorgée.

– Et tout ce cirque autour du tableau. Ça m'a… ça m'a déstabilisée.

– Tu penses ! Ce genre de saloperie déstabiliserait n'importe qui.

– À présent, la presse raconte que je couche avec un assassin, et Damien s'imagine…

– Qu'il doit se comporter en héros et partir. Quel imbécile, ce garçon. Vous n'êtes pas censés jouer une tragédie.

– Fais-moi confiance, dis-je avec ironie, je ne raffole pas non plus de ce changement de dernière minute dans le scénario. Qu'est-ce que je peux faire, alors ?

– Te bouger les fesses et aller le chercher en Allemagne.

– Mais il me renverra. Il croit bien faire. Je dois lui prouver que je suis capable de gérer la situation, mais comment ? Il ne suffit pas que je reste sage sans me taillader pendant un an et que je lui dise « Tu vois ? J'ai réussi ! ». Comment lui prouver tout de suite que tout ira bien ?

– Ah, là, tu as sonné à la bonne porte ! Parce que c'est exactement le genre de saloperie qu'on gère quand on vit à Hollywood. Il faut simplement que tu lances la presse sur une autre piste.

– Je ne te suis pas.

– Ils s'intéressent à toi parce que tu leur fournis matière à articles. Supprime la matière.

J'essaie de comprendre. Soudain, tout se met en place. Je me lève d'un bond et lui saute au cou.

– Tu es géniale.

– À qui le dis-tu ! Pourquoi tu crois que je suis une légende, ici ?

– Tu connais quelqu'un qui peut s'occuper de la presse ?

– Laisse-moi faire, dit-elle avec un immense sourire.

Je suis émerveillée de la voir se mettre à la tâche. Et deux heures ne se sont pas écoulées que tout est prêt pour la toute première conférence de presse de ma vie.

– Et ce qui rend tout cela vraiment unique, s'esclaffe Evelyn, c'est que tout ce que tu vas dire est complètement vrai !

Je passe l'heure suivante à mettre mes idées en forme. Grâce à l'obsession de ma mère pour les concours de beauté, je n'ai pas de problème pour parler devant une caméra, mais j'espère que je serai claire et qu'on pourra me citer abondamment. Quand l'équipe de tournage arrive enfin, je suis prête.

– Pas de regrets, la Texane ? demande Evelyn.

– Je ne vois pas d'autre solution pour le faire revenir, dis-je. Et puis, surtout, je dois le faire pour moi.

– Parfait. Alors, allons-y. On va te rendre encore plus célèbre.

J'éclate de rire, mais je dois reconnaître qu'elle a probablement raison. Je dois aussi me l'avouer : ça ne va peut-être pas marcher, mais ça n'a pas d'importance. Une seule chose compte, que la princesse terrasse le dragon au lieu de se réfugier dans sa tour.

L'équipe se compose d'un cameraman, d'une journaliste et d'un producteur. Comme ça ne m'intéresse pas d'être interviewée, la journaliste déclare qu'elle enregistrera le lancement plus tard en studio. Ils sont là pour moi et je peux prendre mon temps. Je me place sous l'éclairage, j'attends que le cameraman me fasse signe, et je me jette à l'eau.

« Je m'appelle Nikki Fairchild, et j'ai récemment accepté un million de dollars pour servir de modèle à un tableau de nu peint par Blaine. La peinture achevée est maintenant accrochée dans la maison de Damien

Stark à Malibu, et c'est une œuvre d'art exceptionnelle, à la fois érotique et de bon goût. Mon visage n'y est pas visible. (Je marque une pause pour rassembler mes idées. La journaliste m'encourage d'un signe de tête, et je souris. Nous n'avons échangé que quelques mots, mais je l'aime bien.) J'ai accepté de poser et d'être payée un million de dollars parce que j'avais besoin de cet argent. La somme est intacte et ne sera dépensée que lorsque je serai prête. Mais j'ai également tenu à ce que l'accord soit confidentiel et qu'à l'exception du peintre et de M. Stark, personne ne sache que c'était moi sur ce tableau. J'ignore comment, mais mon identité a été révélée, et M. Stark et moi-même avons été harcelés en permanence par des photographes qui n'ont apparemment rien de mieux à faire. À la vérité, j'ai des regrets à présent. (En disant cela, je me demande si Damien verra cet enregistrement. Je continue cependant.) Pas à propos de la peinture, ni de l'argent. Non, je regrette d'avoir demandé à M. Stark et à Blaine de garder le secret sur mon identité. J'avoue qu'il y a un certain temps j'avais honte de mon physique, mais cette époque est révolue. Je trouve le portrait éblouissant. Et j'estime que le salaire était juste. En même temps, quel est le juste salaire pour servir de modèle ? Si M. Stark m'avait payée dix dollars, la presse m'aurait-elle traitée de traînée bon marché ? (Je jette un regard à Evelyn, qui sourit.) En toute franchise, je crois qu'il a fait une bonne affaire. S'il veut un deuxième tableau, il devra me payer deux millions. Au moins. (La journaliste continue de m'encourager silencieusement.) Depuis ce matin, les rumeurs me concernant ont changé. Apparemment, je serais maintenant une femme qui coucherait avec un meurtrier pour faire son chemin. Réfléchissons à la question. Est-ce que je couche avec Damien Stark ? Oui. Et j'en suis heureuse, mais pas pour avancer dans la vie. Au contraire, je suis honorée qu'il ait envie que je sois dans sa vie et dans son lit. (Je me rends brusquement compte que je ne suis pas du tout mal à l'aise. Je me sens forte. Mes paroles me semblent justes.) Quant à l'allégation de meurtre à l'encontre de Damien Stark, je peux seulement dire que je n'y crois pas. Les preuves permettront son acquittement. Mais si par quelque affreuse méprise il était inculpé, cela n'y changerait rien, je ne le quitterai pas. (Je prends une profonde inspiration et attaque la conclusion.) Comme je n'ai pas l'intention de faire d'autre déclaration à la presse, j'ajouterai une dernière chose. Je suis amoureuse de Damien Stark, et je pars pour l'Allemagne dans une heure pour le soutenir durant son procès. C'est un innocent que l'on accuse à tort. Merci. »

*
* *

Me voici devant la suite présidentielle du Kempinski, un hôtel d'un luxe inouï à Munich. Je prends une profonde inspiration. Je dois beaucoup à Sylvia, qui pourrait perdre son poste si Damien décidait de reprocher à son assistante de m'avoir dit où il est descendu.

Je ne sais pas comment il va réagir en me voyant, et je n'ai aucun moyen de savoir s'il a vu ma déclaration à la presse. Et quand bien même, je ne pourrais pas savoir si elle l'a ému.

Depuis cette déclaration, je ne suis plus une traînée, apparemment, et Damien plus un meurtrier. Désormais, nous sommes un couple dont l'amour est contrarié par le destin. La presse est capricieuse. Cette fois, au moins, elle nous traite avec sympathie.

Mais, surtout, la première phase de mon plan a fonctionné. Et ça me donne du courage. La suivante va sûrement marcher aussi. Parce que je n'ai aucune envie d'appeler Sylvia et de lui demander de me prendre une chambre dans un hôtel miteux.

Assez tergiversé. Je frappe à la porte et j'attends. Un instant plus tard, j'entends Damien répondre qu'il arrive, puis le verrou s'ouvrir. Je retiens mon souffle.

Le voici. Il porte un pantalon noir et sa chemise est déboutonnée. Il a l'air à la fois éblouissant et distrait, le bras levé pour boutonner sa manchette, mais en me voyant, il se fige.

– Nikki.

– Veux-tu que je m'en occupe ? je demande.

Sans un mot, il me tend son bras. Je boutonne une manchette sur le seuil, puis j'entre et fais de même avec l'autre. Puis, sans mot dire, je boutonne le devant de sa chemise. Il est tendu. Je ne sais pas s'il est content ou fâché de me voir, ou s'il se demande s'il rêve.

– J'ai vu ta conférence de presse, dit-il finalement.

– Ah bon ?

J'essaie de garder un ton léger et encourageant, mais j'ai le cœur brisé. S'il l'a vue et s'il avait envie de me voir, ne devrait-il pas me prendre dans ses bras ?

– Je ne pensais pas que tu arriverais si vite.

– Quand on veut rejoindre quelqu'un qu'on aime, on essaie de le faire aussi vite que possible.

J'ai du mal à continuer de sourire, et j'ai soudain peur de fondre en larmes. Je n'ai pas voulu m'avouer jusqu'ici mon envie de l'entendre me dire qu'il m'aime, mais à présent c'est le cas. Et non seulement il ne me le dit pas, mais il va probablement m'éconduire.

– Oh, Nikki… Quoi que tu dises à la presse, tu mérites mieux qu'un homme derrière les barreaux.

– C'est *toi* que je mérite, dis-je. Mais si tu penses que je ne peux pas gérer tout cela, tu as raison. Je ne peux pas sans toi. Damien, tu ne comprends donc pas ? Je ne peux pas rester à l'écart pendant qu'on te juge pour meurtre. Je dois être là. Il le faut. J'ai besoin de toi. Et je crois que tu as besoin de moi aussi, j'ajoute en plongeant mon regard dans le sien.

Une éternité semble s'écouler avant qu'il réponde.

– C'est vrai, Nikki, dit-il. Bon Dieu ! oui, c'est vrai, Nikki.

C'est comme si le mur de verre autour de lui avait volé en éclats. La vie revient dans son regard, le sourire sur son visage. Soudain, il me prend dans ses bras et me serre contre lui. Les battements de son cœur résonnent à mes oreilles, et je respire le parfum de l'homme que j'aime.

– Alors, j'ai bien fait de venir ? je demande, hésitante.

– Oh, oui, ma chérie, oui, répond-il avec une ferveur qui m'arrache des larmes. Tu es mon sang. Sans toi, je ne suis rien qu'une coquille vide.

– Jamais tu n'aurais dû me quitter.

– Non, répond-il sans hésiter. Il le fallait. Je devais te donner une possibilité de te libérer de moi. Parce que tu vas être entraînée dans cet enfer, Nikki… et même si tu crois que j'ai de la force, je suis faible. Je suis égoïste. Je suis parti cette fois pour te protéger, mais je ne recommencerai pas. Si tu veux partir maintenant, c'est le moment. Sinon, je te garderai auprès de moi, parce que c'est là que je veux que tu sois. À mon côté, Nikki. Éternellement. (Je tremble de soulagement, en me contentant d'acquiescer bêtement.) Sans toi, c'était l'enfer, dit-il. Chaque instant était un combat contre la tentation. Je voulais envoyer un avion te chercher. Sans tenir compte de ce qui valait mieux pour toi, je voulais être avec toi par pur égoïsme.

— Je crois que ça ne m'aurait pas gênée, dis-je.

— Non, contre-t-il. J'étais tellement fier de toi. Tout ce que tu as dit. Les risques que tu as pris. Tu as exorcisé les démons, Nikki. La presse est un fléau, mais tu l'as privée de son pouvoir. Elle ne peut plus te détruire. Sous aucun prétexte.

— C'était facile. Je me suis simplement rappelé ce que tu me dis tout le temps, que je suis forte.

Ses doigts frôlent ma joue. Puis il referme ses lèvres sur les miennes dans un long et profond baiser qui me fait défaillir.

— Je veux te faire l'amour, dit-il.

— Dieu merci !

Il éclate de rire.

— Mais nous ne pouvons pas maintenant.

Je lève les yeux, soudain effrayée de m'être trompée et de me faire finalement éconduire.

— Je dois aller retrouver mes avocats.

— Ah ! Eh bien, après ?

— Très certainement. Et très longtemps. Mais pour le moment, veux-tu venir avec moi ? Je tiens à ce que tu sois à mon côté pour cette rencontre.

— Bien sûr. Alors, ça veut dire que je peux rester ?

— Tu as sacrément intérêt, sourit-il, les yeux brillants.

— Qu'est-ce qu'il y a ?

— J'espère juste que tu n'es pas un mirage.

– Je suis réelle, dis-je, rayonnante.

– Prouve-le, dit-il en sortant de sa poche le bracelet de chevilles aux émeraudes. Mets-le.

– Mais comment… ?

– J'y suis retourné, dit-il en se baissant pour le mettre à ma cheville dans un geste qui me fait frissonner. Il fallait que je t'aie avec moi, même si ce n'était que symbolique.

– Damien, dis-je, le cœur gros.

Il se relève et pose un doigt sur mes lèvres.

– Plus tard. Si tu ajoutes un mot, nous ne sortirons jamais d'ici. J'ai envie de toi, là, maintenant, mais je ne peux pas manquer cette réunion. (Je souris en le suivant, anticipant ce qui m'attend après. Il s'arrête sur le seuil.) Une dernière chose. Je t'aime…

Ses yeux étincellent. Un sourire ravi se dessine sur mes lèvres et je me mets à rire comme une enfant. Un procès pour meurtre nous attend. Et puis après ? Damien et moi, nous nous aimons. Et pour l'instant, cela me suffit amplement.

L'amour de Nikki et Damien sera-t-il le plus fort ?
Retrouvez-les dans…

AIME-MOI

*Dernier tome de la trilogie
à paraître en novembre 2013*

La peur me réveille brusquement, et je me redresse d'un coup dans une chambre plongée dans la pénombre. La lueur verdâtre du réveil annonce qu'il est juste minuit passé. Haletante, j'écarquille les yeux, mais je ne vois rien. Les derniers lambeaux d'un cauchemar déjà oublié me frôlent comme le manteau effiloché d'un spectre, assez puissant pour me remplir de terreur, mais assez inconsistant pour partir en fumée dès que j'essaie de le saisir.

Je ne sais pas ce qui m'a effrayée. Je sais seulement que je suis seule dans une chambre que je ne connais pas, et que j'ai peur.

Seule ?

Je me retourne vivement en tendant le bras. Mais je sais avant même que mes doigts n'effleurent les luxueux draps glacés qu'il n'est pas là.

Je me suis peut-être endormie dans les bras de Damien, mais je me réveille seule.

Au moins, je connais la cause de ce cauchemar. C'est la même terreur que j'ai affrontée jour et nuit pendant presque deux semaines. La peur que j'essaie de dissimuler sous un sourire artificiel quand je m'assieds près de Damien jour après jour pendant que ses avocats passent en revue sa défense dans les moindres détails. Pendant qu'ils expliquent les procédures judiciaires de la loi allemande. Qu'ils le supplient presque d'éclairer un peu les recoins les plus sombres de son enfance, car ils savent, tout comme moi, que ces secrets représentent son seul salut.

Mais Damien demeure obstinément muet et je suis accablée par la peur envahissante de le perdre. La peur qu'on me l'enlève.

Et pas seulement cela. Je lutte contre cette affreuse évidence : il n'y a rien que je puisse faire pour y changer quelque chose. Je ne peux qu'attendre, regarder et espérer.

Mais je n'aime pas attendre et je n'ai jamais eu tellement foi dans l'espoir. C'est un cousin du destin, et ils sont l'un et l'autre trop capricieux à mon goût. Ce que j'aime, c'est l'action. Mais le seul qui puisse agir, c'est Damien. Et il s'y refuse fermement.

Et c'est le pire de tout. Car si je comprends les raisons de son mutisme, je ne peux réprimer ma colère. Au fond, ce n'est pas seulement lui que Damien sacrifie, mais aussi moi.

Je ferme les yeux pour retenir mes larmes. Ma colère est injuste et je le sais. Mais j'ai tellement peur.

Je parviens à me calmer. Je suis allongée du côté de Damien et je respire profondément, comme si son odeur pouvait à elle seule me soutenir et chasser mes craintes.

Mais cela ne suffit pas. J'ai besoin de l'homme lui-même, et je quitte péniblement le confort de notre lit pour me lever. Je suis nue et je me baisse pour ramasser le douillet peignoir blanc de l'hôtel Kempinski. Damien l'a fait glisser de mes épaules après notre douche hier soir, et je l'ai laissé là où il est tombé, à côté du lit.

La ceinture, c'est une autre affaire, et je dois fouiller dans les draps pour la retrouver. Hier soir, elle a servi à m'attacher les poignets dans le dos. À présent, je la remets à ma taille, savourant le luxueux confort de la douce étoffe de coton après un réveil aussi brutal. La chambre est tout aussi apaisante, parfaite jusque dans le moindre détail. Chaque centimètre de bois est ciré, chaque bibelot ou décoration élégamment disposé. Mais pour le moment, je ne prête pas attention aux charmes de la chambre. Je veux seulement retrouver Damien…

Composition PCA
44400 – Rezé

Imprimé au Canada
Dépôt légal : juillet 2013

ISBN : 978-2-7499-2024-5
LAF 1765